CW00544404

PASSEGGIATE PER L'ITALIA

VOL. IV

FERDINANDO GREGOROVIUS

© 2023 Culturea Editions

Texte et illustration de couverture : © domaine public
Edition : Culturea (Hérault, 34)
Contact : infos@culturea.fr
Retrouvez notre catalogue sur http://culturea.fr
Imprimé en Allemagne par Books on Demand
Design typographique : Derek Murphy
Layout : Reedsy (https://reedsy.com/)

Dépôt légal : janvier 2023
Tous droits réservés pour tous pays

ISBN : 9791041964048

NAPOLI
(1854)

I.

Roma, da dopo la rivoluzione del 1848, appare ancor più silenziosa che nel passato; tutta la vivacità del popolo è scomparsa e le classi agiate si tengono paurosamente nascoste, guardandosi bene di far parlare di sè; e le classi infime sono ancora più misere e più oppresse di prima. Le feste popolari sono scomparse, o quasi; il carnevale è in piena decadenza; e persino le feste di ottobre, un tempo sì allegre fuori delle porte, fra i bicchieri di vino dei Castelli e il saltarello, sono presso che dimenticate. Roma è oggi una grande rovina della civiltà: non vi si vedono che processioni di preti e di frati, non vi si sente che suono di campane o musica chiesastica, e tutta la vita sembra essersi rifugiata fra i curiali, fra i cardinali, fra i monaci, fra i preti. Il popolo non è che un semplice spettatore che non lavora, che non commercia e si contenta soltanto di contemplare, e contempla le rovine antiche, le gallerie del Vaticano, le funzioni in S. Pietro o nella Cappella Sistina, dove il Papa e i cardinali stanno disposti in gruppi, sempre nello stesso ordine, sì da parere un gran quadro. Persino nel Corso, per cui il Romano passeggia gravemente nel pomeriggio ed alla sera, la gente vi si reca non per muoversi, ma per ammirare le belle signore che corrono in su e in giù in carrozza.

Ben diverso è l'aspetto di Napoli, dove il vivace, febbrile e continuo chiassoso movimento di tutto quel popolo, ha del fantastico. Si direbbe una città in rivoluzione, perchè tutti si muovono, tutti si agitano, tutti gridano e schiamazzano. Nel porto, sulle rive del mare, nei mercati, in via Toledo, persino a Capodimonte, al Vomero, a Posillipo, lo stesso movimento, lo stesso chiasso. A Napoli non si riesce a far nulla, e il nostro occhio nulla può fissare: ovunque bisogna guardarsi senza posa contro gli urti e gli spintoni. La stessa viva luce del mare e delle rive mantiene in continua agitazione, eccita la vista e la fantasia; e il frastuono delle voci umane e delle carrozze non cessa nemmeno nel cuore della notte.

Da Castel Sant'Elmo salii fino al monastero di S. Margherita, un edificio principesco dei Benedettini senza l'uguale per magnificenza architettonica e per posizione, il quale domina Napoli dal Vomero, con la vista insuperabile dell'ampio golfo, delle sue isole e dell'immensa città, distendentesi da Posillipo sino alle falde del Vesuvio. Ebbene, anche a quell'altezza arriva confuso il rumore della città e pare quasi che la popolazione in basso sia impegnata in una lotta terribile, sia in piena rivoluzione. Chi volesse ricercare perchè tutta quella gente grida, che cosa offrano tutte quelle voci, troverebbe che tutto ciò è per il popolo napoletano un piacere, un godimento. Mi diceva un frate benedettino di distinguere fra tutta quella confusione la voce di alcune donne che vendevano frutta. Che cosa non si offre in vendita qui ad alta voce? Tutto quello che sorge su questo suolo benedetto, tutto quello che l'industria dell'uomo produce, ha il suo grido particolare: i pesci, le frutta, i pulcinella, le statue dei santi in legno. L'unica cosa che non si offre ad alta voce sono le belle ragazze; ma v'è pure il ruffiano pallido, che come serpe striscia per via Toledo e va susurrando a mezza voce, al passante: «Una ragazza fresca, bella, bellissima, di tredici anni...».

Rimasi a lungo sulla terrazza di S. Martino appoggiato al parapetto ad ascoltare le voci che salivano da Napoli. Se questo popolo, pensavo, fa tanto chiasso nella sua vita comune, quanto ne farà quando è agitato da passioni, durante le lotte, quando vuole il saccheggio, come fecero il 15 maggio 1848 i lazzaroni a migliaia dietro la carrozza di re Ferdinando!

Il frastuono napoletano ha però di solito un carattere pacifico: è allegro ed in fondo è ordinato nel suo apparente disordine. Tutta quella gente, che brulica come formiche, si muove in certe direzioni fisse, con uno scopo determinato. In questo popolo la vita circola come il sangue nel corpo umano, e quelle sue pulsazioni febbrili in apparenza, sono in realtà regolari e normali.

La rivoluzione e le sconfitte morali di questi ultimi anni non hanno lasciato tracce profonde nella città partenopea. La vita ha ripreso il suo corso, come nulla fosse accaduto, e non ci si accorgerebbe nemmeno di quello che accadde, se le persone prudenti non ci avvertissero di parlare con molta cautela, di guardarci dalle spie, ovunque sparse, e se qua e là, in specie a Medina e a Monte Oliveto, non si vedessero case e palazzi ancora danneggiati dalle artiglierie di Castel Nuovo. Ora, ai forestieri è concesso di portare il cappello alla calabrese ed il pizzo al mento, avendo l'ambasciatore francese chiesta ed ottenuta soddisfazione per lo sfregio fatto ad un suo connazionale arrestato per istrada e senz'altra formalità trascinato in una bottega di barbiere, dove, per ragioni di Stato, gli si erano rase le basette ed il pizzo. Mi ha narrato un prigioniero di Stato a Pozzuoli che alcuni giovani napoletani hanno dovuto scontare nel carcere il grande delitto di aver portato un cappello od una barba rivoluzionaria...

L'armonia regna in questo paese: non un volto grave, melanconico: tutto qui sorride; a migliaia scivolano nel porto le barche, a migliaia passano per Chiaia e S. Lucia le carrozze; ad ogni passo s'incontrano persone intente a mangiare maccheroni, o frutti di mare; in terra si canta e si suona; tutti i teatri sono aperti; oggi, come prima, il sangue di S. Gennaro bolle e si discioglie; nessuna bomba ha ucciso pulcinella; la Villa Reale è piena di forestieri che lasciano cospicue mancie. Questo popolo vive alla giornata: non ha passioni politiche, non ama le cose gravi, le passioni virili, senza le quali un paese non ha una storia propria. Dalle sue origini Napoli ha sempre avuto per padroni gli stranieri: i Bizantini prima, poi i Normanni, gli Svevi, gli Angioini, gli Spagnuoli, i Borboni e Gioacchino Murat. Un popolo, che è privo di carattere, che non ha sentimento nazionale, si piega a qualunque signoria. Fa senso vedere ancora oggi in corso le monete coll'effigie di Murat, accanto a quelle di re Ferdinando. Gli uomini assennati, che scusano il carattere di questo popolo e non se ne adontano, mancano di perspicacia e di prudenza.

Tornavo una sera a Napoli da Portici, e per istrada salì nella carrozza in cui mi trovavo un medico, ancor giovane, spiritoso e gentile. Egli scandagliò da prima il mio modo di pensare, quindi parlò liberamente sulle condizioni presenti di Napoli. Le sue osservazioni erano così serene che io rimasi stupito che egli si arrischiasse a farle ad uno sconosciuto. Gl'Italiani parlano volentieri di politica con i forestieri e con essi non fanno misteri del loro modo di pensare. Quel medico era stato perseguitato per aver avuto in tempo passato relazioni con Poerio. Lo interruppi nel suo discorso per additargli una grande quantità di lumi che si erano accesi alla Marinella, certo per una festa.

Come è stupenda questa vista—dissi—con tutti quei lumi che fan corona al porto!

E' vero—rispose quegli—è proprio stupendo. Così è il nostro popolo! È lieto ogni qual volta c'è una festa, uno spettacolo, una illuminazione. Come potrà mai questa folla ignorante nutrire idee serie?

I Napoletani sono irritati, ma ridono. Non vi è in tutto il mondo un paese in cui il dispotismo sia usato con tanta facilità, poichè è impossibile distruggere i tesori di questa splendida natura, ridurre sterile questo fertile suolo. Sotto questo cielo ognuno può sempre liberamente muoversi, tutti quanti i sensi provano la loro soddisfazione. La natura eguaglia tutto: non vi è luogo più democratico di Napoli. Chi potrebbe mai annullare questa magna charta della libertà?

Io ho trovato sempre straordinariamente caratteristico questo spettacolo. Nelle ore calde del pomeriggio, sotto il porticato di una delle principali chiese, quella di S. Francesco di Paola, si vedono centinaia di lazzaroni sdraiati che dormono, sudici e cenciosi, decorazione poco armoniosa e decorosa con quell'opera architettonica. Ho ripensato a quegli altri lazzaroni dell'antica Roma, i quali facevano essi pure la siesta sotto il portico di Augusto e di Pompeo, se non che quelli tenevano in tasca le tessere per la distribuzione del grano, e questi non l'hanno. In qualunque altra capitale d'Europa la polizia caccerebbe via tutti quei dormienti dal portico di una chiesa dinanzi al palazzo reale. Qui, invece, dormono a loro bell'agio, e le sentinelle che passeggiano distratte in su e in giù presso le statue equestri di Carlo III e di Ferdinando I, li guardano come la cosa più naturale del mondo.

Questa Piazza Reale, vicinissima al mare, di cui però non si gode la vista, mirabilmente selciata, tanto che potrebbe servire benissimo da sala da ballo, circondata di eleganti edifici, è uno dei punti più eleganti della città. Vi risiedono il Re, la Corte e le principali amministrazioni; si potrebbe chiamare questa piazza, non il cuore di Napoli, chè questo titolo spetta al porto, ma il cervello. La piazza non ha carattere storico e mostra piuttosto un inespressivo aspetto moderno, sia nel palazzo reale, un edificio dalla facciata liscia, dalle mura tinte di rosso, simmetrico, monotono, sia nei due palazzi uguali che fiancheggiano la piazza stessa, sia infine nella chiesa di S. Francesco di Paola, un'imitazione del Pantheon di Roma, senza carattere proprio, inespressiva come tutte le copie senz'anima. Anche le statue equestri di bronzo di Carlo III, fondatore della dinastia, e di Ferdinando I, opere pregevoli del Canova e di Antonio Calì, con la loro tinta allegra e chiara, svelte e liscie, non hanno niente di storicamente monumentale: si direbbero piuttosto decorazioni transitorie. Tutto qui ha del resto, lo stesso carattere di modernità e di gaiezza. Il palazzo reale potrebbe benissimo trasportarsi, senza che il suo stile vi si opponesse, in mezzo ad un grandioso giardino, o ad un parco, e sarebbe allora una villa principesca come quella di Caserta e di Capodimonte, alle quali moltissimo assomiglia. Il famoso teatro di S. Carlo, il più vasto fra i teatri, è attaccato al palazzo, di cui anzi forma un'ala. Le muse della musica e del ballo dimorano dunque sotto lo stesso tetto del capo dello Stato, e in una corte laterale, che si vede anche dalla strada, fanno ogni mattina gli esercizi i soldati svizzeri, molto semplicemente vestiti di tela grigia, che armonizza perfettamente con l'architettura fredda ed inespressiva del palazzo.

Re Ferdinando è tuttora imbronciato con Napoli. Il suo palazzo è deserto, la Corte trovandosi nella deliziosa isola d'Ischia. Un giorno però il Re è venuto in città per assistere alla festa della Madonna del Mercato, che gode tanta fama quanto quella di Piedigrotta. Io ho avuto occasione di vedere la famiglia reale e la Corte al Mercato, e poi per istrada, quando faceva ritorno al palazzo. Il corteo, composto di varie berline dorate, era splendido e faceva bella mostra nel Largo di Castello, mentre il palazzo reale, che avevo visto sempre muto e silenzioso, riacquistava anima e vita. Non un sol grido di Viva il Re! si levò da quella folla, che si accontentò di scoprirsi la testa, come fa quando suonano le campane dell'Ave Maria.

Le truppe si presentavano bene: bellissimi specialmente gli usseri, dalla pittoresca divisa a colori vivaci e dagli eccellenti cavalli. Abituato a non vedere in Roma che soldati francesi, ho provato un vero godimento nel trovarmi di nuovo dinanzi a truppa italiana. I Napoletani sono bei soldati, ben vestiti, abbastanza istruiti, ma, si capisce facilmente, in essi di militare è soltanto l'apparenza.

A Roma, per le vie, s'incontrano spesso corporazioni che vanno in lunghe file, a due a due, portando un po' di vita nei quartieri silenziosi e deserti, e dànno insieme un'idea della vita del paese, governato e disciplinato esclusivamente da preti: sono lunghe file di monache, di frati, di ragazzi appartenenti a questo o a quell'istituto, di poveri orfani, di colleggiali vestiti in rosso, in nero, in turchino, in bianco; sono confraternite della Morte con i cappucci neri, od altre dal cappuccio verde, bianco, violetto, e sono anche file di soldati. A Napoli tutte queste comparse, più o meno clericali, non vi sono, o si perdono fra le masse del popolo; si distinguono però i militari e più ancora i galeotti che camminano scortati dalla truppa, incatenati a due a due, e vestiti di vario colore, a seconda della categoria a cui appartengono per i delitti commessi. Se ne incontrano in città e fuori, a Portici e a Torre del Greco, e la vista di quei disgraziati, in mezzo a quella natura così raggiante, che dà gaiezza al cuore e all'anima, che invita al piacere, produce un'impressione infinitamente dolorosa. A Napoli però non vi è nessuna di quelle corporazioni che attraggono tanto l'attenzione in Roma, e i monaci stessi, numerosissimi ovunque la vita è facile ed agevole la vegetazione alle piante parassite, si confondono nella folla, dando a questa un nuovo contributo di varietà.

Tanto nella festa della Madonna del Mercato, quanto in altre occasioni, il popolo non pensa che a divertirsi e a stare allegro. I Napoletani non vanno ad una festa per assistere alle funzioni religiose, per ammirare le fonti del culto, ma per stare all'aria aperta, per godere le bellezze naturali, cui la folla variopinta dà un nuovo risalto. Ho visto migliaia e migliaia di Napoletani alla festa per il centenario della Madonna di Posillipo. Non avevo mai assistito ad uno spettacolo così teatrale: la folla variopinta ingombrava la splendida riviera di Chiaia, la Villa Reale, tutta la strada sino a Posillipo: ovunque bandiere, festoni, fiori; il golfo splendeva di luce; sei navi da guerra, ancorate fra Chiaia e il porto, facevano senza posa fuoco dalle loro artiglierie; il rumore ed il chiasso erano indescrivibili; la processione non aveva niente di dignitoso, di solenne, d'imponente, per chi arrivava da Roma. A Roma, anche le processioni più meschine presentano un carattere artistico, il che mostra avere le arti esercitato la loro benefica influenza persino sulle minime cose del culto, quali sono gli emblemi, le allegorie, le immagini dei santi. Il senso del bello ivi regna dovunque, in ogni cosa; si direbbe che gli Dei della Grecia, i quali stanno al Vaticano e al Campidoglio, non tollerino il brutto e il barocco neanche nei santi. Il Museo Borbonico non ha esercitata affatto quest'influenza sul popolo di Napoli. L'arte plastica ha pochi aderenti, pochi cultori; quivi ha fatto sentire la sua influenza la sola pittura, quella allegra e brillante degli affreschi di Pompei, dei quali si vedono imitazioni ad ogni passo le quali quanto più sono fantastiche tanto più piacciono.

Non potrei descrivere quali brutte immagini di santi io abbia visto portare in processione a Napoli; prodotti di un'arte senza principî, senza gusto e di una fantasia bizzarra che, in quanto a stranezza, ha poco da invidiare all'arte indiana. Per formarsi un'idea di quanto sia disposto questo popolo ad essere tollerante in materia d'arte, basta osservare bene quelle barocche statue di santi per le strade e quei Cristi in legno di orribile fattura, sorgenti qua e là nelle piazze.

E' necessario entrare a Napoli in una di quelle botteghe dove si vendono statue di santi, per comprendere quale sia il modo con cui questo popolo meridionale sente ed esprime la religione e l'arte. Un giorno capitai in una di quelle strade, brutte e strette, che dal porto salgono alla collina; ad un tratto, la mia attenzione fu richiamata dalla vista di alcuni artefici occupati a lavorare assiduamente in una stanza aperta. Gettai lo sguardo in quell'ambiente lungo e profondo, che si andava oscurando verso la fine, e vidi disposti lungo le pareti due file di santi già ultimati e in mezzo una S. Agnese, col suo agnellino, vestita di bianco, con le gote colorite in rosso da fare invidia a due ciliege. Sulla porta d'ingresso lavoravano parecchi giovanotti, uno dei quali era intento ad ornare una statuetta in legno, con pagliuzze d'oro. Vi saranno state nella bottega per lo meno cento statue di santi, di tutte le dimensioni, dall'altezza di un fantoccio alla grandezza naturale, tutte dipinte coi colori più vivaci e più dissonanti, fregiate d'oro e d'argento, in tutte le posizioni, in tutte le attitudini. Impossibile descrivere la penosa impressione prodotta dall'accozzo di tutti quei colori, dalla stranezza di quelle attitudini, dalla quantità di amuleti, di simboli superstiziosi, di cui sono ricoperte quelle immagini.

Si direbbe che questi scultori, se pure meritano un tal nome, fabbrichino divinità per il popolo, come le crearono Esiodo ed Omero.

Nel contemplare tutte quelle statue, credetti di essermi fatta un'idea della natura della religione di questo popolo, e, stanco e nauseato, mi affrettai a recarmi sul molo, per respirare l'aria libera e ricreare il mio spirito nella vista della natura sempre pura, bella e santa. Pur troppo, l'uomo qui non corrisponde, alla natura che lo circonda; diversamente, in vista di questo mare, di questi monti, di questo cielo, non potrebbe pregare davanti a quegli orribili fantocci.

II.

Una breve dimora in Napoli è sufficiente per dimostrare che non tutta la vita si concentra nella città, bensì si riversa grandemente nei dintorni. La città in sè è tutt'altro che piacevole; quell'enorme frastuono, quelle case altissime ed architettonicamente barocche, quel sudicio ovunque, quel gridare incessante ed assordante, finiscono con lo stancare. A Napoli si dimora soltanto perchè ha dintorni di bellezza meravigliosa e perchè da questo centro si può andare in breve tempo a Pompei, ad Ischia, a Sorrento, a Portici, a Pozzuoli, a Baia, al Vesuvio, a Capri.

La gente va continuamente fuori della città per tre direzioni, che formano propriamente la topografia della città: per la via Toledo, la massima arteria di Napoli, che porta alla bella collina di Capo di Monte, ai colli circostanti cosparsi di ville, ed al romitaggio delizioso di Camaldoli; e per le due vie che partono insieme dall'estremità di via Toledo e vanno lungo il mare, una attorno il porto, sino a Marinella, a Portici, a Pompei, e al Vesuvio; l'altra per Chiaia, a Posillipo, e, oltre la grotta di questa, a Pozzuoli e a Baia. Queste sono le tre maggiori strade di Napoli, per le quali senza posa passa un fiume di gente, in ispecie nel pomeriggio e nella sera. Vi si vedono lunghe file di carrozze, di carretti, e di carri a due ruote tirati da muli; vi si vedono tutto il lusso, tutte le industrie, tutto quello che occorre nella vita. I magazzini e le botteghe più eleganti sono in Toledo; nelle altre due vie si trovano specialmente gli oggetti di prima necessità; il quartiere più elegante di Napoli è però costituito dalla via Toledo, sino lungo Chiaia e verso la grotta di Posillipo. Chiaia è una strada meravigliosa; i suoi palazzi moderni sono occupati dai più ricchi cittadini, dai rappresentanti delle potenze straniere e dai principali alberghi. Di fronte sorge la Villa Reale, i cui giardini non sono aperti che alle persone decentemente vestite; soltanto alle classi superiori ne è permesso l'accesso; il popolo ne è escluso. Sulla spiaggia non vi sono che pochi pescatori; i bagni colà costruiti non sono alla portata delle borse moderne. Le botteghe di oggetti di prima necessità, i modesti mercati di pesce, di legumi, e le taverne ricominciano là dove la via si divide e mena alla grotta di Posillipo e a Margellina.

Tutte queste vie hanno un aspetto ordinario e tranquillo; ma la scena muta non appena, oltrepassato il Castello, si giunge a S. Lucia. Qui pullula tutta la vita popolare, non interrotta per breve spazio che dal palazzo reale e dal castello, per raggiungere la massima intensità al molo, al porto, a Marinella ed al mercato; al di là, nei sobborghi fino a Portici, diminuisce. S. Lucia, il luogo di carattere più svariato e dove sono le locande di secondo ordine, è la linea di confine fra la parte aristocratica di Napoli e quella popolare. Il porto è il punto del maggior movimento popolare e del commercio; ivi si lavora, si traffica senza posa, e ivi è tutto quello che è necessario alla vita del popolo. V'è un movimento continuo; le calate sono sempre ingombre di carbone e di altri materiali; vi si affollano continuamente pescatori, barcaiuoli, lazzaroni, piccoli mercanti. Gli abitanti delle campagne, i popolani vengono qui ad acquistare gli abiti e le scarpe, che empiono case da cima a fondo. Qui si vendono tutte le masserizie casalinghe, qui sono caffè, liquorerie, spacci di tabacco, unicamente frequentati dal popolo, fruttaioli i quali tengono gli aranci e le angurie già tagliate a fette che essi vendono per un tornese e che vengono mangiate dai compratori in piedi. Qui si vedono vere montagne di fichi d'India, di cui la gente più misera si nutre; questo è il luogo di riunione, si potrebbe dire la sala di conversazione del popolo. Nel pomeriggio, agli angoli di certe vie, si vedono lettori pubblici di storie cavalleresche e di storie di briganti. Qui lo scrivano pubblico tiene il suo tavolo e scrive lettere amorose. A Marinella vi sono teatri con pulcinella, il quale di su la porta invita la gente ad entrare. Vicino al porto esiste pure il principale teatro popolare detto di S. Carlino, e nei dintorni vi sono altre capanne per chi vuol fare i bagni di mare a poco prezzo.

La folla e il movimento che regnano sul porto, sono un nulla in confronto a quanto si vede nei due maggiori mercati, vicini a Marinella: il Porto Nuovo e il Mercato. Il Porto Nuovo è sempre ingombro da una folla immensa; si direbbe che l'intera Campania abbia mandato le sue frutta e il golfo tutti i suoi pesci su questa piazza. Il popolo vi si reca per comprare, per mangiare; lo si potrebbe dunque definire come il ventricolo di Napoli. È veramente interessante osservare tutta quella folla, tutto quel frastuono, ed uno lo può fare a suo bell'agio, rifugiandosi in una di quelle cucine all'aperto, costituite da quattro tavole, dove si preparano e vengono mangiate le pizze, specie di torte schiacciate, rotonde, condite con formaggio, o con prosciutto. Si ordinano e in cinque minuti sono pronte; per digerirle, però, è necessario avere i succhi gastrici di un lazzarone.

I mercati settimanali hanno pure luogo su quella piazza, per un Tedesco di triste memoria, perchè colà fu decapitato l'ultimo degli Hohenstaufen; è del pari caratteristica per essere stato il teatro di uno storico episodio, quello di Masaniello, su quella piazza dai lazzari eletto loro re, e ivi trucidato.

Questo luogo è storico per il popolo napoletano; è come la sua piazza della Bastiglia, sanguinosa per le scene terribili di giustizia popolare; il popolo vi troncò il capo a nobili cittadini e li espose all'oltraggio. È rimasta terribile anche per i ricordi della peste.

Interessante, ma difficile insieme, sarebbe descrivere tutto questo caos di persone e classificarle in tanti gruppi ben distinti. Sono stati fatti infiniti quadri e disegni della vita popolare a Napoli; si sono scritte su ciò numerose opere, profonde e vivaci, ma nessuna ne dà un'idea precisa a chi non la potè mai vedere coi propri occhi. Pertanto, vo' provarmi a dare uno schizzo della strada di S. Lucia, più di ogni altra interessante. Ho pur già detto che questa via, sita in uno dei punti più belli di Napoli, è quella dove vennero a contatto le classi superiori ed inferiori della popolazione e dove la vittoria rimase al ceto medio. Non troppo lunga, la strada è circoscritta a sinistra dal mare, dal palazzo reale e a destra dal pittoresco Castel dell'Ovo. Distendendosi quasi al centro del grande arco del golfo, si trova aperta sul mare, di cui si gode liberamente la vista, non intercettata come pel porto dalle alberature dei bastimenti. La sua posizione è meravigliosa ed invita molti forestieri a stabilirsi nei suoi alberghi di second'ordine, dai quali si può godere alla sera la bellezza insuperabile del mare e la frescura della brezza marina.

Io dimorai a S. Lucia quaranta giorni, e dalla mia finestra vedevasi tutto il golfo raggiante di luce: le due cime del Vesuvio dominanti la bianca città, le pittoresche spiaggie di Castellammare, di Sorrento, fino a Capo Minerva, e l'isola di Capri. Ogni mattino, quando la rosea luce del golfo veniva a svegliarmi nella mia camera, mi abbandonavo alla contemplazione di quel fantastico spettacolo che è colà il levare del sole, e guardavo le tinte di fuoco dei monti e del mare, che parevano avvolgere in un incendio colossale la grandiosa città. Ma più magico ancora era lo spettacolo che mi si parava dinanzi allorchè la luna nel suo pieno, sorgeva sul Vesuvio, e spandeva la sua luce argentea sui monti, sul mare, sulla città, illuminando l'intero golfo. La cupa foresta degli alberi delle navi nel porto si distaccava allora sopra un fondo di brillante bianchezza; la luce dei fanali impallidiva; infinite barche scivolavano sulle onde, e sparivano, e tosto ricomparivano all'orizzonte; lo scoglio gigantesco di Capri appariva, e Somma, il Vesuvio, i monti di Castellammare e di Sorrento, quasi forme fantastiche, s'illuminavano. Chi avrebbe potuto dormire in quelle notti? Io prendevo una barca a S. Lucia e navigavo su quelle onde fosforescenti, oppure rimanevo seduto sulla spiaggia, insieme con popolani a mangiare frutti di mare.

Quei luoghi anche di notte sono animati, pieni di vita.

Nel quartiere di S. Lucia è concentrato specialmente il commercio dei frutti marini, disposti in buon ordine, con le ostriche, nelle piccole botteghe, ciascuna delle quali porta un numero e il nome del proprietario. Sono incessanti le grida per invitare la gente ad entrare; le botteghe sono illuminate, e tutti quei prodotti del mare rilucono dei colori più svariati: sono ricci, stelle di mare, coralli, araguste, dalle forme più bizzarre, dalle tinte più dissimili. Il mistero delle profondità marine è ivi svelato e quel piccolo mercato presenta ogni sera il lieto aspetto quasi di una notte di Natale marittima.

Chi scende la gradinata che porta al mare, ad un tratto si trova come in una specie di grande sala illuminata a cielo scoperto. Intorno a piccole tavole i popolani mangiano ostriche e maccheroni; è uno spettacolo stupefacente vedere come quegli esseri divorino, pagandoli un paio di grani ad un pescatore o ad un lazzarone, i maccheroni, e con quanta velocità li facciano scivolare nella gola. Là dove termina il frastuono di questi divoratori, incomincia un'altra scena assai caratteristica: sotto una specie di volta, presso una fonte sulfurea, da mane a sera donne e fanciulli gridano, schiamazzano con bicchieri in mano, invitando a bere l'acqua salubre. Si prende posto su una sedia, si beve un bicchiere di quest'acqua minerale e si mangiano alcune piccole ciambelle. Con pochi soldi la gente modesta vi trova uno spasso; difatti, vi accorrono intiere famiglie e chi non mangia i maccheroni, prende almeno l'acqua sulfurea e le ciambelle. Ivi il movimento, l'andare e venire della gente dalla terra, dal mare, nelle barche, è incessante, ed ivi le ninfe notturne tendono le loro reti ai forestieri: sono fanciulle di facili costumi, accompagnate di solito dalla madre o da una canuta matrona, custode apparente del loro cuore. Più di una tenera relazione nasce a S. Lucia, fra un bicchiere e l'altro d'acqua sulfurea.

Di giorno il movimento in questo quartiere non è minore. Vi si prendono bagni in pubblico, alla presenza di tutti, ed io ho visto presso Castel dell'Uovo, nell'intiera giornata, schiere di ragazzi e di giovanotti saltare in mare, tuffarvisi e far mostra delle loro prodezze acquatiche. I Napoletani nuotano come tanti delfini. Il clima contribuisce a mantenerli in uno stato primitivo di natura; la temperatura calda mantiene in onore il nudo, il cui studio si può fare liberamente per le strade, ad ogni ora. Napoli è la città dei contrasti: corrono per le vie carrozze di lusso, appartenenti alle famiglie più aristocratiche, e alla presenza dei principi coperti di decorazioni scintillanti, di dame della più insigne nobiltà parigina e londinese, stuoli d'uomini, come se nulla fosse, si gettano in mare in costume adamitico. Io mi son concesso spesso il diletto di chiamare dalla mia finestra al quarto piano, quei ragazzi nudi della strada e di far loro vedere una moneta: in un atto essi si tuffavano nelle onde, vi compivano le loro prodezze e quindi tornavano nella strada, grondanti acqua per ricevere la mercede promessa. Lo spettacolo del nudo è in tutto il golfo; sulle stesse cancellate di ferro del porto si vedono di continuo arrampicarsi ragazzi intieramente spogli e precipitarsi di lassù a capo fitto in mare.

Il 18 maggio, per dare sfogo a questa immensa popolazione, fu aperta verso la campagna una nuova via, quella di S. Teresa, secondo il nome dal Re impostole in onore della Regina sua consorte. Questa strada domina la città e sopra Castel S. Elmo fa una parabola verso il Vomero, traversando colline e valli, per sboccare quindi a Chiaia. Ancora non è compiuta, nè selciata, e in molti punti bisogna attraversare fossati sopra a tavole; vi si incontrano però già cavalli, asini, muli e una folla di gente che, sopratutto, nelle domeniche e nelle feste, si reca a visitare i lavori. A quanto sembra le tre grandi arterie non bastavano più alla numerosa popolazione della città ed è stato necessario procurarle uno sbocco sul Vomero, ponendo Chiaia in comunicazione con questo. La nuova via sarà fiancheggiata da ville con giardini, secondo il gusto di coloro che ricercano l'aria pura, il verde, quasi la campagna in città, e col tempo sarà indubbiamente una delle più deliziose strade di Europa.

Ad ogni svolto di collina e di piccola valle, lo spettacolo della città sottostante, del golfo e delle isole varia, e tu non sapresti dove è meglio rivolgere lo sguardo nell'insuperabile bellezza di quell'orizzonte, sulla città, su quegli aranceti profumati, su quei giardini cosparsi di fiori o su quelle pittoresche macchie di pini, di palme, di cipressi. Chi non si sentisse rapito qui d'incanto per le bellezze che natura offre, non potrebbe che essere privo del senso del bello.

Si ascende alla nuova strada dagli Studi, dove vengono dati a nolo asinelli; io, però, preferii recarmici a piedi, da solo, onde meglio goderla ed arrestarmi qua e là a mio piacere. Vidi così successivamente Castel S. Elmo, dalle bianche mura, sorgente sopra un nero scoglio, circondato di captus, di aloe, di piante rampicanti; vidi, in basso, verdeggianti giardini, rocce calcaree dinanzi ad un'osteria quasi sperduta nella lussureggiante vegetazione di una vigna; vidi una valletta di limoni, di aranci, di melagrani, che mandavano nell'aria profumi deliziosi; e poi un sobborgo formato di fabbriche industriali, e amene e ridenti collinette, e case rustiche, e una gola piena di captus e di palme; e poi, ad un tratto, a sinistra, scorsi la città, il golfo, l'isola di Capri, ed una foresta di pini ai piedi del Vesuvio, che si staccava sullo splendido azzurro del cielo, tinto di violaceo; poi nuove rocce, nuovi giardini, nuove casette rustiche: una vera scena campestre, popolata da pastori, i quali portavano le loro capre al pascolo; un convento animato da monaci, alte colline rivestite di pini. Quante, quante bellezze! Mare, cielo, terra, tutto immerso nella splendida luce, ed un'aria finissima olezzante di profumi, ristoratrice!

Mi sedetti sotto un cipresso e rivolsi ancora lo sguardo ai giardini sottostanti, dove i tralci delle viti, agitati lievemente dalla brezza marina, pendevano a foggia di festoni dagli alberi, come nelle pitture di Pompei rappresentanti le baccanti. Avevo letto un libro in cui non ricordo quale erudito non sapeva darsi pace che quelle giovani donne ballassero per aria, affermando che ciò era contro natura, poichè avrebbero dovuto posare sul suolo i loro piedi e sostenendo che tali affreschi erano soltanto dei capricci di una fantasia sbrigliata. Povere cose, invero, l'erudizione e l'archeologia! In questo angolo di paradiso le cose si sentono e si comprendono oggi come le sentivano e le comprendevano gli antichi. Qui regna ancora l'idea del culto di Bacco e l'immaginazione si solleva in alto come una baccante col tirso; qui ci sembra di staccarci dal suolo e, sciolti da ogni vincolo terreno, di spaziare nell'atmosfera.

Le bellezze della natura e i sentimenti cristiani, alla presenza delle più grandi meraviglie della creazione, risvegliano sempre idee tristi. Ero giunto su di una altura dove alcuni soldati svizzeri stavano bevendo fuori di una piccola bettola, una capanna di paglia. Di lassù si dominavano il mare, le isole di Nisida, di Procida e d'Ischia, tutte avvolte nel manto meraviglioso del sole al tramonto. Uno di quei soldati mi si avvicinò e, gettando uno sguardo su quello spettacolo meraviglioso, con tono di mestizia mi disse: «Come è bello! troppo bello!... rende melanconici...»

III.

Ho visitato le tre più belle città marittime d'Italia: Napoli, Palermo e Genova, che gareggiano fra loro per magnificenza di posizione. Senza dubbio il primato spetta a Napoli, nessun'altra città potendo vantare un panorama naturale così classicamente grandioso, un Vesuvio, un golfo così bello, spiagge come quella di Castellammare e di Sorrento, isole così pittoresche. Le svariate tinte, la grandiosità, l'ampiezza di tutto questo non hanno le uguali al mondo; tutto qui ha il carattere dell'immenso, tanto l'opera dell'uomo quanto quella della natura, e tutto qui è avvolto in un mare di luce. L'occhio non riesce ad afferrare in una sol volta tutto il quadro, a meno di non restringere la prospettiva, di salire sopra una collina, oppure di inoltrarsi in mare, da dove le forme della città si perdono e rimangono visibili soltanto quelle della natura.

Genova, invece, ed anche Palermo si possono abbracciare con un sol colpo d'occhio; la prima, disposta ad anfiteatro co' suoi splendidi palagi, con le sue ville sui monti; la seconda distesa nella fertile vallata, con le sue cupole, co' suoi campanili, incoronata di monti dall'aspetto severo, che si estendono ai due lati, dal monte Pellegrino al capo Zafferano, lasciando fra essi breve spazio di mare. Entrambe, come ho detto, formano un quadro meraviglioso, visibile, apprezzabile con un solo sguardo. A Napoli, invece, tutto è grande, sterminato ed immerso in una luce in cui l'occhio si smarrisce ed in cui non può contemplare che una cosa alla volta. Salendo, per avere una idea di Napoli, sino a Castel S. Elmo, ai Camaldoli, o sul Vesuvio, i quali sono i punti più adatti per ammirare il panorama, ovunque Napoli si presenta come un'ampia città indefinita, dove prevale l'aspetto della campagna, la vista del mare. Le infinite case che sorgono attorno al golfo, non presentano caratteri architettonici, non dànno altra idea che d'un'immensa popolazione colà agglomerata. Si direbbe quasi che a quella gente basti il luogo e la vista, che dinanzi a tante meraviglie di natura, abbiano incrociato le braccia e rinunziato a gareggiare con quella natura stessa. Nessuna di quelle case emerge sulle altre; non si vedono che tetti a forma di terrazze, fatti a bella posta per godere il panorama; poche cupole di chiese, e queste poche bassissime ed appena visibili; quasi nessun campanile su quella monotona distesa. Costantinopoli è almeno assai più pittoresca, con le sue cupole, i suoi arditi minareti che sorgono fra i pini e i cipressi, dando alla città un aspetto caratteristico, simpatico. La mancanza di carattere architettonico in Napoli, la sua uniformità monotona, mi hanno sempre colpito ed io le ho spiegate per mezzo della sua storia, delle varie sue signorie, tutte passeggere, della inazione del suo popolo, della mancanza di attività diretta ad un dato scopo, della sua tendenza a vivere alla giornata, della sua cura del presente soltanto e di vivere il più gaiamente possibile. La storia non ha lasciato sulla città un'importanza e perciò questa città monumentalmente non ha veruna importanza. Nè le dinastie succedutesi rapidamente le une alle altre, nè il popolo espressero le loro idee per mezzo di quei monumenti che sono i ricordi più tangibili delle varie fasi di civiltà, la rappresentazione più visibile delle idee che predominarono per un dato tempo, o che tuttora sussistono.

Nota veramente caratteristica di Napoli è che quasi tutte le sue glorie sono glorie musicali: Scarlatti, il suo discepolo Porpora, Leonardo, Leo, Francesco Durante, Pergolese, Paisiello, Cimarosa, e tutti quei maestri che fino a Bellini, a Mercatante uscirono dal Conservatorio di Napoli, sono le più belle illustrazioni della città. Con questo non voglio dire che Napoli non abbia avuto altri uomini illustri; soltanto furono celebrità isolate, perchè quivi nessuna scienza o disciplina fu tenuta mai in grande onore.

Lascio da parte la descrizione e torno al carattere architettonico di Napoli, dove l'assoluta mancanza di opere monumentali colpisce in special modo chi, come me, giunge da Roma, la città più monumentale del mondo ed essa stessa monumento della storia universale. Anche indipendentemente da questo carattere monumentale, che è proprio di Roma, io credo che non vi sia altra città dove l'architettura e il paesaggio siano in tanta armonia e dove, indipendentemente dalle bellezze naturali, i monumenti portino da sè a suscitare l'ammirazione. Per cogliere queste perfette armonie, basta salire sul Monte Testaccio, sul Monte Mario, a San Pietro Montorio, sulla torre del Campidoglio; e per convincersi dell'imponenza architettonica di Roma, basta gettare uno sguardo su questa dal Pincio, da dove la città si presenta maestosamente, in linee grandiose e severe, come un monumento storico colossale.

Di là si scorgono i vari periodi di civiltà, le rovine del paganesimo, la cupola trionfante del cristianesimo, e le vicende del papato ci sfilano dinanzi, e tutto il significato di Roma si presenta alla nostra mente.

A Napoli, invece, in questa città di vita lieta, senza pensieri, i monumenti architettonici che attirano la nostra attenzione non sono nelle rovine, nelle chiese. Le reliquie dell'antichità sono scomparse; qui non si costruiva per l'eternità. L'unico e stupendo monumento che Napoli possegga dei tempi antichi sono le catacombe, più vaste forse di quelle di Siracusa, alle quali devesi aggiungere la meravigliosa grotta di Posillipo. Quanto a chiese Napoli ne possiede un bel numero, ma nessuna veramente pregevole: la noncuranza tutta democratica con la quale vengono lasciate nascoste fra le strade e le case, senza campanili, con orribili facciate, provano sufficientemente quanto il popolo napoletano, che pure formicola di preti e di frati, sia stato in ogni tempo indifferente nella religione. Qui non vi furono mai grandi ardori per la fede di Cristo, per la grandezza della Chiesa, e sotto gli Hohenstaufen anzi lunga ed accanita fu la lotta fra Napoli e il papato. La tendenza a vivere lietamente e piacevolmente, ha impresso un carattere di mondanità anche alle cose di religione; per convincersi di questo basta visitare la più bella chiesa moderna della città, S. Francesco di Paola, edificata da Ferdinando I per sciôrre un voto dopo la sua restaurazione nel trono. E' un'imitazione del Pantheon di Roma e serve principalmente di decorazione alla Piazza Reale; per convincersi poi quanta poca serietà e dignità ecclesiastica presenti, basta guardare il suo porticato, dove sono sempre negozi di spinette, che vengono suonate per prova continuamente.

A Napoli anche i palazzi, che dopo le chiese sono gli edifici più notevoli in ogni città italiana, sono sperduti fra dedali di casupole e per lo più sono grandi edifici di pessimo gusto, ed anche quando hanno qualche cosa d'imponente, come il superbo palazzo Maddaloni, simile ad una fortezza, non si possono osservare sufficientemente, perchè mancano di aria libera intorno a sè. A Napoli nulla ricorda il medio evo; tutto è moderno.

Osservando Napoli sotto l'aspetto architettonico, si finisce per convincersi che le sole abitazioni degne di attenzione, di ricordo, sono le amene ville che popolano le colline, l'arsenale, gli edifici che circondano il porto, il palazzo reale ed in special modo i tre grandi castelli che dominano da ogni parte il panorama della città. Da Castel S. Elmo, sul pittoresco Vomero, si ammira tutta Napoli; è uno spettacolo magico, soprattutto nell'ora indecisa del crepuscolo.

Nel golfo sorgono poi Castel Nuovo e Castel dell'Uovo, le due bizzarre moli di roccia, di color grigio e di aspetto cupo e minaccioso: sono le briglie del cavallo focoso di Napoli.

Volevo visitare Castel dell'Uovo, che è uno degli edifici più antichi di Napoli, poichè risale a Lucullo e fra le sue mura perì Romolo Augustolo, ultimo degli imperatori romani, ma non mi fu concesso. Federico II ultimò il Castello nel 1221, non immaginando certo che quello sarebbe stato il carcere degli ultimi suoi discendenti; giacchè qui, dopo l'infelice battaglia di Benevento, nella quale re Manfredi perdette regno e vita, per molti anni languirono i miseri figli suoi, e l'unica sua figliuola, Beatrice, dovette la sua liberazione da quelle mura soltanto al Vespro Siciliano.

Era il 5 giugno 1284, quando i Siciliani al comando dell'illustre ammiraglio Ruggero di Lauria, sostennero la famosa battaglia navale dinanzi a Napoli.

Dagli spalti del castello la figlia di Carlo d'Angiò ne fu spettattrice e con ansia ne attese l'esito; con non minore ansia dovette contemplarla attraverso l'inferriata del suo carcere l'infelice figlia di Manfredi; la principessa vide la flotta napoletana ripiegarsi da prima, poi sbaragliata e posta in fuga. Suo fratello Carlo fu fatto prigione e due galere siciliane gettarono l'ancora dinanzi al Castello, e Lauria chiese che venisse subito consegnata la figlia di Manfredi, minacciando in caso di rifiuto di far decapitare il figlio di Carlo d'Angiò a bordo del suo legno, innanzi a tutta Napoli. La misera fu tolta dal carcere, consegnata ai Siciliani e soltanto diciotto anni dopo, quando già aveva trascorsa tutta la sua giovinezza in prigione, riacquistò la sua libertà, fu condotta trionfalmente a Messina, dove sua sorella Costanza, moglie di Pietro d'Aragona, l'accolse nelle sue braccia, come una morta risuscitata. Nello stesso castello morirono pure i figli di Manfredi.

Castel Nuovo è ancora più imponente, e rappresenta senza dubbio il maggior monumento architettonico di Napoli. Di esso è famoso il bell'arco trionfale che Alfonso I di Napoli vi fece costruire nel 1470, su disegno di Giuliano Da Murano, o secondo altri, di Pietro Di Martino. Sorge sopra a colonne corinzie, fra due torri, ed ha numerosi bassorilievi di gran pregio, nei quali è riprodotto l'ingresso del Re vittorioso di Napoli. Le sue porte in bronzo sono opera di Guglielmo Monaco. Disgraziatamente quest'arco, veramente pregevole monumento, si trova nascosto come in un castello ed è sottratto quindi alla vista del pubblico. Si era parlato di trasportarlo davanti alla Cattedrale, ma l'idea non ebbe più seguito.

Castel Nuovo venne edificato da Carlo d'Angiò nel 1283 e i più cospicui edifici di Napoli furono opera degli Angioini, come parimenti risalgono a quel periodo le chiese più importanti della città. Queste sono i veri monumenti storici di Napoli, non solo per le tombe che racchiudono, ma perchè la maggior parte di esse attinge la loro origine da fatti storici, come si vedrà quando ci tratterremo a parlarne.

La cattedrale fu incominciata da Carlo I sulle rovine di un antico tempio dedicato a Nettuno, e venne ultimata da Roberto I. Essa segna l'inizio dell'epoca degli Angioini. S. Domenico Maggiore venne eretta da Carlo di Calabria, nel 1289, per sciôrre un voto da esso fatto quando cadde prigione nelle mani di Ruggiero Lauria. L'altra chiesa di S. Lorenzo Maggiore venne fondata nel 1265 da Carlo I, ugualmente per sciôrre un voto da esso fatto dopo la battaglia di Benevento. S. Pietro Martire fu edificata da Carlo II d'Angiò; S. Chiara, da Re Roberto nel 1310; l'Immacolata, abbellita da affreschi di Giotto, venne fondata da Giovanna I, per ricordare le sue nozze con Ludovico di Taranto; S. Giovanni a Carbonara, Monteoliveto e S. Antonio Abate, tutte chiese edificate da Ladislao e da Giovanna. Anche lo stupendo monastero di S. Martino, sopra S. Elmo, ripete la sua origine dagli Angioini; e da ultimo il Carmine Maggiore ed il Purgatorio sul Mercato che segnò la caduta degli Hohenstaufen. Infatti, nella prima di queste due ultime chiese trovasi la tomba di Corradino e la statua erettagli nel 1847 dal re Massimiliano di Baviera; e nella seconda cappella sorge la colonna di porfido innalzata da Carlo I, sul punto dove vennero decapitati Corradino e Lodovico di Baviera. In essa si legge la seguente epigrafe:

ASTURIS UNGUE, LEO PULLUM
RAPIENS AQUILINUM
HIC DEPLUMAVIT, ACEPHALUMQUE DEDIT.

Nè i Normanni, nè gli Hohenstaufen lasciarono edifici in Napoli e sarebbe inutile ricercare gli avanzi di quella architettura moresco-normanna, i quali, al contrario, si trovano abbondantemente in Sicilia. Lo stabilirsi della dinastia degli Angioini a Napoli, dopo perduta la Sicilia, procurò a questa città l'unica epoca in cui fiorirono la scultura e l'architettura, facendo subentrare allo stile romano delle basiliche, quello germanico. Questo periodo di rifiorimento durò fin verso gli ultimi tempi del secolo XIV e raggiunse il suo apogeo sotto il regno di re Roberto, fautore ed amante delle arti belle. Napoli diede allora i natali ai due Masuccio, il secondo dei quali fu pure scultore distinto. Egli fece le tombe di Carlo di Durazzo, di Caterina d'Austria, di Roberto di Artois, e di Giovanni di Durazzo, nella grandiosa chiesa di S. Lorenzo, da lui ultimata sugli antichi disegni; costrusse pure la chiesa gotica di S. Chiara, collocando in quella, a tergo dell'altar maggiore, il capolavoro della scultura napoletana, la tomba di re Roberto, morto nel 1343. Questa è di stile gotico, ed è ornata di parecchie statue.

Sebbene le forme non si presentino all'occhio ancora purissime, il complesso della composizione è artistico ed ha una semplicità di buon gusto. S. Chiara è ricca di monumenti sepolcrali, perchè riposano in questa chiesa parecchi altri Angioini, fra i quali Carlo di Calabria, figlio di Roberto, Giovanna I, ed altre principesse.

In generale, però, tutte le tombe degli Angioini fanno l'effetto di mancare di serietà e di dignità. Nella stessa maniera che le tombe di questa stirpe, passata senza alcuna influenza nella civiltà e vissuta nel piacere e nella crudeltà, non destano nell'animo commozione di sorta, nè la più lontana riflessione, parimenti l'arte non riuscì ad acquistare una forma espressiva e a dar loro un carattere netto. Il loro stile gotico è ricco, talvolta bizzarro, tal altra ingenuo, ma il più comunemente è di gusto assai equivoco. Anche dinanzi a questi monumenti ci si accorge di essere a Napoli, dove, non per la caduta degli Angioini, non per colpa dei tempi, l'arte cadde nel manierismo, nel barocco, nell'esagerazione, come appare entro e fuori a molte chiese, come quella del Gesù Nuovo, più simile ad una rocca che ad un tempio cristiano. Qui gli stessi edifici gotici furono indegnamente deturpati dai numerosi restauri, resi necessari dai frequenti terremoti, ed eseguiti senza spirito, senza sentimento artistico.

Ma dove questo pessimo gusto veramente trionfa, è nei tre obelischi della Concezione, di S. Gennaro e di S. Domenico, che reggono in cima la statua adorata del santo, e sono sopracarichi di statue, di figure, di ornati, peggiori dei quali è impossibile concepirne. In questi monumenti si rivela grandemente l'influenza spagnola, la quale regnò per molti anni e di cui non è rimasta un'unica memoria pregevole, giacchè governò queste belle contrade per mezzo dei suoi vicerè. Gli Spagnuoli lasciarono però alcuni ricordi di quel periodo, fra i quali la grandiosa Fontana Medina, opera di Domenico Auria, eseguita per ordine del vicerè Olivares nel 1593. Poi, la fontana fu per tre volte mutata di posto, sotto i vicerè Carlo Alba e Montery fino a tanto che donna Anna Caraffa, moglie del vicerè Medina, la fece collocare là dove attualmente si trova.

E' opera grandiosa, ma di poco effetto, sopraccarica di figure, di tritoni, di delfini e di mostri marittimi tra i quali si leva la statua di Nettuno, in una conchiglia sostenuta da tre satiri. L'acqua assai genialmente sgorga dalle punte del suo tridente; ma il miglior ricordo dei vicerè spagnuoli rimarrà sempre la via Toledo, aperta alla metà del secolo XVI dal vicerè don Pietro di Toledo.

Ho visitato anche le meravigliose catacombe napoletane e ne sono uscito con una impressione di terrore e di ammirazione insieme, sopratutto di viva curiosità per quei tempi oscuri nei quali quei sotterranei furono costruiti ed abbelliti onde servire da dimore. Le catacombe di Siracusa hanno un aspetto assai men cupo, le loro gallerie essendo disposte simmetricamente. Al contrario, le catacombe romane, nelle parti almeno fino ad oggi rese praticabili, sono strette e basse. Sono semplici corridoi e stanzucce di modeste dimensioni, che non cessano con questo di apparire meno meravigliose, quando si ricordi che colà i cristiani celebravano di notte i loro misteri, e di là il cristianesimo uscì, per prendere possesso prima di Roma, quindi del mondo intero.

Le catacombe di Napoli furono scavate nel tufo, nelle colline a settentrione della città, al disotto di Capo di Monte; e si ritiene che si estendano fin verso Pozzuoli. Non potevasi rinvenire una qualità di pietra più facile ad essere scavata per tali abitazioni sotterranee di questo tufo vulcanico, di colore gialliccio; ed uno può farsi agevolmente un'idea esatta e chiara del modo in cui vennero aperte quelle caverne e quelle grotte, osservando le pareti di quel tufo stesso, che si lasciano in piedi per servire di ponti, nelle case in costruzione. Anche nelle strade nuove di Posillipo si trovano grotte e caverne scavate nella roccia, le quali non servono soltanto di magazzini, ma ancora di abitazioni.

I grandiosi scavi fatti in tal guisa sotto terra, i quali a poco a poco formarono un laberinto troglodito, dovevano avere uno scopo e servire a qualche uso. Sembra inverosimile che i Cimméri, primi abitatori delle sponde del golfo di Napoli, avessero fissata in quei sotterranei la loro dimora, perchè non è possibile immaginare una razza d'uomini capace da volersi cacciar nelle tenebre, nelle viscere della terra, in presenza di una natura così splendida e di un cielo così sereno. Nelle abitazioni di tal natura dei popoli primitivi, che si trovano nella valle Ispica e a Malta penetra sempre la luce nel giorno. Da principio quelle catacombe poterono servire di ricovero in caso di pericoli contro assalti di nemici, e quando si ampliarono, togliendo di colà i materiali che servirono alla costruzione della città, è naturale che sia sorto il pensiero di farle servire ad uso di sepolture. È accertato poi che non furono i cristiani a seppellire per primi i loro morti nelle catacombe di Napoli, bensì i Greci e i Romani, e basta osservarle per persuadersene. In una di queste vaste stanze trovasi oggidì ancora una piccola colonna, sulla quale sta scritto il nome Priapos in caratteri greci.

L'epoca nella quale le catacombe cominciarono a servire di sepolture è incerta. Furono certamente ridotte a tale uso per la natura dei luoghi, ma non vennero scavate appositamente per questo scopo. I Romani, per esempio, i quali abitavano la pianura, collocavano le loro tombe all'aperto, mentre gli Etruschi, abitatori dei paesi montuosi, le aprivano nelle rupi. Però, fin dai tempi della Repubblica, si scavarono camere mortuarie nel tufo vulcanico, onde collocarvi i sarcofagi; e oggigiorno le tombe degli Scipioni possono dare una piccola idea della catacomba.

In origine queste non dovettero servire di sepoltura che alle classi povere, impossibilitate a sostenere la spesa di sontuosi monumenti all'aperto e che dovevano scavare nel tufo i così detti loculi, dove deponevano le urne cinerarie dei loro cari. Nelle catacombe di Napoli si conservano avanzi di pitture le quali risalgono ai tempi dei pagani; la maggior parte però appartengono all'èra cristiana. I primi cristiani, infatti, dopo aver cercato in quelle dimore sotterranee rifugio contro le persecuzioni e luoghi adatti alla celebrazione del loro culto, cominciarono ad ornare le tombe dei loro cari in quell'asilo con immagini e simboli riferentesi alla fede.

Nelle catacombe di Napoli questi avanzi di pitture rivestono quasi un carattere pagano e si riconosce sulle pareti di queste tombe cristiane il carattere gaio degli affreschi di Pompei, e gli stessi simboli sono in qualche punto pagani, per esempio quelli della vendemmia e del torchio, tolti dal culto di Bacco. Vi si scorgono tralci di viti e grappoli d'uva, dei quali si cibano genî ed uccelli, ed il Cristo si vede rappresentato sotto le spoglie di Orfeo. I simboli cristiani però vanno acquistando a poco a poco il loro predominio e si cominciano a vedere: Cristo, il buon pastore che pasce le pecore e porta un agnello sulle spalle, il cervo, il pesce, il pavone, la colomba, la croce e gli angeli. Produce una profonda impressione vedere questi antichi affreschi cristiani, anneriti dal fumo delle fiaccole, ed osservare in questi luoghi tenebrosi i principî dell'arte cristiana, che tengono dietro allo stile pompeiano ed assumono a mano a mano il carattere bizantino, succedendo i simboli cristiani alla mitologia pagana, mentre la novella religione si preparava ad uscire alla luce del giorno ed a popolare le chiese.

Nelle catacombe si riscontrano propriamente le origini del culto cristiano e non deve far meraviglia se questo ha serbato, uscendo all'aria libera, un carattere severo, quale si rivela nelle rappresentazioni della morte, nella maestà terribile dei santi bizantini e de' suoi Cristi. Chi sa se il modo cristiano di considerare la morte, l'abnegazione ascetica, l'idea del martirio, del disprezzo della vita, del dolore; se finalmente l'intolleranza, il fanatismo, si sarebbero radicati così profondamente nella religione cristiana, quando questa si fosse sviluppata liberamente sulla terra, alla luce del sole, in presenza delle bellezze della natura, invece di esser costretta a cercar ricovero in quelle regioni sotterranee, alla luce delle fiaccole, relegata e costretta ad abitare presso le tombe dei martiri, col timore continuo di novelle persecuzioni?

Nessuna cosa mi ha prodotto in Napoli tanta viva impressione quanto la visita di queste catacombe e di quelle di Pompei. Sono preziosi ricordi della storia del genere umano che giacciono sotto terra; quelle catacombe si potrebbero a buon diritto chiamare la Pompei del cristianesimo. Segnano quelle e questa una grande epoca dell'umanità, ma fra esse vi è pure un grande contrasto. Nelle dimore abbandonate dagli antichi cristiani tutto è severo; mentre nella città pagana tutto è sorridente, i templi, le abitazioni le pitture; e tutto rivela una popolazione portata al vivere lieto, che si compiaceva della bellezza delle forme e che aveva tolti tutti i suoi Dei dalle regioni della poesia. E qui si trovano anche le delizie di altre generazioni di uomini appartenenti però alla stessa razza. Sono Greci e Romani come quelli di Pompei, che appartengono ad uno stesso periodo, ma molto diversi da quelli. Sembra che non abbiano dimenticato lo spirito pompeiano, allegro e vivace.

Coi ricordi di Pompei hanno trasportato pure su quelle oscure pareti gli affreschi, i graziosi rabeschi, il torchio di Bacco per ornamento delle tombe. I novelli abitatori, seduti presso le tombe, celebrano con i defunti le loro agapi e fanno risuonare quei luoghi del canto monotono delle loro preghiere. Verrà però il giorno in cui essi usciranno alla luce, portando fuori la loro religione devota alla morte e diffonderanno per tutto il mondo le reliquie dei loro martiri, offrendole all'adorazione dei fedeli sugli altari infranti, dove sorgevano le statue degli Dei bellissimi dell'antica Grecia. Pompei fu sepolta dalle ceneri del Vesuvio; dalle catacombe usciranno le ceneri che copriranno il mondo di mestizia.

Queste mie idee saranno considerate quali sogni fantastici di catacombe? Ognuno penserà come crederà più opportuno. Certo è però, che non si potrebbe trovare luogo più adatto alla teologia speculativa di quelle regioni sotterranee, dove regnano cupe tenebre, aria pesante e un odore nauseabondo. In quei laberinti di stanze, di gallerie e di corridoi, che occupano tanta estensione; fra mezzo a quelle pareti fiancheggiate da tombe, da ossami, da nicchie, da loculi non si cammina, bensì si passa, si striscia, come altrettante ombre.

Le fiaccole stentano a mandare la luce e a quel chiarore fioco e debole, le figure dipinte sulle pareti con le mani sollevate in alto, quasi mirassero ad uscire dai loro abissi e a volare alla luce del giorno, assumono l'aspetto di spettri. Iscrizioni greche, latine ed anche ebraiche, in parte cancellate e in parte ancor oggi decifrabili, fanno comprendere essere quello un mondo dove tutto è simbolo, mistero e allegoria. Due vecchi ricoverati dell'ospedale di S. Giovanni dei Poveri, sono mantenuti nel convento alla porta delle catacombe per accompagnare in quelle i forestieri. Tengono fiaccole e guidano i passi del visitatore. Ciceroni più adatti di essi non si sarebbero potuti trovare. Non camminano, strisciano con la loro lunga tonaca di colore turchino, con la fiaccola in mano, come spettri. Nel considerare quei due poveri vecchi incurvati per gli anni, canuti e col viso pallido del pallor della morte, mi sembravano morti essi pure al pari degli scheletri sui quali proiettavano la luce incerta delle loro fiaccole ed avrei detto che da ben mille anni si aggirassero fra le catacombe. In una delle sotterranee stanze lessi sotto due figure, in una nicchia: Votum solvimus, nos quorum nomina Deus scit, e mi parve che quelle parole misteriose, di cui rimane nascosto il significato, si potessero porre in bocca delle mie due vecchie guide, quasi non fossero più due viventi. Le guardai in faccia, ed al vederle così pallide, con quell'aspetto di spettri, mi colse tanto ribrezzo e terrore che non volli saperne più di catacombe.

Ne avevo oramai abbastanza di tutti quei misteri, di quelle regioni sotterranee, di quella profonda e continua notte e di quelle scene di morte, e provai un desiderio irresistibile di tornare alla luce del sole, tra i vivi. Pregai le mie due guide di tornare indietro, di condurmi fuori di quelle caverne ed esse sorrisero e subito rifacemmo la strada percorsa. Nell'uscire, però, ebbi campo di persuadermi che i miei ciceroni erano esseri viventi, perchè mi ringraziarono di cuore della moneta che diedi loro onde potessero andare a bere alla mia salute.

Non v'è modo migliore per conciliarsi con l'idea della morte, uscendo dalle catacombe di Napoli, che recandosi a visitare il nuovo camposanto di quella città. Dicono che sia il più bello d'Europa, ed io non ho difficoltà a crederlo, imperocchè la sua posizione è stupenda, ed i monumenti che vi sorgono, come in un ameno giardino, ricreano la vista. Si trova collocato al di sotto di Poggio Reale, sopra una piccola collina, la quale domina la strada di Nola e dalla quale si gode il panorama magnifico della città, del golfo, della spiaggia di Sorrento, del Vesuvio e della ricca vegetazione che si estende ai suoi piedi.

Quasi tutta questa collinetta è ricoperta di monumenti, la maggior parte dei quali ha la forma di tempietti, sostenuti da colonne. In certi punti ve ne sono moltissimi che fiancheggiano le strade, e nel percorrer queste si ha una lontana idea di quello che fosse la via Appia ai tempi antichi. Altri monumenti sorgono isolati, altri in gruppi e formano tutti tante piccole necropoli. In cima alla collina si trovano un porticato a colonne ed una chiesa assai grande, dove si celebrano le messe per i morti. La maggior parte dei tempietti appartengono alle confraternite della città, e queste istituzioni benefiche, le quali senza distinzione di classi sociali hanno scopo non solo di dar sepoltura ai morti, ma anche di soccorrere i poveri e di assistere gli ammalati, sono in numero di centosettantaquattro, ed i nomi di esse si leggono sui frontoni di alcuni monumenti. Altri di questi tempietti sono tombe di famiglie; in essi vi sono piccoli spazî per una cappella, chiusa da un'inferriata, in cui si vedono o un piccolo altare, od una statua della Madonna, o una lampada eterna e il più delle volte i ritratti, o i busti dei morti. Ognuno può ivi recarsi a pregare per i propri defunti, che in tal guisa, non diventano totalmente estranei alla pia associazione alla quale appartennero in vita. Questi monumenti sono quasi tutti di stile antico, di gusto puro, semplici, di forme graziose, taluni ornati di pitture di genere pompeiano, e producono in complesso grata e soave impressione. Vi sono fiori da per tutto, cespugli di oleandri, di amaranti, di tulipani, di ortensie, di mirti, che bandiscono, nell'armonia dei loro colori, totalmente la desolazione. Stando fra tutti quei fiori e gettando lo sguardo sulla Campania felice, sul mare illuminato dai raggi del sole cadente, non si può fare a meno di riconoscere che qui si è molto bene e lodevolmente pensato anche ai morti. Questo bel camposanto venne aperto nell'anno 1845.

IV.

Pochi sono coloro che partono da Napoli senza aver compiuto l'ascensione del Vesuvio, ma pochi prima di partire hanno fatta quella dell'altro monte gemello, del bellissimo Somma. Il vulcano, che fuma tuttora, attrae intera l'attenzione del visitatore, il quale non pensa di onorare di una sua visita il monte Somma con le sue pendici riccamente vestite di foreste verso le pianure della Campania.

Mi decisi pertanto di farne l'ascensione, anche perchè il cratere del Vesuvio, considerato dall'alto ed in vicinanza, doveva presentarsi sotto nuovo aspetto, tale da compensare la fatica della salita. Eravamo un'allegra brigata di sette persone, fra le quali due naturalisti, un zoologo francese, ed un medico russo. Uscimmo di città alle sei del mattino, e dopo aver oltrepassato S. Giovanni, prendemmo a sinistra per gli ameni campi di S. Anastasia, ai piedi del Somma. Ivi cercammo guide pratiche del luogo. Una donna robusta portava la cesta contenente i nostri viveri; ci precedevano due uomini dalla bella figura, uno dei quali portava uno schioppo in spalla, ed al fianco un lungo pugnale nella sua guaina.

La piccola carovana si pose in cammino di buonissimo umore, rallegrata da uno splendido sole di luglio, e dall'ampia vista delle fertili pianure della Campania, le quali si estendono ai piedi del monte. Cominciammo a salire attraverso alle vigne, che forniscono il rinomato vino di Somma, e quindi entrammo nella regione ombrosa dei castagni, mentre, a misura che salivamo, le pendici diventavano più erte e la salita più faticosa. I fianchi del monte, fin verso la sommità, continuavano ad essere popolati di castagni e di una flora veramente splendida. I fiori stupendi, particolarmente i gigli purpurei, i garofani, il licno, il trifoglio purpureo, l'antirrino, la valeriana medicinale, traevano a sè tutta quanta l'attenzione del botanico, mentre il zoologo dava la caccia alle farfalle variopinte.

A misura che si saliva, andavano scomparendo le strade e finimmo per non trovare nemmeno più sentieri di pastori e per camminare su tracce di passi, attraverso cespugli, entro gole e sull'orlo di precipizi. Incontrammo rivi che scendevano quasi a picco, letti di torrenti quasi disseccati, le cui sponde, di carattere interamente vulcanico, erano formate ora di ceneri, ora di lapilli, ora di lava impietrita.

Tre della nostra comitiva scesero in una di quelle gole vulcaniche, provvisti di martelli e di scalpelli, per raccogliere cristallazioni. Ne trovarono una discreta quantità nelle grotte formate dalla lava basaltica e dalle ceneri indurite. Le varie qualità di cristalli e la stupenda pietra vulcanica si trovano parte a fior di terra e parte sepolte nel suolo, e chi non si lasciasse spaventare dalla fatica, ed anche dal pericolo delle frane di quelle pareti di lava, potrebbe formarne una bella collezione mineralogica.

I tre compagni, più o meno carichi di pietre, si riunirono a noi che eravamo rimasti ad attenderli in un bosco, all'ombra. Proseguimmo la nostra ascensione, resa faticosa dalla mancanza di strade e dall'ardore del sole, fino ad una fonte che trovammo ad un terzo circa della salita. Sul monte Somma le sorgenti sono scarse e a quella dove ci fermammo, le cui acque non erano abbondanti, però fresche e di buona qualità, le nostre guide diedero il nome di fontana di Mennone. Tutti i sassi di quella regione sono sonori, perchè stati soggetti all'azione del fuoco e, percuotendoli con un ferro, o con un bastone, mandano un suono metallico, come le colonne di Pompei.

A misura che si sale, la vista diviene più bella, ma il monte più arido, perchè crescono le ceneri, i lapilli, e la salita diviene per conseguenza più faticosa.

Ancora non scorgevamo affatto il Vesuvio, perchè rimaneva nascosto dalla vetta del monte Somma, mentre invece l'orizzonte si allargava sempre più, stendendosi da Baia all'isola d'Ischia; si scorgevano Napoli, il golfo, la pianura di Caserta e tutta quanta la fertile regione della Campania centrale, fin verso i monti di Sarno. Tutta la stupenda pianura si estende dalle colline che circondano il golfo, sulle quali sorge in parte Napoli, fino agli Appennini e ai monti del Matese. Si direbbe un immenso parco cosparso di castelli, di ville, di chiese, di monasteri, di città che spiccano biancheggianti sulla verzura della campagna, frastagliate dalle vie di comunicazione. Ci fermammo quasi estatici sull'ultimo contrafforte, al disotto della vetta del Somma, perchè da quel punto potevamo spaziare la vista e scorgere da una parte Napoli ed il mare e dall'altra la pianura campana.

Potemmo riconoscere le seguenti città: S. Anastasia e Somma; più in là Poncigliano d'Arco, Acerra, Afragola, S. Maria e Capua; a destra Caserta ed il suo palazzo; Maddaloni ai piedi dei monti; in faccia a noi, Marigliano; più in là ancora Nola, Ottaiano, Palma e Sarno situate propriamente a destra di Nocera, dove i monti chiudono la pianura. Era il giorno della Madonna delle Grazie; noi udivamo il rombo dei cannoni della sottostante città; e quando fummo giunti presso al cratere ora spento del Somma, ci parve che quei colpi provenissero dalle profondità del vulcano.

Contemplando da quell'altura, la stupenda regione e lo splendido mare, si comprende che chi ne fu una volta padrone, preferì la morte alla perdita della signoria. Così avvenne alla stirpe sveva, a quella di Aragona e a Gioacchino Murat. Si può allora comprendere l'esclamazione, per dir vero, non molto ortodossa, di Federico II imperatore, il quale diceva che «se il Dio d'Israello avesse veduta Napoli, non avrebbe tanto vantata a Mosè la terra promessa». A noi però era riservato uno spettacolo più grandioso; non avevamo ancora veduto il Vesuvio. Ci avvicinammo alla vetta del Somma, la quale è segnata al suo punto culminante da una croce in legno, e, fatti ancora pochi passi sulla cresta sottile, ci trovammo tutto ad un tratto di fronte, e vicinissimi al vulcano, che sembrava balzar fuori all'improvviso. Non può esprimersi quale fosse il contrasto fra la vista delle pianure ridenti e fertili della Campania e quella regione arida, morta, sepolta tutta sotto un denso strato di ceneri di color grigio. Non è possibile esprimere con parole la profonda impressione di quella mole imponente che fuma; si sarebbe detto un demone uscito tutto ad un tratto dagli abissi dell'interno.

Non vi è posizione da cui possa il Vesuvio produrre un tale effetto, come dal vertice del monte Somma, che quasi lo eguaglia in altezza. Quando si sale sul Vesuvio per la strada di Resina, si vede il vulcano dal basso in alto; qui invece si contempla dall'alto in basso e si può benissimo guardare nel suo cratere e vederlo campeggiare in tutta la sua imponenza, sul fondo del cielo e del mare; inoltre si ha davanti agli occhi il cratere del Somma, con le sue pareti scoscese di lava, che scendono quasi a picco. Coloro che salgono invece dai piedi del Vesuvio alla sua sommità, non scorgono mai la sua forma e non ne vedono altro che i campi coperti di lava e di cenere.

Tre soltanto di noi ci avventurammo sulla cresta affilata del Somma, fino alla punta più esterna dove si vede il monte a tre punte inclinate verso il Vesuvio. A sinistra e a destra si scorgono gli antichi crateri spenti delle nere cavità, frastagliate in ogni senso, con intorno un terreno cosparso di pietre rosse e grige e di massi di lava eruttati dal vulcano. A metà del margine del Somma, il terreno appare inclinato a forma piramidale, ed a semicerchio verso il Vesuvio, dal quale lo disgiunge un vero precipizio. Innanzi agli occhi si erge il cono imponente del Vesuvio, coperto tutto di ceneri dalla base fino all'estremità, di un colore fra il grigio e il giallo e con strisce di tinta nera dove colò la lava. I margini del cratere sono di colore giallo cupo, circondati da una striscia bianca, e dal suo interno si sprigionano leggieri vortici di fumo. A poco a poco l'osservatore si va rimettendo dalla prima impressione prodotta da quella vista imponente ed allora non può fare a meno di osservare le linee armoniche, le belle forme di quel cono, e la varietà delle sue tinte. Non ho visto nessuno spettacolo naturale simile a questo, dove il severo ed il grazioso siano così armoniosamente uniti. Anche dopo salito sull'Etna, debbo affermare che questa fusione di aspetti tanto diversi, è tutta particolare del Vesuvio. Questo è propriamente di una maestà tranquilla, quieta e melanconica; la tinta bruna od azzurra delle ceneri si armonizza in modo stupendo con le belle forme del cono, e se si aggiunge a questo l'aspetto del mare, della pianura e dei monti circostanti, il tutto irradiato da uno splendido sole, s'immagina facilmente quanta debba essere la bellezza di quella visuale, dalla quale uno non riesce a staccarsi. Vedevamo le barche nel golfo, e all'orizzonte le forme strane dell'isola di Capri. A sinistra scorgevamo la spiaggia di Castellamare, e la regione vitifera di Boscotrecase, Boscoreale, di Scafati e di Lettere.

Ci fermammo un bel po' sulla vetta del Somma, godendo di tutte quelle bellezze di cielo, di terra, di mare.

Il Vesuvio era tranquillo; non usciva dal suo cratere che una leggera colonna di fumo, quasi ad additare che in mezzo a tante delizie, albergava il demonio della distruzione. Le sue strisce nere a traverso le ceneri erano formate dai torrenti di lava delle due ultime eruzioni, e quella a sinistra datava solo dal 1850. Si erano aperti allora sul cono cinque piccoli crateri, tuttora visibilissimi. Ci fu additato il punto preciso dove, durante l'eruzione del 1847, perdettero miseramente la vita un Tedesco ed un Americano. Costoro, inoltratisi imprudentemente, furono colpiti dai sassi infuocati eruttati dal monte; il Tedesco, il quale ebbe le gambe rotte, morì ai piedi dello stesso Vesuvio; l'Americano, colpito in un braccio, perì poco dopo nell'ospedale di Napoli.

Un caso assai strano toccò nel 1822 ad un calzolaio di Sorrento, che si era recato a visitare il Vesuvio senza una guida. Il cratere dell'eruzione del 1820 era libero, e l'imprudente calzolaio volle scendervi con l'animo non solo di sorprendere gli spiriti infernali, ma quasi di prenderli a dileggio. Colto da una vertigine in questa sua temeraria impresa, precipitò nel cratere e fortuna volle che fosse trattenuto, nella caduta, da una sporgenza di lava. Riportò la rottura di un braccio e di una gamba, e stette per ben due giorni in quella posizione, sospeso sull'abisso, fintanto che i suoi lamenti giunsero all'orecchio delle guide che avevano accompagnato sul monte altri forestieri. L'infelice fu tratto fuori per mezzo di corde, e bisogna dire che discendesse dalla natura immortale di Alasvero, imperocchè, portato all'ospedale di Napoli, finì per guarire e per tornare a Sorrento, sano e salvo come nulla fosse stato. Questa avventura terribile e lieta ad un tempo ci venne narrata da don Michele, cappellano del romitaggio sul Vesuvio, dove scendemmo dopo esserci trattenuti più di un'ora sulla vetta del Somma.

Qui, tutto ad un tratto, cambiò la scena. Il Vesuvio si velò di nebbia, ed un forte vento spingeva di qua e di là le nuvole sollevando vortici di ceneri e facendoci assistere a una stupenda lotta di elementi, che dava novella vita e nuovo carattere a questa contrada selvaggia. La nebbia non tardò però a dissiparsi, e ricomparvero sotto di noi Napoli, lo splendido golfo, Capri, Ischia, Miseno, e a destra i piani della Campania.

«Voilà la Cléopatre!» Questa strana ed inaspettata esclamazione ci fece volgere a tutti. Era il nostro naturalista francese, uomo di sessantasette anni, il quale a furia di correre e di saltare, era riuscito, benchè vecchio, quasi novello Antonio, a fare la conquista di Cleopatra. Quel vecchietto allegro, pieno di vivacità e di brio, di una forza sorprendente per la sua età, non degnava di uno sguardo nè il Vesuvio, nè lo stupendo panorama; non aveva pensiero che per le sue farfalle.

La ripida discesa della sommità del monte, non avvenne senza qualche pericolo; dopo aver camminato a stento sulle ceneri e sulle lave dell'eruzione del 1850, le quali si sarebbero potute benissimo paragonare ad una cascata nera pietrificata, arrivammo, stanchi assai, al romitaggio. Questo sorge in vicinanza dell'Osservatorio, edificio abbastanza elegante, collocato in amenissima posizione, di dove si scopre un'estesa vista. Attorno, attorno sorgono colossali tigli, i quali avranno almeno duecento anni, e la cui vegetazione così rigogliosa, a tanta prossimità del vulcano, dimostra che la località è molto sicura. Difatti le pietre e le scorie eruttate dal cratere, descrivendo una parabola, passano di sopra al romitaggio, e la collina su cui sorge la chiesa, trovandosi separata da una profonda gola del Vesuvio, è protetta contro i torrenti di lava. Inoltre, una lastra nera, con caratteri gialli di ottone, ci fece conoscere che l'edificio era assicurato contro l'incendio, da una compagnia di Magdenburgo. Noi certamente non ci aspettavamo di trovare questo semplice ricordo della patria lontana alle falde del Vesuvio.

Negli ultimi anni abitava un romito presso la chiesetta di S. Salvatore; ma il parroco di Resina lo allontanò da quel posto che dava un certo reddito, ed ora sale egli stesso, di quando in quando, a celebrarvi la santa messa e a trattare gli ospiti, che gli capitano, con eccellente lacrima Christi. Il piccolo villaggio si compone di alcuni coloni, i quali si sono stabiliti ai piedi del monte, di impiegati dell'Osservatorio e di una stazione di carabinieri. Nel giorno della Pentecoste vi si celebra una festa, ed allora vengono dalle città vicine forse undicimila persone, le quali si recano devotamente in processione dalla chiesa di S. Salvatore fino alla Croce ai piedi del Vesuvio, per scongiurare con le loro preghiere il terribile flagello; Ora il vulcano tace, dal 1850, ed anche in quell'ultima eruzione non produsse gravi danni; il torrente di lava, di discreta ampiezza, prese la direzione di Ottaiano, devastò i giardini del principe di quel nome, e rovinò il convento di S. Teresa ed alcune case.

Dopo una buona refezione presso il parroco don Michele, il quale ci fece stupenda accoglienza, essendo amico di uno della nostra comitiva, salimmo a Resina sul fiume di lava, che, con il suo nero aspetto, produce una malinconica impressione. Anche qui si può ammirare di quanto sia capace l'industria umana, imperocchè, non appena la lava è raffreddata, si cerca di trarne partito. Avevo già veduto nell'Osservatorio certe grotte bizzarre e chiusure di giardino lavorate artisticamente in lava, e nel romitaggio avevamo preso il caffè sopra un tavolo di lava stupendamente lavorato. Con questa si formano pure busti; ed a Catania, rimasi sorpreso nel vedere la varietà e la bellezza di tinte della lava dell'Etna, ed ebbi campo di osservare e riconoscere quanto bella diventi dopo la politura.

Scendemmo da Resina; ivi il torrente di lava disseccata era fiancheggiato da vigne stupende, ed a contatto della stessa lava, quasi nelle ceneri, vegetavano belle piante di melagrani, con i loro fiori purpurei che sembravano di fuoco.

Fummo talmente soddisfatti della nostra bella gita, che ci decidemmo farne presto un'altra. Dopo pochi giorni muovemmo, difatti, in carrozza, per il monte della Maddalena, verso il Vesuvio.

Era nostra intenzione di contemplarlo, questa volta, dal lato opposto, e prendemmo perciò la direzione del fiume di lava del 1850, il quale si stende sopra Boscotrecase e Boscoreale. Osservai allora per la prima volta questi strani villaggi, collocati nel punto più pericoloso del Vesuvio. La loro posizione, in mezzo alla ricca vegetazione del suolo, composto tutto di detriti vulcanici, è amenissima quanto quella dei villaggi che sorgono alle falde dell'Etna, con la differenza che hanno un carattere tutto orientale più ancora di quelli. Le case piccole e a volta come quelle dell'isola di Capri e gli stessi campanili delle chiese sono costruiti di lava bruna. La popolazione è rozza, timida, povera; non sono riuscito a vedere una bella fisionomia. Eravamo scesi in una bettola a Boscoreale, per proseguire di là il nostro cammino sui campi di lava. Domandammo inutilmente delle frutta, ed il nostro desiderio di averne fu accresciuto dall'impossibilità di trovarne, quando, ad un tratto, vedemmo, presso la nostra tavola, un cavallo che si stava mangiando tranquillamente un secchio pieno di carrubbe. Accadde allora una scena gustosa, imperocchè ci precipitammo tutti al secchio per disputare al cavallo quel cibo saporito e fu in quest'occasione che seppi per la prima volta che a Napoli si nutrivano di carrubbe i cavalli.

Visitammo il fiume di lava, a cui le vigne sono tanto vicine e a contatto di queste vedemmo annosi olmi, da cui pendono ghirlande di tralci, e quell'allegro aspetto di vita, presso tanto spettacolo di desolazione, mi parve pieno di contrasto. Vidi pure gli avanzi del palazzo del duca Miranda e le ruine di altre abitazioni distrutte dalla lava. Anche da questa parte il cono del monte produce uno splendido effetto.

Mi trovavo abbastanza inoltrato nei misteri del vulcano per visitare il suo cratere. Avevo udito ripetere, le mille volte, che l'ascensione del Vesuvio fosse molto più faticosa di quella dell'Etna, ma dopo aver fatto anche quest'ultima, posso assicurare che arrampicarsi sul Vesuvio non è che una semplice passeggiata in paragone agli sforzi che costa l'ascensione dell'Etna, sopratutto per la grande rarefazione dell'aria, e per le continue emanazioni di gas dal suolo caldo e oscillante. Anzi, dopo aver camminato a lungo sui neri campi flegrei dell'Etna, sconfinati, il Vesuvio, che pure ha distrutto popoli e città, non sembra più che un fuoco d'artifizio, destinato a divertire i Napoletani. Non si può negare, però, che nella sua piccolezza il cratere dia un'idea più viva e più animata delle regioni infernali, che non il cratere dell'Etna.

Era una bellissima notte quando scendemmo dal Vesuvio; il sole era scomparso in mare, dietro l'isola di Ponza e, a misura che crescevano le tenebre, Napoli e le città della pianura campana si andavano illuminando. L'azzurra volta del cielo era rischiarata dalla cometa annunziatrice di guerra e tutto insieme lo spettacolo, commoveva profondamente l'animo, già impressionato dall'aspetto del vulcano.

V.

Mi si era parlato a Napoli della festa di S. Paolino a Nola e mi si era anche assicurato che meritava di essere veduta. A questa festa accorreva tutta la popolazione della Campania, porgendo uno spettacolo che non ha l'uguale. Mi recai pertanto colà il 26 giugno, anche bramoso di conoscere Nola, la quale racchiude più di un ricordo storico. Alle porte di questa città, Marcello aveva inflitto la prima sconfitta ad Annibale; ivi era morto l'imperatore Augusto e ivi Tiberio era salito all'impero. È noto pure quale sorgente inesauribile di vasi preziosissimi sia stata Nola; i più belli fra tutti quei che si trovano nel museo borbonico, furono scoperti quivi, in Ruvo e in S. Agata dei Goti. Chiunque li abbia veduti, non può certo aver dimenticato il vaso grandioso di Nola, che rappresenta, in una composizione ricca di figure, la distruzione di Troia. Conviene pure ricordare l'invenzione delle campane di cui mena vanto questa città ed il suo Vescovo, S. Paolino, buon poeta e dotto padre della Chiesa, che fece molto onore alla sua città natale.

Saverio de Rinaldis, lo cantò in un poema epico latino, ad imitazione di Virgilio, dal titolo la Paolineide. Lo acquistai un giorno nel porto di Napoli, dove lo vidi in vendita sopra un muricciolo; ma, sebbene quanto avevo udito intorno alla festa del santo m'ispirasse curiosità, non mi bastò però il coraggio per leggere tutto quanto quel lungo poema. Non sarà tuttavia fuor di luogo accennare che il santo nacque nell'anno 351 in Guascogna, dove suo padre, prefetto della Gallia, era tuttora gentile, ed aveva educato il suo figliuolo al paganesimo. Se non che, convertitosi Paolino al cristianesimo in Bordeaux, non tardò molto a divenire zelantissimo della novella religione. Ottenuto il consolato, venne mandato ad amministrare la provincia della Campania e quivi giunto trasferì la sua dimora dal capoluogo Capua a Nola, per la ragione che in questa trovavasi sepolto il santo vescovo Felice, e che i molti miracoli da esso operati traevano gran folla alla sua tomba. Paolino, rinunciò al mondo, e le proprie convinzioni e le tristi esperienze fatte della vita lo portarono a dedicarsi tutto al sacerdozio, imperocchè accusato nientemeno che dell'uccisione di suo fratello, non aveva potuto provare la sua innocenza che grazie all'intercessione del santo suo protettore Felice. Diventato prete, Paolino non tardò ad acquistare grande rinomanza per il suo ingegno e per la sua dottrina nelle scienze ecclesiastiche, mentre la santità della sua vita gli procurò l'universale venerazione. Venne chiamato a succedere a Felice nella cattedra vescovile di Nola, e quando morì, nel 431, fu sepolto nella stessa cattedrale, di dove il suo corpo venne trasportato prima a Benevento, poscia a Roma, nella chiesa di S. Bartolomeo.

Nè il suo genio, nè i suoi miracoli contribuirono maggiormente però a mantenere viva nel popolo la memoria di S. Paolino, bensì una sua buona azione, un suo atto generoso. Mentre era vescovo, l'unico figliuolo di una vedova di Nola fu preso dai Vandali e portato come schiavo in Africa. Paolino, mosso da sentimento di carità cristiana, si portò colà per riscattare il giovane, sottoponendosi in vece sua alla schiavitù africana. Compiuta questa santa opera, tornò dalla Libia, ed i Nolani si recarono ad incontrarlo fuori della città, riconducendolo al suo vescovato, con musica, danze e con le più solenni manifestazioni di gioia. Questo ingresso trionfale ebbe luogo il 26 di giugno di non si sa quale anno e ogni anno si celebra la memoria di quel giorno, con straordinario intervento di persone, le quali accorrono da tutte le contrade della Campania, per prendere parte a divertimenti curiosi e originali.

Mi recai di buon mattino a Nola con la ferrovia. I prezzi dei biglietti erano stati ridotti e alla stazione vi era una grande ressa di gente, mentre tutte le altre strade che portano a Nola erano piene di carrozze di ogni specie, le quali, movevano verso la città in festa. Il mio viaggio durò poco più di una mezz'ora a traverso fertilissime contrade, tutte coltivate a viti. Giunto a Nola, vidi, per così dire, una fiumana di gente che entrava in città.

In vicinanza della porta si teneva la tradizionale fiera; le antiche mura della città ed una torre aderente, erano tappezzate di cartelloni giganteschi, dipinti bizzarramente; nella torre stessa si faceva vedere la gran foca marina e sulla porta un uomo con una tromba faceva un fracasso del diavolo, ora suonando l'istrumento ed ora vantando i pregi del curioso animale. In una casa di fronte si faceva pure una musica infernale, interrotta di quando in quando dalle voci stentoree di una compagnia di giocolieri, i quali invitavano il pubblico ad ammirare le loro prodezze. Non è possibile descrivere la varietà delle merci che venivano offerte con alte grida nelle botteghe; nè il chiasso assordante della folla, la quale irrompeva nella città; nè la varietà dei colori dei vestiti che il popolo indossava e delle bandiere che quasi tutti i popolani agitavano in mano. Ero appena entrato a Nola che mi colpì la vista una strana cosa, della quale non avevo ombra d'idea e che mi fece dubitare di trovarmi piuttosto nelle Indie, od al Giappone, che in Italia, nella Campania. Vidi una specie di torre, alta, sottile, tutta ornata di carta rossa, di dorature, di fregi d'argento, portata sulle spalle da uomini. Era divisa in cinque ordini, a piani, a colonne, decorata di frontespizi, di archi, di cornici, di nicchie, di figure e coperta ai due lati di numerose bandiere. Le colonne erano rosse, lucide, le nicchie dorate all'interno e guarnite di rabeschi assai originali; le figure rappresentavano geni, angeli, santi, guerrieri, tutti vestiti nelle foggie più strane ed erano collocati gli uni sopra gli altri, e tenevano, in mano corni, mazzi di fiori, ghirlande e bandiere. Tutto si moveva, tremava e svolazzava, e la torre stessa, portata da circa una trentina d'uomini robusti, oscillava essa pure. Nel piano inferiore stavano sedute alcune ragazze, incoronate di fiori, in mezzo ai suonatori, i quali facevano un chiasso indescrivibile con trombe, tamburi e triangoli.

La torre si avanzava lentamente nella strada, superando l'altezza delle case, ed era sormontata in cima dalla statua di un santo. Da altre parti si udivano nuove musiche e si vedevano consimili torri.

«Dio mio!—dissi ad un uomo che mi stava vicino—che cosa significa tutto questo?» Mi rispose alcune parole in un dialetto incomprensibile, fra le quali, uniche che riuscii ad afferrare, quelle di guglie di S. Paolino. «Dovete sapere—mi disse allora un Napoletano—che queste torri e questi obelischi sono dedicati al santo, perchè quando egli ritornò dall'Africa, gli abitanti di Nola gli andarono incontro facendogli grandi feste e portando fra le altre cose tali obelischi. Di qui potrete vederli passare tutti, mentre si avviano alla cattedrale».

Preferii recarmi senza indugio sulla piazza stessa, davanti al duomo, dove dovevano prender posto tutte le torri.

Ne arrivarono subito nove da diverse parti ed erano quasi tutte della stessa altezza, ad eccezione di una più elevata delle altre, che raggiungeva i centodue palmi d'altezza appartenente alla corporazione degli agricoltori. Ogni corporazione, od arte di una certa importanza, prepara simili torri per la festa del santo. Le spese sono sostenute dall'arte e ascendono per ogni torre a circa novantasei ducati napoletani.

Nell'esaminare più da vicino quelle strane apparizioni che tanto mi avevano colpito, a prima vista rilevai che riproducevano l'architettura bizzarra e barocca degli obelischi che sorgono sopra alcune piazze di Napoli, e che, sopracarichi di sculture e di ornati, non dànno un'idea molto favorevole del buon gusto artistico dei Napoletani.

Ogni obelisco è fabbricato in istrada, presso la casa di qualche distinto maestro d'arte, sotto una grande e alta tenda destinata a proteggere contro le intemperie l'opera stessa e gli artisti che la stanno componendo.

Lo scheletro delle torri è formato di antenne e di travicelli; un piano si sovrapone all'altro e la parte anteriore e i due lati si ricoprono di carta, mentre la parte posteriore è formata tutta da foglie di rami di mirto e da una quantità di piccole bandiere. Sulle pareti di carta dei due lati sono dipinti geni i quali portano ghirlande. La parte anteriore è la più ricca di ornamenti, perchè a questa lavorano pittori ed architetti. Ogni piano è formato di colonne di ordine corinzio, sormontate da una cornice con una nicchia ed in questa sono collocate figure e statue. Le persone vive stanno al piano inferiore, e sono ragazze e giovanetti che vestono una gonnella corta e portano in testa elmi di carta dorata. Nella nicchia, a metà della torre, si trova la figura principale. In quella degli agricoltori, o mietitori, io vidi una Giuditta colossale stupendamente vestita, la quale teneva in mano la testa di Oloferne; in altre torri scorsi santi, o protettori, o patroni dei varî mestieri. A fianco di queste figure principali si trovano ad ogni piano emblemi di varia natura, angeli che tengono in mano bandiere, od arpe, e geni con corone di fiori e trombe. Nella nicchia del piano superiore sta un angelo con un incensorio, e sulla cupola dorata, o sull'ornamento a foggia di giglio, che forma l'estremità della torre, sorge un santo. Sulla torre degli agricoltori si vedeva S. Gregorio vestito da cavaliere dell'ordine di Malta, con una bandiera in mano.

Un emblema posto sulla cornice che sormonta la nicchia a metà della torre, indica la corporazione, o il mestiere a cui quella appartiene. Su quella degli agricoltori stava una falce; su quella dei pastai stavano due grossi pani; su quella dei macellai era un pezzo di carne; su quella dei sarti una bianca veste; su quella dei calzolai una scarpa; su quella dei pizzicagnoli una forma di cacio; su quella dei negozianti di vino un fiasco. Ogni torre inoltre è preceduta da un giovanetto, il quale porta un altro emblema: quello dei giardinieri portava un corno di abbondanza; gli albergatori e i bettolieri erano preceduti da un barile di vino sostenuto da due giovani, vestiti in guisa da raffigurare S. Pietro e S. Paolo.

Al suono delle loro bande musicali, tutte le torri si avviarono verso la cattedrale. Tutto quel chiasso, tutta quella gente dai costumi più svariati, tutte quelle bandiere, i balconi delle case gremiti di fiori e di belle ragazze, tutte quelle torri bizzarre che oscillavano, sotto il sole abbagliante del mezzogiorno, formavano uno spettacolo così vivace, così singolare che ne rimasi assordito, allibito: credetti di essere tornato ai tempi del paganesimo.

La marcia delle torri era aperta da due di queste, assai piccole, al piano inferiore delle quali erano ragazzi coronati di fiori; poi veniva una barca, in cui stava un giovanetto vestito alla turca, con in mano un fiore di granata. Dietro la barca veniva un grandioso legno da guerra, benissimo rappresentato, con a prua un giovane vestito da moro, che se ne stava fumando un sigaro, mentre sul ponte eravi la statua di S. Paolino, inginocchiata in atto di preghiera, davanti ad un altare.

Giunta poi ogni torre davanti alla cattedrale, incominciava uno strano spettacolo, imperocchè ognuna di quelle moli grandiose si dava a ballare a suon di musica. Precedeva i portatori un uomo con un bastone, il quale batteva il tempo, e le torri seguivano quello. Il colosso oscillava e sembrava ad ogni istante che volesse perdere l'equilibrio e cadere; tutte le figure si muovevano, le bandiere sventolavano; era un colpo d'occhio fantastico. Ogni torre incominciava a danzare davanti al duomo, e poi ballavano tutte insieme per quasi cinque minuti. Appena ogni torre si era fermata davanti alla cattedrale e aveva ripreso il suo posto, una ventina di giovani e di uomini si disponevano in circolo intorno ad essa, tenendosi le mani sulla spalla e ballavano. Intanto due ballerini facevano in mezzo a questi una danza particolare, finchè sopraggiungeva un terzo che veniva da questi sollevato per aria, dove si dimenava con tutte le membra. A poco a poco cominciava a divenir pallido e, quasi colpito da vertigine, cadeva a terra come morto. Gli altri continuavano a ballargli intorno, in circolo, mentre il morto si rialzava sorridendo e al suono di nacchere esso pure si rimetteva a girare. Quelle danze strane e originali, mi ricordarono il culto di Adone, ma non trovai nemmeno chi potesse fornirmi un'esatta spiegazione di quel ballo mistico. Davanti ad una torre, invece di ballare, si facevano giuochi di forza e un uomo faceva esercizi sulla testa di un altro. Ballò perfino il grosso legno da guerra. In alcuni momenti suonavano contemporaneamente le musiche di quattro di quelle torri, che insieme con gli urli, con gli schiamazzi e con le grida di migliaia di persone, facevano un baccano indiavolato.

Tutto questo chiasso avveniva sulla piazza, davanti alla cattedrale, mentre nell'interno della chiesa il vescovo cantava tranquillamente messa solenne che i fedeli in ginocchio stavano ad ascoltare devotamente.

Terminata la messa e finito il ballo delle torri, si chiuse la funzione religiosa con una processione a cui presero parte tutto il clero secolare, e tutte le corporazioni di frati; non vidi mai in Italia frati di un aspetto così imponente e così florido come questi e non so se ciò dipendesse dalla bontà dell'aria, dalla ricchezza e fertilità del paese, o dalla libertà con cui vivono i frati nel regno di Napoli. La processione con dietro tutte le torri, fece il giro di tutta la città accompagnata dallo scoppio incessante di razzi e di mortaletti.

Era intanto passato mezzogiorno; le funzioni religiose erano terminate e la popolazione cominciava ad andarsene per i fatti suoi. Stordito da tutto quel baccano, stanco di tutta quella folla, cercai rifugio in una trattoria, che trovai già piena di gente. In questi paesi tutto è allegro e chiaro, ed anche le pareti di quella bettola erano dipinte a colori vivaci. In un batter d'occhio vidi recare e scomparire piatti enormi di maccheroni, e di carne di agnello arrosto. Il vino rosso e denso era servito in brocche di terra cotta, a doppio manico, e non si beveva, come nell'Italia superiore e centrale, in bicchieri di vetro, ma alla brocca stessa, come nei tempi antichi. Il vino mi parve assai migliore, bevuto in una brocca la quale per la forma mi ricordava i vasi antichi e quelle brocche scoperte a Pompei, ora a Napoli nel Museo Borbonico e che hanno del pari doppio manico e la brocca a foggia di trifoglio. Oggigiorno, tutte queste brocche, nella Campania, sono verniciate in bianco con alcuni ornati che però non conservano più nulla dello stile greco.

Nel pomeriggio il calore insopportabile riversò tutte le persone nei caffè, i quali prendono il nome di Caffè nobile, non appena cominciano a presentare una certa apparenza. Cercai il migliore di tutti, che trovai però già pieno zeppo di persone; vi si soffocava per il caldo. V'erano contadini che cantavano ritornelli, improvvisatori, signori e dame elegantemente vestite, gli uni seduti, gli altri in piedi, e altri ancora che giravano attorno ai tavoli. Si prendevano gelati in abbondanza e di gusto squisito. Non ho mai provato come in quel caffè la voluttà di sorbire un buon gelato, tanto era soffocante il calore, e non tardai molto in mezzo a tutta quella folla, ad addormentarmi e sognai Marcello, Annibale, Augusto morente, Livia, Tiberio, le baccanti, gli affreschi di Pompei, i vasi di Nola, S. Paolino e la sua festa, e le torri che ballavano. Al di fuori la folla continuava a gridare e a far chiasso, ma siccome il rumore era continuato, si poteva benissimo dormire come si dorme sulla spiaggia del mare, al muggito delle onde.

La città, che visitai tutta quanta, non ha nulla di notevole, ma è abbastanza pulita e resa gaia dai molti e bei giardini. Nei tempi antichi Nola non era affatto inferiore a Pompei con la quale manteneva grandi relazioni commerciali. Le tre città più fiorenti della Campania erano infatti: Nola, Aceria e Nocera, che avevano il loro porto a Pompei, sulla foce del Sarno, ricoprendo allora il mare, che di poi si ritirò da Pompei, buona parte di quella fertile pianura.

Ero uscito di città per salire al convento di S. Angelo, appartenente ai monaci di S. Francesco, il quale sorge con un porticato aperto in una bella posizione ed è attorniato da una splendida vegetazione, quando incontrai per istrada una famiglia che tornava già dalla festa e che era composta di una matrona di forse ottant'anni, con le sue figliuole e nipoti. Non vidi mai vecchia di bellezza più classica, alta com'era della persona e d'imponenza tragica.

Vestiva un abito di seta color chermisino, con ampio bordo di broccato d'oro, stretto alla vita alla foggia greca, e sopra questo portava un farsetto tutto rosso, ricamato in oro. I suoi capelli canuti erano trattenuti sulla fronte da un nastro alla pompeiana. Procedeva coll'imponenza e con la dignità di una principessa, o di una regina dei tempi antichi, ed avrebbe potuto rappresentare benissimo nei Persiani di Eschilo la parte di Atossa, consorte sublime di Dario e madre di Serse. Mi ero unito a quella piccola brigata e, sebbene una delle nepoti della vecchia fosse di non comune bellezza, pur non potevo staccare gli occhi da quella imponente matrona. Le giovani che l'accompagnavano, non erano vestite riccamente come quella; portavano invece abiti a larghe maniche, di colori chiari ed avevano in capo, alla moda del paese, il muccador, specie di velo fissato poco sopra la nuca, in maniera da lasciar visibili i capelli sulle tempie, antica usanza che si può osservare anche negli affreschi di Pompei. Provavo molta fatica a comprendere qualche cosa, qualche parola del dialetto che quelle donne parlavano. Compresi però che mi invitavano ad accompagnarle a casa loro, la quale, mi dissero, che si trovava a poca distanza. Per curiosità ci sarei andato molto volentieri, ma il giorno era già inoltrato, mi premeva vedere S. Angelo, godere del panorama che di là si osserva e perciò ringraziai, declinando il cortese invito.

La vista che si gode dal convento è veramente bella. Si scoprono, a sinistra il monte Somma ed il Vesuvio, a destra i monti di Maddaloni, e sopra il monastero, in cima ad una collina, le rovine pittoresche del castello di Cicala. In mezzo a quei monti si stende la campagna di Nola, riccamente popolata di pioppi, di olmi, di alberi da frutta, da cui pendono, a guisa di festoni, le viti. In mezzo a tutte queste piante crescono rigogliosi il frumento ed il grano turco, e dovunque brillano gli aranci e i melagrani, e la città, irradiata da un sole abbagliante, trovasi come immersa in un mare di verzura, di vigneti e di fiori. È davvero una contrada adatta per continue feste: la stessa natura, eminentemente voluttuosa, invita senza posa al piacere.

Partii da Nola verso sera, quando stavano per cominciare le corse dei cavalli; più tardi doveva ancora aver luogo un'illuminazione generale. Quando a sera inoltrata mi trovai a Napoli, alla finestra della mia abitazione a S. Lucia, vidi la folla che tornava dalla festa e si avviava verso Chiaia; i cavalli erano guarniti di nastri e di fiori, la gente faceva sventolare le piccole bandiere; tutti, carrozze, cavalli, e uomini erano coperti di polvere. Gridando e schiamazzando la folla si recava a Chiaia a prendere parte alla sfilata per il corso.

VI.

Chiunque si sia recato da Salerno ad Amalfi, seguendo la strada lungo il mare, deve ricordare questa gita con vera soddisfazione. Non ve ne è un'altra ugualmente bella in tutto il regno di Napoli, e di tante escursioni che ho fatto in tutta quanta l'Italia, questa è quella che mi ha lasciata più grata impressione di tutte le altre.

La strada segue sempre la spiaggia del mare, mantenendosi ad una certa altezza, e piegandosi a tutte le sinuosità del suolo. Si hanno a sinistra i monti e le fresche valli, popolate di villaggi, le quali scendono al mare che rimane disotto, mentre lo sguardo può intanto benissimo abbracciare Pesto, i monti delle Calabrie, il capo Licosa e il golfo Policastro.

Il primo abitato che s'incontra in vicinanza di Salerno è Vietri; la posizione di questa piccola città mi ha ricordato Tivoli. Giace in una gola ampia e grandiosa, sulla riva di un torrente, il quale fornisce l'energia necessaria a parecchi molini, ed è un paese bruno, d'aspetto bizzarro, con parecchie chiese e cappelle. Sulla spiaggia del mare possiede il suo piccolo porto popolato di barche. Quasi tutti i paesi situati in alto hanno un piccolo borgo alla marina, dove si possono godere scene di vita marinaresca con maggior evidenza che nei quadri. Quando dall'alto di quelle rupi si contemplano le barchette, che ora compaiono sulle onde e ora spariscono, si direbbe che siano sospese per aria.

Tutte le torri che ancora si scorgono sulla spiaggia del mare, tutti i castelli situati sulle alture, fanno pensare ai tempi in cui i Normanni fondarono in queste contrade il loro meraviglioso regno, quel regno che segnò un'epoca nella storia della civiltà ed esercitò una grande influenza nell'Occidente e nell'Oriente.

In quel tempo erano, a dire il vero, assai strane le condizioni dell'Italia meridionale; aspre signorie di Greci e di Longobardi, scorrerie continue degli Arabi e repubbliche fiorenti come quelle di Amalfi, di Gaeta e di Napoli.

In questa bella Salerno, che oggi riposa tranquilla in riva al suo mare, regnava allora il principe longobardo Guaimaro, quando comparve davanti alla città una flotta saracena e gl'infedeli diedero l'assalto alle mura. I Salernitani erano infiacchiti al pari dei Sibariti e dei Bizantini e la città, male guardata, stava in pericolo di cadere. Fortuna volle che si trovassero per caso in quel momento a Salerno quaranta pellegrini normanni che tornavano di Terra Santa, a bordo di un legno amalfitano. Domandarono subito armi, si precipitarono fuori della porta ed attaccarono con impeto i mussulmani. I Salernitani, animati dall'esempio, tennero lor dietro, e dopo un sanguinoso combattimento i Saraceni furono sbaragliati e costretti a levar l'assedio. Guaimaro ricompensò generosamente i pellegrini, i quali, ritornati in patria, eccitarono la fantasia dei loro compaesani con le narrazioni delle bellezze della spiaggia di Salerno, dei prodotti di quel suolo fertilissimo, della primavera perpetua che vi regnava e dei tesori che colà, uomini arditi e coraggiosi avrebbero potuto acquistare.

Gli avventurosi Normanni s'imbarcarono allora pel mezzodì d'Italia, guidati da Dragut. Ciò avvenne in principio del secolo XI e la stirpe dei Normanni fu più fortunata di quella dei napoleonidi e di Murat.

Sismondi osserva che da quell'epoca, nella lingua dell'Irlanda, si mantenne dell'antico dialetto scandinavo la voce figiakasta, vale a dire desiderî di fichi, locuzione figurata per esprimere un desiderio intenso.

Giungemmo frattanto a Cetara, luogo delizioso quanto mai sulla spiaggia del mare, una vera e fertile oasi in mezzo ai monti. Di questo paese mi colpì l'architettura tutta moresca. Le case sono piccole e ad un sol piano, con logge e verande circondate di viti; i tetti sono convessi e tinti di nero. La chiesa piccola e di architettura bizzarra, sorge in un boschetto di aranci. Tutto l'insieme del paese aveva un carattere così esotico, che non si sarebbe mai pensato di essere nel centro d'Europa. Allo splendore di un magnifico sole, le piante e i fiori sembravano sorridere e le piccole case con le loro verande, parevano sepolte nella verzura. Tutto era pulito, bello; v'eran piante di aranci, di carrubbe e di gelsi; stupendi cactus in fiore e magnifiche piante di aloe contribuivano a dare un carattere esotico al paesaggio.

Cetara fu il primo punto occupato dai Saraceni su questa riviera. Quivi essi si fermarono e in seguito estesero i loro dominî, fondando colonie ad Amalfi, Minori, Maiori, Scala e Ravello, perchè i mussulmani facevano scorrerie continue su queste spiaggie, prima ancora di conquistare la Sicilia. Costoro erano attirati e indotti su questi lidi, dalle continue lotte dei Greci, con le città e con i Longobardi. La stessa città di Napoli ne diede l'esempio in principio dell'anno 836, quando si rivolse, per mezzo del suo console Andrea, agli Arabi, onde avere soccorso e liberarsi dalla signoria di Sicardo principe di Benevento, e quella repubblica, allora fiorente, strinse lega con i Saraceni senza tener conto nè degli anatemi del sommo pontefice, nè delle minacce degli imperatori greco-romani. Tale lega durò circa un mezzo secolo e si narra che a quei tempi il porto di Napoli presentasse un aspetto addirittura saraceno. Quando, dopo la morte di Sicardo avenuta nell'839, la signoria longobarda cadde a Salerno e a Benevento, e pugnavano per questa fra di loro Radelchi e Siconulfo, quest'ultimo chiamò una banda di Saraceni e prese ai suoi servizi il mussulmano Apolofar con un certo numero di Cretesi. Gli Arabi presero liberamente stanza in Salerno e vi si stabilirono definitivamente, fabbricando case nei dintorni della città.

Finalmente, nell'anno 871, Radelchi e Siconulfo fecero la pace, dividendosi gli stati di Salerno e di Benevento e stabilirono la condizione che non si dovesse permettere più agli Arabi il soggiorno nella costa fra Amalfi e Salerno; ma ad onta di ciò, molti si fecero battezzare e vi rimasero. Costoro avevano già data a quella località un'impronta tutta moresca che non si è più cancellata. Altri Arabi vennero poi dalla Sicilia, di modo che nel corso del secolo IX tutta quanta la Calabria si trovò in pericolo di diventare mussulmana; a Bari regnava un sultano, Taranto cadeva nelle loro mani e minacciavano di prendere Roma stessa, dove i Saraceni sorpresero e saccheggiarono le chiese di S. Pietro e di S. Paolo, mentre Napoli continuava a stare con loro in buone relazioni, ad onta degli sforzi dell'imperatore Ludovico II.

Si stabilirono nuovamente in Cetara nell'anno 880 e la repubblica di Napoli assegnò loro alcune terre sulle sponde del Sebeto. Essi presero pure dimora alle falde del Vesuvio, nei dintorni classici di

Pompei, non che sul Garigliano, donde partivano per fare scorrerie in tutta quanta la Campania. Fondarono parimenti la loro colonia di Agropoli, nelle vicinanze di Pesto.

Ai tempi del dominio dei Normanni si ritirarono più di una volta da queste contrade e molti abbracciarono il cristianesimo, altri rimasero al servizio di Ruggero, portando nella bella provincia di Salerno le costumanze e la civiltà orientale. Lo stesso nome di Cetara sembra che sia di origine orientale.

Il sole intanto si era fatto cocentissimo, riflettendosi sulle nude rocce dove camminavamo in fretta, e noi eravamo ancora a buona distanza da Amalfi. L'aspetto della riviera si faceva a mano a mano sempre più bello. Al nostro fianco sorgevano monti altissimi, le cui cime si perdevano nelle nubi, mentre la loro tinta oscura, sotto la sferza del sole che rendeva sempre più azzurre le onde del mare, faceva un grande contrasto con lo splendore di questo e con la limpidezza del cielo. Sorgevano qua e là, sul pendio dei monti, rovine di antichi castelli dei tempi normanni indicanti i luoghi dove un giorno esistettero villaggi. Stupenda ci apparve la posizione di Maiori e di Minori nei due punti più belli della riviera, due piccole città al pari di Cetara, appoggiate al monte e circondate da giardini amenissimi.

Le spiagge di Minori e di Maiori sono quanto c'è di più ridente in questo golfo, da Salerno ad Amalfi e Sorrento, ed io non esito a dichiarare che superano in bellezza la stessa spiaggia di Sorrento, a costo anche di esser tacciato di un'eresia. Sono due punti di una magica tranquillità, ristretti in breve spazio, freschi, ombreggiati e ridenti; si direbbero appartati da tutto il resto del mondo. Non ho veduto luoghi più graziosi. Il primo che s'incontra è Maiori, fondato da Siccardo di Benevento nel secolo IX; il paese giace quasi in riva al mare. Il monte situato dietro l'abitato, ridotto a foggia di terrazzi, è coltivato a giardini nei quali sorgono casette bianche e pulite che hanno l'aspetto di altrettante ville. Più in alto torreggia pittorescamente un antico castello.

Le strade ed i sentieri solitari e tranquilli si addentrano nei monti dai quali scaturiscono acque limpide e fresche. Tanta solitudine romantica ricrea l'animo e fa nascere il desiderio di vivere colà tranquilli, o almeno di trascorrervi un'estate. Ivi davvero l'abitante dei paesi settentrionali comprende che cosa significhi la figiakasta.

Trovammo colà, in riva al mare, una locanda graziosa, dipinta a colori vivaci, dove ci procurammo vino, ottimi fichi neri e aranci stupendi. Il sole che splendeva di fuori, quella tranquillità profonda, il frangersi delle onde sulla spiaggia e l'atmosfera pregna di profumi, conciliavano il sonno.

Poco dopo ci trovammo mezzo addormentati in un caffè del vicino borgo di Minori. Quivi le case sono piccole e basse quanto quelle di Pompei e le stanze così piccole che appena possono contenere quattro persone. Alla tavola della locanda il padrone ci girava attorno con un ventaglio in mano smovendo l'aria, cacciando le mosche e narrando nel suo dialetto una quantità di storie, parlando sopratutto della fabbricazione dei maccheroni, industria speciale della riviera di Amalfi, la quale ne provvede tutto il regno di Napoli.

Partimmo da Minori nelle ore calde del pomeriggio e, girato che avemmo un promontorio, ci trovammo di fronte ad Atrani, il quale è separato da Amalfi da una gigantesca rupe. La posizione di

Atrani è imponente. Sorge a foggia di piramide sulla riva del mare, che in quel punto è altissima e scende assai ripida, addirittura a picco. L'architettura delle case, le quali hanno tutte la propria loggia, produce un aspetto piacevolissimo per il bianco delle mura che si stacca sul fondo nero della rupe. Questa, forma vicino al paese una verde valletta ed alla sua sommità si presenta il paesetto di Pontone. Sulla sommità delle falde di quei monti tutte rivestite di pini marittimi sorgono antiche torri e castelli. Si scorgono intorno villaggi che giacciono ancora più alti fra vigne e castagneti e dove sarebbe molto faticoso l'arrampicarsi. Oltre Pontone, soprastano Atrani gli altri paesetti di Minuto, Scala, e Ravello. Quest'ultimo è particolarmente notevole per i ricordi dei Saraceni. Vi si sale da Atrani percorrendo una ripida e faticosa strada, ma romantica, attraversando gallerie coperte e camminando fra vigneti, castagni e boschi di carrubbe. A misura che si sale, la vista del mare si fa più bella. Dalla cima delle nere rupi, coronate di torri, si getta lo sguardo sull'azzurro delle onde che si direbbero sgorgare dalla gola di Pontone. Si vedono pure verdeggianti pendici, seminate di case, dove per buona ventura gli abitanti non hanno più a temere le scorrerie saracene.

Arrivammo all'abbandonato monastero delle Clarisse e ivi trovammo le prime tracce dell'architettura moresca. Salimmo quindi alla villa Cembrano, casa di campagna di un ricco signore napoletano, la quale sorge tra le rose e gli oleandri, su di un altipiano da dove lo sguardo spazia nel mare. Questa villa è propriamente bella e sopra tutto attrasse la mia attenzione il pergolato, il quale forma un rettangolo attorno al magnifico giardino. Esso è sostenuto da pilastri bianchi, sui quali corre un tetto di verdi tralci, da cui pendono i grappoli in abbondanza; nel giardino poi, tenuto con molta cura, crescono i più bei fiori, e tutte le piante meridionali, nella vegetazione rigogliosa del mese di luglio. Sul margine dell'altipiano sorge un belvedere, circondato di statue, invero orribili, le quali però in distanza producono buon effetto. Si gode di là la vista dell'ampiezza del mare, delle coste delle Calabrie con le cime dei loro monti coperte di neve, dell'imponente punta di Conca e del bel capo d'Orso, presso Maggiori, tutte vedute severe che bisogna ammirare e tacere, anzichè provarsi a farne la descrizione. Nel contemplare da quegli orti di Armida, fra le rose e le ortensie, il mare magico nel quale si riflette l'azzurra tinta di un cielo limpidissimo, nasce il desiderio di poter volare. Io credo che a Dedalo ed a Icaro venne desiderio di poter spaziare per l'aria in una bella sera d'estate, sedendo su di un promontorio dell'isola di Creta.

Salimmo ancora più in alto, al convento di S. Antonio; anche questo è collocato in amenissima posizione ed è di stile interamente moresco, con archi spezzati e colonnette graziose. Raggiungemmo quindi l'antica Ravello e ci trovammo tutto ad un tratto in una città moresca, con torri e case di stile arabo, fabbricata di tufo nero solitaria e tranquilla, abbandonata, quasi morta, sopra una verde pendice del monte. Si direbbe che è segregata da tutto il resto del mondo; non si vedono che alberi e rocce e da qualche punto il mare in lontananza. Nei giardini si osservano alte torri nere, case di stile moresco con arabeschi in parte rovinati, finestre ad arco con piccole colonne.

Sulla piazza del Mercato, presso la chiesa, sorge un antico edificio di architettura araba, con ornati di gusto fantastico e con colonne meravigliosamente lavorate negli angoli. Il tetto riposa sopra una graziosissima cornice. Questo edificio è designato col nome di teatro moresco e non vi è dubbio che era il palazzo degli antichi signori di Ravello, imperocchè questa città, ora deserta e derelitta, fu un tempo una colonia fiorente di Amalfi che contava trentaseimila abitanti. Ricche famiglie vi avevano introdotto il lusso a cui davano origine le loro relazioni con l'Oriente e il continuo commercio con i Saraceni stabiliti in Sicilia. Fra le più illustri erano annoverate le famiglie degli Afflitti, dei Ragadei,

dei Castaldi e sopratutto dei Ruffoli. Si erano fabbricate tutte palazzi di stile moresco, con vasche, con getti d'acqua di vero gusto arabo, su disegni e sotto la direzione di artisti arabi. E' noto che Ravello si mantenne in relazione continua con i Saraceni, molti dei quali vi avevano presa dimora e gli Arabi vi tennero il presidio fino ai tempi di Manfredo. Avvenne perciò che questa piccola città fu una delle prime che accolse nell'Italia meridionale l'architettura araba ed oggidì è una delle poche che ne conservi ancora gli avanzi.

Trovai in Ravello maggiori avanzi di architettura moresca che in Palermo stesso, dove i castelli di Cuba e della Zisa sono per la massima parte distrutti. Il palazzo Ruffoli in Ravello è una vera miniera di architettura moresca di quei tempi, e di queste contrade. Esso trovasi in un giardino, ed appartiene da tre anni all'inglese sir Nevil Reed, il quale lo ha fatto per primo sgombrare dalle macerie. E' addirittura un piccolo Alhambra, uno stupendo edificio a tre piani, che conta più di trecento stanze sostenute tutte da colonne moresche. Le sale sono ornate di rabeschi in puro stile arabo-siculo e un tempo debbono essere state magnifiche. Esistono ancora nei giardini una rotonda di stile moresco, alcuni avanzi di mura, fra le quali una torre quadrata di gusto bizzarro, rovine di porticati, di bagni, di archi e di cortili, i quali debbono aver fatto parte di una specie di castello cinto di mura, e da questi ruderi è agevole farsi un'idea delle grandi ricchezze che dovevano aver accumulato un tempo le famiglie distinte di Ravello.

In tutte le città impoverite del regno di Napoli, queste reliquie di tempi migliori provano la triste decadenza delle contrade. Due volte furono in fiore queste regioni predilette dalla natura: la prima nell'antichità greca, come lo attestano le rovine di Pesto; la seconda durante le Repubbliche del medio evo, allorquando Napoli, Gaeta, Amalfi, Sorrento, riempivano i mari delle loro flotte, ben molti anni prima che lo spirito repubblicano, avanzo degli ordinamenti politici greci e romani, risorgesse nell'Italia settentrionale e desse origine alle repubbliche di Pisa, di Genova e di Venezia. Nella prima epoca furono i Romani quelli che spensero il fiore della civiltà nell'Italia meridionale; nella seconda epoca cominciò a venir meno sotto il dominio dei Normanni; e quindi, a poco a poco, quelle contrade si vennero riducendo alla misera condizione in cui si trovano attualmente. Manca tuttora una buona storia di quelle Repubbliche dell'Italia meridionale dal secolo VII ai tempi di re Ruggiero di Sicilia, e gli archivi di Napoli potrebbero fornire tutti gli elementi necessari, se non fossero chiusi, ed impenetrabili più della sfinge egiziana.

Vidi intanto, mentre mi trovavo nei giardini del palazzo Ruffoli, un meraviglioso fenomeno di luce in mare. Il sole stava per tramontare, ed i monti di Pesto e di Salerno cominciavano ad oscurarsi, assumendo una tinta dolce di verde cupo, mentre sopra a Pesto stava un'ampia nuvola bianca, la quale non tardò a tingersi in rosso acceso. Si sarebbe detto che divampasse in cielo un immenso incendio, la cui luce si proiettasse in mare, sembrando fosse in fiamme tutto quanto il golfo di Salerno; a poco a poco il mare assunse prima un color d'oro, quindi verde pallido, violaceo, gialliccio, finalmente grigio, finchè vennero le tenebre. Colpito da quegli scherzi indescrivibili di luce, non potei più muovermi finchè fu notte.

Potrei ancora narrare molte cose di Ravello, particolarmente dell'antico duomo edificato da Niccolò Ruffoli nel secolo XI, il quale possiede un pulpito raro in mosaico ed antiche porte di bronzo e dove si conserva in un'ampolla il sangue di S. Pantaleo, che bolle al pari di quello di S. Gennaro; ma non conviene vedere tante cose, e sopratutto descriverle molto a lungo.

L'ISOLA DI CAPRI

Un mese intiero ho vissuto nell'isola di Capri ed ho goduto, in tutta la sua pienezza, la solitudine magica di quella marina. Così potessi io riprodurre le sensazioni ivi provate! Ma è impossibile descrivere con parole la bellezza e la tranquillità di quella romita solitudine. Giampaolo Richter, contemplandola dalla terra ferma, ha paragonato Capri ad una sfinge; la bella isola a me è apparsa simile ad un sarcofago antico, fiancheggiato dalle Eumenidi scarmigliate, su cui campeggiasse la figura di Tiberio. La vista dell'isola ha sempre esercitato su me un vero fascino per la sua conformazione monumentale, per la sua solitudine, e per i cupi ricordi di quell'imperatore romano, che, signore del mondo intiero, considerava quello scoglio come sua unica e vera proprietà.

Una domenica, di buon mattino, con un tempo stupendo, andammo a Sorrento, in barca, e di là ci dirigemmo verso Capri. Il mare non era meno tranquillo del cielo; le linee del paesaggio si perdevano all'orizzonte in una luce vaga ed indecisa; Capri però ci appariva davanti imponente, grave, rocciosa, severa, con i suoi monti selvaggi, con le sue rupi rossastre di roccia calcarea, tagliate a picco. Sull'altura si scorgeva un bruno castello rovinato; qua e là avanzi di batterie e gole aperte di cannoni abbandonati, solitari, già quasi ricoperti dal ginestro selvaggio dai fiori gialli; scogli aspri e ripidi, in cima ai quali svolazzavano falchi di mare e uccelli indigeni, assuefatti al sole, come dice Eschilo; in basso caverne, grotte oscure, misteriose; sul dorso del colle una piccola città di aspetto gaio, con case bianche, mura alte e una cupola di chiesa; più in basso ancora, sulla zona ristretta della spiaggia, un piccolo porto per i pescatori ed una fila di barche tirate in secco.

Suonavano le campane allorquando approdammo; una graziosa fanciulla, figlia di un pescatore, si avanzò nell'acqua, afferrò la barca e, tenendola ferma alla riva, ci permise di scendere a piedi asciutti. Nello spiccare un salto sul suolo dell'isola di Capri, che io mi ero raffigurata tante volte sotto il nordico cielo natio, mi parve di trovarmi nella stessa mia casa. Tutto era silenzio e tranquillità; non si vedevano che un pescatore e due ragazzi intenti a bagnarsi presso uno scoglio, due giovanette sulla spiaggia, e tutto all'intorno rupi severe. Ero dunque giunto in una solitudine selvaggia e romantica insieme. Da quel punto della marina partiva un sentiero ripido e scosceso, che, fra mura di giardini, conduceva alla piccola città. Quei giardini aperti nei seni della rupe erano coltivati a viti, a olivi e ad agrumi, ma la vegetazione ne era meschina, specialmente per chi ne veniva dalla lussureggiante Campania. Anche gli alberi a Capri sembrano eremiti. Si accede alla cittadina per un ponte di legno e per una vecchia porta, dall'aspetto romito, in cui par che regni la pace e s'ignorino le umane necessità. Alcuni abitanti, vestiti a festa, stavano ciarlando, seduti sui gradini della chiesa. Parecchi ragazzi giocavano allegramente sulla piccola piazza, davanti al tempio, che pareva fatta appositamente per i loro giuochi. Le case, piccole, con i tetti a terrazza, avevano quasi tutte una pianta di vite arrampicantesi per le mura. Un'angusta stradicciuola, non mai percorsa da nessun veicolo, ci condusse alla locanda di Don Michele Pagano, di fronte alla quale sorgeva una stupenda palma. Anche quivi sembrava di arrivare in un eremo ridotto ad albergo per i pellegrini.

Eravamo appena entrati nella nostra camera, che un canto, giù nella strada, ci chiamò alla finestra. Era di domenica: una processione strana, caratteristica attraversava il paese. Seguivano la croce uomini e donne, quelli con cappucci bianchi, queste con bianchi veli. I cappucci erano circondati di una corona formata di foglie di roveto spinoso. Gli uomini ai fianchi portavano una fune, certo in segno di penitenza. La processione era dedicata alla crittogama. Tutte quelle teste coronate di frondi offrivano un quadro pagano: si sarebbe detta una processione di sacerdoti di Bacco coronati di pampini e diretti ad un tempio di Dionisio. Quasi tutti gli uomini portavano la corona di spine, compresi quelli che non rivestivano l'abito della confraternita. Mi colpì in modo particolare la figura di un vecchio invalido, canuto di capelli e di barba, il quale, con quella corona, aveva davvero l'aspetto di un satiro. Dopo gli uomini venivano le donne e le fanciulle con bianchi veli. Le strade essendo tanto strette da dare il passaggio a stento a due persone per volta, erano stipate da un muro all'altro.

Questa processione fu la prima cosa che vidi a Capri. Siccome poi vissi colà felicissimi giorni e nessuna località al mondo così completamente visitai, perlustrando ogni suo angolo più remoto, ogni sua grotta accessibile, e posi affetto a Capri e ai suoi abitanti, voglio usare a quest'isoletta il trattamento di quei navigatori riconoscenti, che appendevano una tabella votiva e sotto vi scrivevano: Votum fecit; gratiam recepit.

Il nome dell'isola, presso i Greci ed i Romani, era Caprea. Spiegando la parola latinamente, significherebbe isola delle capre; ma altri la derivarono dalla lingua fenicia, nella quale Caprain significa due città. I Greci la considerarono quale isola delle sirene, e tuttora un punto della spiaggia si chiama la Sirena. Se non che, le isole delle Sirene di Omero giacevano di fronte a Capri, verso Amalfi ed il Capo Minerva; e quella denominata oggi Capo di Campanella, è ritenuta per l'isola di Circe. Tuttavia, tutto il tratto di mare all'intorno è mitologico e ricorda l'Odissea ed il canto delle sirene, le quali traevano alla rovina i naviganti, allorquando dal golfo di Posidonia si accostavano a questi ripidi scogli, sorgenti appena sulle onde. S'ignora di dove vennero i primi abitatori dell'isola, ma molto probabilmente dalla terra ferma e furono i vicini Osci. Si ritiene pure che vi approdassero i Fenici, e ad essi si è attribuita la fondazione delle due città, imperocchè l'isola, parte piana e parte montuosa, dovette di necessità avere due centri di popolazione. Strabone ha difatti lasciato scritto: «Capri ebbe anticamente due città, ma ora non ne possiede che una». Più tardi vennero i Greci nel bel golfo di Napoli, nel cratere, come lo chiamano gli antichi geografi, e presero stanza lungo le coste e nelle isole. Secondo quanto asseriscono poi Tacito e Virgilio, si stabilirono in seguito a Capri i Telebori, gente di stirpe arcanica. Il primo Greco signore dell'isola si chiamava Telone.

In quel periodo, circa otto secoli prima della nascita di Cristo, i Greci si stabilirono nei due golfi di Posidonia e di Napoli, edificarono Cuma e Napoli, s'impossessarono delle isole di questo stupendo mare, e imposero all'alto abitato di Capri il nome che ancor oggi conserva di Anacapri, che è quanto dire Capri superiore. Prestando attenzione al linguaggio che oggi parlano quei di Capri, si ritrovano parole di origine greca, e di tipo greco sono le fisonomie distinte e nobili delle donne, di foggia greca i paramenti, l'acconciatura dei loro capelli, ed il modo con cui dispongono il mucadore, sorta di velo col quale sogliono ricoprirsi il capo. Sebbene più tardi i Romani abbiano essi pure posseduta l'isola, tuttora, come a Napoli, in gran parte è sangue greco quello che scorre nelle vene de' suoi abitatori e dei Greci; essi hanno la grazia e la dolcezza che li rendono accetti allo straniero e che rendono idilliache persino le loro nude rocce e fanno dimenticare anche quel demone che fu Tiberio. In quell'epoca i Greci costrussero nell'isola dei templi, dei quali rimangono parecchie vestigia. Si e detto pure che la gioventù di Capri fosse valentissima nei ludi ginnastici che allora si praticavano nella palestra greca.

Augusto s'innamorò di Capri, diede ai Napoletani l'isola fiorita d'Ischia e prese possesso del classico scoglio. Narrasi che sbarcando la prima volta su questa spiaggia, gli si annunciasse, quale felice presagio, che un vecchio elce disseccato avesse preso tutto ad un tratto a rinverdire, e che l'imperatore ne avesse provato cotanto piacere da decidersi al cambio dell'isola.

Augusto, quando per gli anni gli venne meno la salute, si recava a respirare l'aria pura della Campania. Il clima balsamico della fresca isola, la rara bellezza naturale delle sue rupi, il carattere tutto greco degli abitanti, gli andarono a genio ed egli si fece costruire a Capri una villa con magnifici giardini. Sorgeva questa, secondo le ricerche degli archeologi, in quel punto dove si trovano attualmente i ruderi grandiosi della villa di Giove, ai quali il popolo dà di preferenza il nome di «villa di Tiberio». La località è stupenda. Situata nel punto più elevato della spiaggia orientale, vi si gode la vista dei due golfi e dell'ampio mare di Sicilia. I ricordi spaventosi di Tiberio hanno però spento nell'isola la memoria di Augusto, e non si sa più nè dove abbia questi abitato, nè dove sia stato, nè che cosa vi abbia fatto. Fu senza dubbio negli ultimi anni che soleva venire a Capri. Poco tempo prima di morire, vi trascorse quattro giorni in compagnia di Tiberio e dell'astronomo Trasillo, abbandonandosi interamente al riposo e acquistandovi un ottimo umore, secondo quanto narra Svetonio: «Allorquando approdò nel golfo di Pozzuoli, era giunto pure colà un legno di Alessandria d'Egitto. I passeggeri e la ciurma indossarono abiti candidi, offrirono sacrifici, cantarono le lodi dell'imperatore, augurandogli lunga vita, commercio, libertà e benessere. Questa cosa gli procurò tanta soddisfazione da fargli distribuire alle persone del suo seguito quattrocento monete d'oro, dopo essersi fatto promettere d'impiegarle unicamente nel fare acquisto di merci provenienti da Alessandria. Anche nei giorni seguenti continuò a far loro doni, particolarmente di toghe e di palli, e ordinò che i Romani parlassero greco e vestissero alla foggia greca ed i Greci alla romana e parlassero latino. Volle assistere pure ai riti degli Efebi e diede loro un banchetto, cui assistè. Accordò loro facoltà infine di portar via pomi, altre frutta ed ogni specie di doni. Si prese in una parola ogni ameno sollazzo. Diede ad un isola vicina a Capri il nome di Agrapopoli, a motivo dell'ozio in cui vivevano le persone del suo seguito che colà si recavano e si compiacque di dare ad un suo favorito, Masgaba, il nome di Ktiste, quasi lo ritenesse il fondatore dell'isola, e nel vedere, al sorgere delle mense, circondata da una folla di lumi la tomba di quel Masgaba, il quale era morto un anno prima, improvvisò ad alta voce un verso greco che diceva:

Veggo in fiamme la tomba del fondatore.

Domandò di poi a Trasillo, compagno di Tiberio, che gli stava di fronte, se sapesse di qual poeta fosse il verso; e non avendo questi saputo dirlo, improvvisò un secondo verso dicendo:

Non vedi Masgaba onorato di fiaccole?

e domandò del pari di chi fosse. Ed avendo Trasillo risposto che di chiunque fossero, i due versi erano eccellenti, l'imperatore proruppe in uno scoppio di risa, e non cessò dallo scherzare. Poco dopo si portò a Napoli, quindi a Nola, dove morì».

Tali sono i particolari narrati da Svetonio intorno all'ultimo soggiorno di Augusto a Capri. Per quanto scarsi, bastano a dare un'idea della vecchiaia serena dell'imperatore, il quale si compiaceva scherzare con gli abitanti dell'isola. E questa serenità appare tanto più notevole, ponendola a confronto di Tiberio, che pure a Capri invecchiò.

La piccola isola fu durante undici anni il centro di Roma e di tutto il mondo. I tempi erano diventati cupi al pari dell'eremita che viveva su quello scoglio; la storia stessa del mondo non era più che un cupo monologo dell'uomo dalla testa di Medusa.

Mentre io stavo seduto sulle rovine della villa di Giove, contemplando lo splendido golfo irradiato dal sole, il Vesuvio che fumava mi parve quasi il Tiberio della natura, e pensai che spesso da questo punto Tiberio lo contemplasse cupo e pensoso, ravvisando la sua stessa immagine personificata nel demonio della distruzione. Nel contemplare il vulcano e ai suoi piedi la fertile Campania e il mare avvolto di luce, il monte solitario che terribile signoreggia quella felice regione mi sembrò quasi un simbolo della storia dell'umanità ed il vasto anfiteatro di Napoli la più profonda poesia della natura. Cupo, solitario, maligno verso la terra beata che si stende a' suoi piedi, al pari del vulcano, l'eremita di Capri dominava un giorno sopra il mondo intero che obbediva alle sue leggi. L'animo suo mostruoso, invaso dal demone della distruzione, non sognava che sentenze di morte, ruine di città, proscrizioni, esilî. La memoria ne dura ancora nel popolo; i secoli non l'hanno spenta giacchè più tenace si mantiene la ricordanza del male che quella del bene. Quei di Capri danno a Tiberio il nome di Timberio, come dicono Crapi invece di Capri. Ad ogni passo nell'isola s'incontrano traccie del terribile imperatore. Il vino più prezioso ha nome Lacrima di Tiberio, come quello del Vesuvio porta il nome di Lacrima Christi. E a dire il vero, rara cosa dovettero essere le lacrime di un uomo qual fu Tiberio.

Appresi nell'isola una credenza popolare che mi ha profondamente stupito. Il popolo ritiene che nelle viscere della terra, dove esistono i ruderi della villa di Tiberio, sia sepolta una statua colossale in bronzo dell'imperatore a cavallo e che tanto esso quanto il destriero abbiano gli occhi di diamante. Si narra che lo vedesse un giovanetto caduto per caso in una fessura della roccia, ma che si sia perduta la traccia del luogo. Raccolsi questa favola dalla bocca un frate francescano, che abita quale eremita alla villa di Tiberio e la trovai pure riportata nel libro di Mangone sull'isola. Essa ricorda la tradizione tedesca molto simile dell'imperatore Barbarossa, se non che dubito assai che il popolo desideri vedere tornare in vita Tiberio. Egli venne a Capri nell'anno XXVI dopo la nascita di Cristo, e vi dimorò undici anni, finchè venne a morte a Capo Miseno, dove si era recato per breve tempo. Aveva dedicata l'isola a Venere e l'aveva ornata magnificamente di tutte le divinità dell'Olimpo. Le ville da lui erette alle dodici divinità maggiori, i molti altri edifici, congiunti alla forma caratteristica delle rocce, dovevano produrre un colpo d'occhio fantastico. Oggi, rimangono ancora numerose vestigia di tutte quelle costruzioni, e molte ancora stanno sepolte sotto terra; nelle vigne si scorgono fra le macerie l'aperture delle volte e degli archi come reliquie di una festa selvaggia e producono sinistra impressione, poichè la fantasia le popola di cupe figure, bizzarre ed orribili.

Morto il tiranno, rimase deserto il teatro delle sue orgie, e la magnificenza di Capri tramontò.

Il popolo narra che i Romani vennero nell'isola e ne atterrarono tutti gli edifici; ma questo fatto, per dire il vero, non è confermato dalla storia, la quale del pari non dice se i successori di Tiberio visitarono Capri. Certo Caligola dimorò nell'isola: ivi si fece radere per la prima volta la barba, vi vestì la toga e si formò alla scuola di suo zio. Anche Vitellio, l'imperatore crapulone, fu da giovanetto nell'isola, e più tardi, sotto il regno di Commodo, vi vennero mandati in esilio Crispino, la sua consorte e Lucilla sua sorella, secondo quanto narra Dione Cassio e come venne confermato da un bassorilievo scoperto a Capri nel secolo scorso, bassorilievo che rappresenta le due principesse nella mesta attitudine di chi domanda protezione.

Le sorti dell'isola divennero in seguito eguali a quelle delle spiagge vicine. Dopo la caduta dell'Impero romano, passò, come Napoli, in possesso prima dei barbari, poscia dei Greci, e nel secolo IX sotto la signoria della fiorente repubblica di Amalfi, che l'ebbe in dono dall'imperatore Ludovico.

Al principio della signoria dei Normanni sull'Italia meridionale, Capri fu tolta agli Amalfitani dal prode Ruggero; quindi fu posseduta dai Normanni, dagli Hohenstaufen, dagli Angioini, dagli Aragonesi, e retta da capitani. Nel 1806 gl'Inglesi la tolsero ai Napoletani, la occuparono in nome di Ferdinando re di Sicilia, vi si fortificarono validamente e vi posero a comandante quell'Hudson Lowe che doveva più tardi acquistare sì triste celebrità, come carceriere di Napoleone a S. Elena. Gl'Inglesi tennero l'isola quasi tre anni, fino a che se ne impadronirono i soldati di Murat con un ardito colpo di mano. Lo storico Pietro Colletta, allora ufficiale del Genio, fu quegli che, dopo aver esplorata accuratamente Capri, segnò il punto dove era possibile dare l'assalto; e l'isola fu presa il 4 ottobre 1808, dopo viva lotta, ed Hudson Lowe, fatto prigioniero, fu portato a Napoli.

Basteranno questi brevi cenni a dare un'idea delle vicende storiche di Capri. Se non che, di tutti questi avvenimenti più recenti, nella popolazione dell'isola si serba scarsa ricordanza. Colui che vive ancora di più nella memoria di tutti, è il crudele Tiberio, di cui spesso, non senza stupore, ho udito ripetere il nome terribile sulle labbra di allegri ragazzi, intenti a giuocare. Lo si sente ad ogni istante, in qualunque punto dell'isola; si è ormai immedesimato con questa. La storia di quell'uomo la stringe da ogni lato, ed ha aggiunto alla natura già di per sè severa, il carattere tragico della storia, rendendola accetta a quanti sono capaci di apprezzare questo senso della natura, come nella storia. Il terribile ed il piacevole vi producono un singolare contrasto.

Le valli ridenti sono circoscritte da rupi tagliate a picco, prive di ogni vegetazione, nude, gigantesche. Ad ogni momento s'incontrano uomini semplici, rispettabili per la loro povertà e per la loro fede, nobilitati dal lavoro; in essi nulla ricorda quel Tiberio che fu mostro umano di diabolica corruzione. Il continuo contrasto che regna a Capri mi ha sempre procurato un grande stupore. L'isola ha tante rocce nude da dare l'impressione di un deserto; ma ha pure grande varietà di tinte, verdura di piante e splendore di fiori. Da questo complesso di deserto e di rocce ne deriva un insieme che ha un aspetto imponente e grazioso ad un tempo. L'animo si sente sereno, inclinato ai pensieri tranquilli; la solitudine invita alla vita romita. Monti, rocce, valli esercitano un'influenza magica; racchiudono lo spirito come dietro ad un'inferriata, attraverso la quale si può contemplare il più bel golfo della terra, circoscritto dalle più amene spiagge.

Le somiglianze tra il suolo di Capri ed il suolo di Sicilia sono molte e sorprendenti: la stessa tinta rossiccia delle rocce calcaree, lo stesso quadro grandioso e fantastico di monti, la stessa vegetazione. Questa è tutta meridionale, ma scarsa. Nelle fessure delle rocce, sulle pendici dei monti, crescono tutte le piante delle isole meridionali di Europa ed imbalsamano l'atmosfera dei loro profumi aromatici. Crescono colà il mirto, il rosmarino, la ruta, il citiso, l'albatro; i roveti, l'edera, la clematite si avviticchiano alle rovine, le ricoprono, ed il ginestro con i suoi fiori gialli d'oro occupa tutte le alture. La più bella pianta dell'isola, quella per avventura alla quale va debitrice del suo nome, non è affatto il caprifoglio o piede di capra, bensì il cappero, che sorge contro ogni muro, contro ogni rupe, che rallegra co' suoi abbondanti fiori bianchi dai lunghi pistilli violacei. Sulle pendici stesse, gli abitanti con grande lavoro hanno formato a forza di muri piccoli piani, i quali costituiscono i loro campi ed i loro giardini. Ivi crescono abbondanti tutte le piante e tutti i fiori della Campania: gli elci, i gelsi e gli olivi; scarseggiano i pini ed i cipressi, ma vi abbondano per contro le carrubbe, i fichi, i mandorli; vi sono anche, ma più scarsi, i noci ed i castagni; abbondantissimi invece e di una inarrivabile bellezza gli aranci ed i limoni, i cui frutti raggiungono non di rado il volume di una testa di bambino. La vite non è lussureggiante di fronde come nella Campania, ma ricca di grappoli, che maturati da quel sole ardentissimo, producono un vino eccellente. Quelli che poi danno alla piccola isola un aspetto tutto siciliano sono i fichi d'India, che vi crescono in quantità enorme. La loro forma bizzarra, africana, corrisponde meravigliosamente alla severità delle rocce e allo splendore di quel sole tropicale.

II.

Nella stessa maniera che la natura con le sue forme, con le sue tinte contribuisce a rendere eminentemente poetica quest'isola magica, fantastici parimenti e degni di un idillio vi appaiono gli abitanti. La cittadina di Capri, la quale giace sopra una depressione del monte fra le colline di S. Michele e del Castello, ha un aspetto assai caratteristico. Le case piccole e bianche hanno i tetti a foggia di terrazzo ricurvi alquanto nel mezzo. Sono questi per la maggior parte ornati di vasi di fiori ed ivi si stanno la sera le fanciulle a godere il fresco e a contemplare la vastità del mare tinto di rosa. Le case sono attorniate per lo più da un terrazzino o da una loggia coperta o veranda, resa più graziosa di solito da una pianta di vite e da vasi di ortensie, garofani e oleandri. Quando il giardino è aderente alla casa, vi dà accesso per lo più un pergolato che congiunge questo a quella. Ciò forma il più bell'ornamento delle abitazioni dell'isola, imperocchè consiste in un basamento in muratura a doppia fila, sul quale sorgono i pilastri che sostengono le traverse in legno a cui si appoggia la vite. Tutti quei pilastri e quelle colonne dànno alle case, anche alle più povere, un certo aspetto grandioso ed alla loro architettura un carattere antico e ideale. Si direbbero i portici di un tempio; ricordano più di una volta le colonne delle case di Pompei.

Sorgono qua e là nei giardini alcune palme, ma la più bella è quella del giardino del nostro albergatore, la cui casa, a paragone delle altre di Capri, può meritare il nome di palazzo. Abitano pure fuori della città i vignaiuoli, che sono sparsi nelle loro masserie, sulle alture od ai piedi delle rupi, nascoste e quasi sepolte fra le viti e gli oleandri. In tutte le casette par che risieda la felicità, la tranquillità, v'abbia dimora la vita solitaria e romita.

I Capresi, duemila circa, sono il popolo più pacifico della terra: umani di sensi, dolci d'indole, svegliati d'ingegno, dolorosamente poveri e straordinariamente operosi, fanno i bifolchi, i vignaiuoli, i pescatori e soltanto questi ultimi posseggono qualche cosa di proprio: la loro barca e il pesce che raccolgono. Gli altri non sono in generale che semplici fittaiuoli o mezzadri, imperocchè le masserie appartengono per la maggior parte ai Napoletani. Il fittaiuolo paga per lo più dagli ottanta ai centoventi ducati di fitto che deve ricavare, oltre il suo sostentamento, dal vino, dall'olio e dalle frutta. Quando viene a mancare il vino, come ora accade da ben tre anni, il contadino cade nella miseria; stringe davvero il cuore vedere tutte le vigne spoglie di grappoli e udire le lamentele di quella povera gente. Alcune donne mi narrarono, sospirando amaramente, di aver dovuto vendere tutti i loro ori, anelli, orecchini, segno questo della loro maggior miseria, imperocchè soltanto in casi disperati una donna si spoglia delle sue gioie. Qui le portano di continuo, ed è strano vedere povere ragazze occupate ai lavori più gravi della campagna, portare grandi orecchini d'oro e catenella d'oro al collo, cioè tutti i loro gioielli, spesso tutto quanto posseggono.

A Capri il bestiame non è abbondante, però se ne asportano annualmente duecento capi nel Napolitano; anche il cacio dell'isola è tenuto in pregio. Nell'autunno e nella primavera gli isolani si nutrono in massima parte di cacciagione, passando in quest'epoca stormi di volatili, particolarmente di quaglie, dirette dal mezzogiorno al settentrione, e dal settentrione al mezzodì. I poveri uccelli, spossati dal lungo viaggio, cercano riposo su gli scogli infidi e vengono uccisi a frotte, o presi vivi nei lacci.

L'isola, del resto, non ha selvaggina o altri animali da cacciare; non vi sono nè volpi, nè martore; v'è soltanto una sterminata quantità di conigli, i quali, di nottetempo, escono dalle fessure delle rocce e rubano ai campi larga messe a danno dei poveri coloni. I conigli sono il flagello dell'isola. Il mare è quello che procura reddito più sicuro agli abitanti di Capri. I pescatori vi trovano pesci di ogni sorta, persino tonni, pesci spada, murene bellissime, ma sopratutto le sardelle e le seppie, dette volgarmente calamai. La pesca viene fatta per lo più di notte. I pescatori escono in mare alla sera; i pesci, allettati a salire alla superfice delle acque dal chiarore di una fiaccola, sono afferrati da una rete sostenuta da legni leggeri galleggianti, e in tal maniera tirati su nella barca. Tutta quanta la notte i pescatori rimangono in mare; tornano a terra col levare del sole, pongono ad asciugare le loro reti, ne racconciano i guasti, dormono un paio d'ore, e quindi si alzano, pronti a ricominciare la sera. E' dura e faticosa la loro vita, poichè il mare è spesso infido e spesso la preda d'una intera compagnia di pescatori non raggiunge il valore di un carlino. La vita animata della Marina grande, unico porto dell'isola, dove sorge una fila di case, porge in ogni tempo uno spettacolo pieno d'interesse. I pescatori sono uomini nerboruti, spesso di forme erculee, e le loro figure, abbronzate ed energiche, spiccano anche pel berretto frigio che portano costantemente. Quando il mare è agitato, è bellissimo vederli occupati a trarre frettolosi le loro barche all'asciutto, sulla spiaggia, una spiaggia ristretta e poco riparata dall'urto delle onde. Le barche hanno però i loro ripari murati per quando più impetuosa infierisce la tempesta. Stanno sulla spiaggia un centinaio circa di barche, fra le quali tre di maggior portata, adibite pel commercio con Napoli, dove si recano il lunedì e il giovedì, e ne ritornano il martedì e il venerdì. Regna allora una grande animazione sulla spiaggia, imperocchè anche le ragazze e le donne di Anacapri scendono dalla loro altura a ritirare gli oggetti recati dalle barche. Allorquando il mare è agitato, i pescatori più giovani si buttano in mare con la testa in giù, come tanti marangoni: coloro che stanno nella barca cacciano loro i remi ed i cordami, ed il peso di questa riesce per tal guisa attenuato finchè l'uno dopo l'altro saltano tutti a terra. Giunti colà, tirano la barca sulla spiaggia con funi, gridando a squarciagola e più possente di tutte risuona la voce del padrone della barca, il quale comanda e regola i movimenti dell'intera turba, piena di febbrile attività. Le donne si affollano attorno al carico, che si compone di cibi per la vita quotidiana, legumi, poponi, biscotti, e di oggetti di vestiario e masserizie di casa. Giungono pure da Napoli vaghi mazzi di fiori e le canzoni stampate di recente sulla riviera di S. Lucia. Intanto lo straniero siede sopra uno scoglio presso la riva, ed apre le lettere allora allora ricevute.

Quasi tutte le barche della marina appartengono a pescatori di Capri; pochi ve ne sono ad Anacapri. La natura ha isolato questa cittadina dal mare; essa sorge in alto, verso la metà dell'isola, alla base del Solaro. Molti giovani robusti si recano però con quelli di Capri alla pesca del corallo; ne partono ogni anno non meno di duecento, che si portano per conto dei mercanti di corallo ad esercitare la loro industria nello stretto di Bonifazio e sulle coste d'Africa. Partono insieme e tornano in ottobre, trovando in famiglia tuttociò che il destino ha loro preparato durante l'assenza: piaceri e dolori, fedeltà ed oblio, nascite e morti. Quando hanno guadagnato cento ducati, si accasano, sposando la propria innamorata. Un centinaio di ducati sono ritenuti necessari a Capri per contrarre il matrimonio e metter su famiglia.

Un pittore mi narrava un giorno il dialogo seguente da lui tenuto con un giovane che gli portava il cavalletto. Il giovane disse: «Signore, avete voi moglie?» Il pittore: «No» e il giovane: «Non avete voi dunque cento ducati?» «Sì che li ho cento ducati». Il giovane rimase grandemente attonito: «Come, avete cento ducati e non prendete moglie?» Ripensavo a questo pescatore di corallo scapolo un giorno in cui una fanciulla mi offrì alcune monete arabe, sulla salita che porta ad Anacapri; suo fratello le aveva recate l'anno precedente dal paese degl'infedeli. Le acquistai quale ricordo e come talismani, pensando che dovessero riferirsi ad una storia misteriosa.

Anche sulla spiaggia di Capri si trovano coralli. Li colgono i ragazzi dei pescatori e le giovanette che tessono poi piccole ceste di paglia, vi pongono i pezzetti preziosi, oltre a frutti di mare e a conchiglie e, quando v'incontrano sulla spiaggia, vi presentano le loro cestelline con un sorriso così grazioso, che bisogna per forza fare qualche acquisto. Tutto qui è grazioso, piacevole, in miniatura, e fa davvero piacere osservare le ragazze nelle loro piccole case occupate a dipanare le matasse di seta color d'oro od a tessere nastri di variopinti colori. L'industria delle donne, sia di Capri che di Anacapri, consiste nella coltivazione di poca quantità di seta e particolarmente nella tessitura dei nastri. I telai sono continuamente in moto. Il cotone e la seta vengono forniti dai mercanti di Napoli, i quali retribuiscono magramente l'opera delle assidue lavoratrici. Esse tessono nastri di ogni colore; bisogna vederle, intente in quel lavoro omerico, nelle loro camerette o su i terrazzi, in mezzo ai fiori, dinanzi al mare; offrono uno spettacolo graziosissimo ed è un piacere scambiare alcune parole con quelle piccole Circi, dalla chioma corvina.

Sorge in Capri, sopra una collina, una casuccia solitaria, occupata da quattro ragazze, snelle, intente senza posa a filar seta e ad intrecciare paglia da cappelli. Le quattro fanciulle sono il fior fiore del mondo femminile di Capri e la loro stanzuccia è il punto di ritrovo più frequentato dell'isola. Vi si recano pure talvolta i forestieri, gli artisti, che chiamano Dee quelle fanciulle per i continui sacrifici che si offrono loro. Il mio albergatore le chiamava le quattro stagioni. Un giorno io mi recai lassù; il mio occhio cadde sopra un foglio che una delle sorelle teneva appeso al suo telaio. Rappresentava un ramo d'edera e sotto vi stava scritto il primo verso dell'Edipo Tiranno di Sofocle

Ὦ τέκνα, Κάδμου τοῦ νέα τροφή.
(O fanciulli, giovane progenie del vecchio Cadmo).

La tessitrice mi pregò di spiegarle che cosa volessero significare quelle parole in lingua ignota; mi aggiunse di avergliele scritte un Inglese. Le risposi che volevano dire: «Ragazza, di giorno sei il mio fiore, di notte la mia stella». Essa sorrise soavemente e rimase soddisfatta.

Parecchie volte avevo precedentemente osservato nelle montagne d'Italia l'ingenuità del popolo, ma non avevo mai trovato un popolo tanto ingenuo quanto questo. La sua segregazione dal mondo ha mantenuta la dolcezza dei suoi costumi e la naturalezza attraente de' suoi modi. Il forestiero viene accolto come fosse un'antica conoscenza e vi si trova come a casa sua. Non si potrebbe immaginare un maggior contrasto di quello che esiste tra la popolazione di Capri e quella di Napoli. Le donne non sono tanto belle, per quanto siano piacevoli e graziose. I loro tratti hanno sovente un qualche cosa di originale, e le linee del loro viso, sormontato da una piccola fronte, sono regolari; il loro profilo è spesso distinto, i loro occhi sono di un nero ardente o di un grigio verdognolo; il colorito bruno, la foggia dell'acconciatura del capo, i coralli e gli orecchini d'oro che portano costantemente, dànno loro un aspetto orientale. Vidi spesso, specialmente nel paese di Capri, fisonomie di vera e rara bellezza e nell'osservarle coi capelli scarmigliati, gli occhi nerissimi e grandi che parevano lanciare fiamme, sorgere nelle camere oscure dai loro telai e venir fuori, mi sembrò di vedermi comparire dinanzi tante Danaidi. In Capri s'incontrano di frequente figure che si direbbero staccate da una tela del Perugino o del Pinturicchio, di una soavità incomparabile. Le donne portano, particolarmente in Capri, i capelli disposti con gusto artistico nella sua semplicità, scendenti al basso, e trattenuti da uno spillo d'argento. Talvolta fissano il mucadore alla testa con una catenella ed allora hanno davvero l'aspetto di donne di paesi remoti. Il pregio comune però delle donne di Capri, più prezioso dell'oro, sono i denti, in tutti gli abitanti dell'isola stupendi, forse perchè non sempre hanno di che mangiare. Bisogna vederle, quelle belle figure riunite in gruppi, quando scendono dalla montagna, portando sul capo brocche d'acqua di forme antiche, o ceste ripiene di terra, ovvero pietre, dal quale faticoso lavoro traggono il loro misero sostentamento. Le donne a Capri compiono, pur troppo, un vero officio di bestie da soma, e anche le più belle, fra i quattordici e i vent'anni: Gabriella, Costanziella, Mariantonia, Concetta, Teresa e tante altre, le cui fisonomie in Inghilterra, in Francia ed in Germania sarebbero ammirate in un quadro, portano alla spiaggia, sulle loro testine, pesi che in altri paesi apparirebbero troppo gravi per un uomo.

Due settimane fa approdò all'isola un legno napoletano e sbarcò sulla spiaggia un carico di massi calcarei, destinati alla ricostruzione di un antico convento. Tutto quel pesante materiale fu, nello spazio di cinque giorni, trasportato alla sua destinazione dalle ragazze dell'isola, sulla testa. La strada ne è talmente ripida che, quando la percorrevo tornando dal bagno e da questo ristorato, giungevo alla sommità ansante e spossato di forze. Eppure io vidi una trentina di quelle ragazze cariche dei loro macigni fare per cinque giorni consecutivi e più di una volta al giorno la stessa strada, ed anzi, le più robuste, portare persino due massi. Per avere un'idea del peso di quelle pietre, provai a sollevarne una e mi ci volle tutta la mia forza per riuscire a collocarla sul capo di una di quelle povere fanciulle, cui mi parve di aver reso un non lieve servigio. Esse pregavano ingenuamente le persone che incontravano per strada di dar loro aiuto in quel penoso lavoro, a cui attendevano dal levare del sole fino a quando s'immergeva in mare, tingendo del più stupendo colore di porpora la lontana isola di Ponza. Le poverette, sotto la sferza del sole meridionale, per ben sedici volte percorrevano la dura strada. Mentre raccoglievano i massi alla marina, uno scrivano ne pigliava nota e sopra, alla Certosa, un altro li registrava in un libro, con tutta serietà. Gabriella ne aveva portati venti, e la bella Costanziella, poverina, non ne aveva recati che dieci! Il loro guadagno era di circa dieci carlini al giorno. Nella loro ingenuità, non avevano fatto nessun contratto con l'impresario, e quando si domandava loro quanto avrebbero guadagnato in quel penoso lavoro, rispondevano: «Crediamo un carlino al giorno o tanto pane di Castellamare di quel valore; sabbato sarà fatta la paga». In quel giorno l'isola presentava uno spettacolo stupendo, che i pittori non trascurarono di riprodurre sulle loro tele. La roccia calcarea di Ercolano essendo di un bel grigio, posata sul mucadore di colore rosso di quelle teste giovanili, sostenuta da un braccio o da entrambi, produceva un bellissimo effetto; la lunga fila delle ragazze cariche di massi mi ricordò la figura delle antiche canofore, o meglio delle fanciulle d'Egitto che recavano materiali per la costruzione delle piramidi. Non potevo saziarmi dal contemplarle, dall'ammirarle. Esse scherzavano, ridevano, sotto il grave peso, sempre allegre e graziose. Talvolta le vedevo verso il mezzogiorno, sedute in circolo per terra, all'ombra di una pianta di carrubba, intente a consumarsi il loro pranzo, se pur si potevano così chiamare quelle poche prugne mature e il loro pane asciutto. Dopo questa refezione, ciarlavano, scherzavano e correvano a riprendere, leggere al pari di gazzelle, il loro faticoso lavoro. Se dovessi rappresentare in un quadro la povertà tranquilla ed allegra, prenderei a modello la figura della bella Costanziella. Dopo di aver portato sotto la sferza del sole, una piramide di macigni al monastero così pittorescamente collocato, sedeva la sera sulla porta della sua casetta, deliziandosi con la musica. Mi fece udire parecchi pezzi eseguiti con molta grazia e con rara espressione: fantasie marine, canzoni delle sirene e della Grotta Azzurra; poesie senza parole, arie squisite non mai udite finora e senza nome. Suonava tuttociò con una rara perfezione, mentre i suoi occhi nerissimi scintillavano come quelli delle sirene e la sua bruna capigliatura incolta scherzava sulla sua fronte. Dopo aver suonato, Costanziella m'invitava col suo fare più disinvolto ad entrare in casa ed a prendere parte alla sua cena insieme con la mamma: mi porgeva fichi d'India maturi, che sapeva staccare con molta destrezza col coltello dall'unica pianta che sorgeva davanti alla casa, senza pungersi le dita della piccola mano. Non si parlò mai di letteratura, perchè Costanziella non conosceva i nomi di Goethe, di Schiller e non sapeva del pari che cosa fosse la letteratura francese od inglese; le sue cognizioni letterarie non si estendevano al di là di poche canzoni del porto di Napoli. Sua madre era una donna come suol dirsi alla buona, ed i suoi discorsi si aggiravano per lo più intorno ai cibi e ai mezzi di sussistenza. Costanziella non aveva mai mangiato carne; portava sassi, si ricreava con la musica e si cibava di pane asciutto, di patate con un po' d'olio e di sale. Rise assai di cuore una volta che le domandai se avesse mangiato mai l'arrosto. Intanto, però, con tutta la sua vita di stenti, essa era fresca, ricciuta quanto Ebe, o Circe, o Diana cacciatrice, e non vidi mai nessuna più gaia di lei e più esperta nel suonare lo scacciapensieri.

Ad ogni momento, a Capri, vi si domanda un grano, un baiocco, o, come dicono, la bottiglia. Sono per lo più i ragazzi o le bambine che fanno questa domanda, a cui non potrei dare il nome di mendicità, imperocchè essi non hanno affatto l'idea di chiedere l'elemosina. Trovano naturale, essendo poveri, di domandare a quei che posseggono qualche cosa, e quando ottengono un rifiuto, vi fan buon viso ugualmente, dicendovi: «Addi', signoria». Vi si domanda sempre e dovunque. Un giorno che entrai nella scuola di Anacapri, tutta la scolaresca sorse da' suoi banchi esclamando: «Signore, la butiglia!» e per un momento pensai che me la chiedesse persino il maestro. Entrando poi in una casa, si è certi di vedersi venire incontro una ragazza, la quale vi porge alcune foglie di maggiorana od un garofano, e questo dono bisogna in qualche modo contraccambiarlo. E' una specie di mendicità esercitata per mezzo di fiori, ma non sempre, perchè anche senza di questi si domanda francamente e liberamente il grano. Si possono rendere felici con il più piccolo regalo, ed io ho visto anche adulti rallegrarsi per la più piccola cosa al pari dei ragazzi. Nasce allora il desiderio di possedere i tesori, anche di un solo dei liberti di Tiberio, per farne parte a questo popolo buono e riconoscente.

Ora si parla molto nell'isola di un matrimonio. Un ricco Inglese si è innamorato di una povera ragazza, al punto di convertirsi per amore di lei alla religione cattolica. La bella fanciulla si trova presentemente in un monastero di Napoli, ma nell'autunno tornerà qui gran dama a prendere possesso della nuova casa costruita appositamente per lei sul monte Tuoro. La sorte toccata alla bella Annarella non eccita nessuna invidia, anzi, non si considera neanche come un avvenimento straordinario. V'è pure a Capri un altro Inglese, che vi si è stabilito definitivamente.

Capri è un luogo fatto apposta per gli uomini stanchi della vita; non saprei indicarne un altro in cui coloro i quali ebbero a soffrire dispiaceri, potessero finire più tranquillamente i loro giorni. Lo attestano i soldati invalidi ai quali fu assegnata per dimora. Trecento di essi, inabili alla vita militare per infermità o per vecchiaia, occupano la caserma posta al limite estremo della città. Essi dànno all'isola l'aspetto di un asilo: si vedono girellare in ogni angolo, o seduti, intenti a cantare le loro canzoni. Alcuni sono veterani delle guerre napoleoniche; altri presero parte ai fatti che seguirono la rivoluzione del quarantotto, in gran parte ciechi. Siccome nell'isola non vi sono nè bestie, nè carri, nè carrozze, non corrono verun pericolo.

Nella festa di S. Anna ne ho visti una schiera aprire una processione ed entrare in buon ordine in chiesa, ed ho ricordato il versetto biblico: «Beati coloro i quali non vedono, ma credono». Alla sera, assistettero al fuoco d'artificio, godendo, in mancanza di meglio, lo scoppio delle bombe e dei razzi. In nessun posto, io credo, si deve sentire tanto la sventura di esser ciechi, quanto a Capri, dove la natura fa mostra di tutte le sue bellezze, di tutta la magica varietà e lo splendore delle sue tinte! Aggirarsi in questa contrada senza il beneficio della vista, mi è parso un'amara ironia. Quei poveri ciechi si muovono però molto e volentieri: hanno la loro passeggiata favorita, l'unica alquanto piana, la bella strada nella valle Tragara, in mezzo agli olivi. Ne ho visti spesso alcuni seduti sui banchi di pietra, sotto la porta della città, quasi spianti i passi delle persone che entrano ed escono, ed anche al di fuori della porta stessa, dove si gode la stupenda vista da una parte del golfo di Napoli e del Vesuvio, dall'altra delle ripide pendici del monte Solaro e della triplice sua vetta. Nel calore della giornata queste rupi splendono di una tinta incomparabile, ed al lume di luna si perdono in una luce magica.

Quei poveri ciechi si dilettano pure di musica, ed ogni sera dànno un piccolo concerto: due invalidi prendono posto sul terrazzo del quartiere, ed uno suona la chitarra, mentre l'altro l'accompagna col fischio. E' una musica singolare, che risuona in modo tutto particolare nel silenzio della notte, e di frequente è accompagnata dalle voci di un'aria melanconica. I due invalidi suonano anche al mattino, sulla piazza, e radunano intorno tutti i compagni, quelli che vedono e quelli ciechi, quelli che possono camminare e gli storpi. In quest'isola innocente, perciò, la fisica infermità come la povertà, assume un aspetto lieto, ed appare rassegnata alla sua sorte.

III.

Ogni cosa a Capri porta un'impronta per così dire fanciullesca; persino nelle fisonomie di parecchi vecchi, tanto uomini quanto donne, si scorge questo segno caratteristico di puerilità. I ragazzi, maschi e femmine, sono in generale bellissimi, e, sebbene crescano senza istruzione, la loro intelligenza è straordinariamente sveglia. Portano tutti al collo un amuleto: i bambini, piccoli corni benedetti, destinati a proteggerli contro lo spirito maligno; i più grandicelli, una medaglia della Madonna o un'immagine della Beata Vergine del Carmine, impressa sopra un pezzo di stoffa. Ho visto un giorno esposto nella chiesa il cadavere di un bambino. Era coperto di un velo bianco, ornato di fiori, ed aveva attorno a sè mandorle inzuccherate: il poverino non ne aveva mai assaporate in vita, perchè cotali ghiottonerie non si dànno ai ragazzi dei pescatori che allorquando sono morti. Il cadavere fu deposto senza cerimonie nella sepoltura nell'interno della chiesa, dove, secondo l'usanza antica, si eseguiscono tutte le tumulazioni. Soltanto coloro che non sono cristiani—così si esprimono per intendere i non cattolici—vengono sepolti in qualche punto ameno e solitario della spiaggia.

A Capri tutti si conoscono, e il forastiero non tarda del pari a divenire amico degli isolani e a formare con quelli una sola famiglia. Non tarda molto per conseguenza a non sentirsi più straniero, e a considerarsi quale membro di quella specie di comunità.

La vita pubblica si concentra tutta quanta sulla piazza, presso la porta della città; ivi si vendono i pochi oggetti che rispondono agli scarsi bisogni della popolazione; ivi hanno luogo le feste religiose e si radunano gli abitanti a riposarsi dell'incessante lavoro. La vita solitaria è interrotta di quando in quando dall'arrivo di qualche forastiero, il quale prende alloggio nella locanda di don Michele, visita rapidamente le curiosità dell'isola, e poi riparte. Un certo numero di forestieri si ferma però qualche tempo alla locanda, sedendo a mensa comune, per lo più pittori, i quali formano una società caratteristica e si vedono in ogni angolo occupati a disegnare ora una di quelle casuccie ridenti col suo pergolato, ora qualche roccia di forma bizzarra, ora un gruppo di alberi od una marina.

Non v'è cosa davvero più piacevole dell'aggirarsi per i colli, dell'arrampicarsi su per gli scogli, del vagabondare lungo la riva del mare, dove le onde mugghiano e si frangono senza posa. La tranquillità profonda, la vista dell'ampio golfo, delle amene sue rive, delle isole lontane, sono davvero incantevoli: si rimane lunghe ore seduti su di uno scoglio a contemplare gli effetti mirabili e sempre vari di luce sulle coste e sulla liquida pianura.

Voglio ora condurre il lettore attraverso l'isola, che io ho percorsa da un capo all'altro. Ci recheremo da prima dove sorgeva Capri, l'antica Capri, scomparsa da quando i Saraceni la distrussero. Colà, dove sorge la rupe scoscesa di Anacapri, stanno ancora, quasi fra i giardini, i ruderi dell'antica città e la piccola e vetusta chiesa di S. Costanzo, l'antica parrocchia dell'isola e sede del vescovo fin dal secolo X, Capri essendo stata innalzata a sede vescovile sotto la dipendenza dell'arcivescovo di Amalfi. Tale rimase lino al 1799; dopo di allora, la sede vescovile non venne più occupata e la chiesa venne ridotta a monastero, dipendente dall'arcivescovo di Sorrento. L'oratorio di S. Costanzo è piccolo, pesante, ed ha tutto l'aspetto di una chiesa di campagna. All'intorno si scorgono sotterranei e nella terra avanzi di antiche mura. Si rinvennero pure colà urne sepolcrali, bassorilievi, monete, e si scorge tuttora, in una vigna, un grande sarcofago di marmo, disotterrato da alcuni anni.

Del resto, le antichità scavate nell'isola, statue, bassorilievi, mosaici, urne ed avanzi di colonne, furono parte vendute dai contadini a vile prezzo, parte regalate a privati dagli ufficiali pubblici incaricati degli scavi, e parte ancora trafugate di nascosto. Molte ne portarono via gl'Inglesi, durante i tre anni che occuparono l'isola; pochi oggetti quindi giunsero al Museo di Napoli, loro sede naturale. In nessuna parte del mondo, io credo, si sia fatto tanto spreco di antichità quanto a Napoli.

Gli scavi e le scoperte fatte a Pompei furono quelle che richiamarono per la prima volta l'attenzione degli archeologi sull'isola di Capri. Il primo, per quanto io sappia, a praticarvi ricerche fu Luigi Gilardi da Ferrara, nel 1777, a cui tenne dietro Hadrava e, al principio di questo secolo, Giuseppe Romanelli; vennero quindi Giuseppe Maria Secondo ed il conte della Torre Rezzonico, i quali tutti pubblicarono scritti intorno all'isola. Nel 1830 venne incaricato Feola di compiere altri scavi e vi si trattenne molto tempo. Si scoprirono allora avanzi di antiche abitazioni e parecchie sculture dell'aurea epoca romana. Scarseggiando però la terra, gli agricoltori riempirono di bel nuovo gli scavi e ne disparvero le tracce sotto recenti piantagioni. Molti oggetti si trovano ancora nascosti e verranno certo un giorno in luce. Ciò che di tanto in tanto casualmente si scopre, sono le monete degl'imperatori e i frammenti di marmo. Nei pavimenti di Capri, nella pianura di Domecuta, presso Anacapri, si notano molti avanzi di marmi antichi ed anche, qua e là, si vedono adattati ad uso di soglie sulle porte delle case pezzi di marmo con avanzi d'iscrizioni diventate inintelligibili.

Molti marmi antichi vennero parimenti impiegati nelle fondazioni delle case e non vi è angolo dell'isola in cui non si scorgano memorie e resti dei tempi trascorsi.

Non molto lontano da S. Costanzo, vicino al mare, su di un'altura, sorgeva l'antica villa di Tiberio, detta oggi Palazzo al mare. Hadrava vi fece praticare scavi nel 1790, e nonostante la trovasse in gran parte devastata, vi fece però ancora scoperte importanti, fra cui due colonne di cipollino, due di portasanta, uno stupendo capitello corinzio, oggi esposto al Municipio di Napoli, due magnifici mosaici, passati in possesso l'uno di un Inglese e l'altro della contessa Woronzow, e finalmente un bell'altare di Cibele, che il cavaliere Hamilton acquistò pel Museo britannico. Ora il palazzo presenta l'aspetto di una distruzione completa. Gran parte delle mura rovinarono in mare, altre giacciono disperse sul pendio dell'altura che scende alla spiaggia; si possono scorgere però ancora le vestigia di un certo numero di sale circolari, avanzo forse del tempio della divinità alla quale era dedicata la villa, e sorge ancor oggi, fra tutte quelle rovine, l'avanzo di un fusto di colonna di granito rosso orientale.

Più scarsi ancora sono gli avanzi della villa che sorgeva un dì sulla bella collina di Castello, che sta a cavalcioni della città verso mezzogiorno. Dal lato del mare la rupe sorge tagliata a picco, ed a metà si apre l'apertura di una grotta. Verso terra stanno molte vigne e sulla sommità torreggia, in istato ancora di buona conservazione, il castello di Capri, piccola fortezza con mura merlate e torri, che dà all'isola un'impronta medioevale. Hadrava eseguì scavi anche in questa località, nel 1786, e vi scoprì buon numero di sale e di bagni già devastati, alcuni pavimenti, statue, un bel vaso di marmo bianco, un bassorilievo rappresentante Tiberio nell'atto di offrire un sacrificio, un cammeo con ritratto di Germanico e busti di marmo e di gesso. Anche tutti questi oggetti vennero dispersi e regalati parte ad Hamilton, al pittore Tischbein, al principe Schwarzenberg, parte a Russi ed Inglesi ignoti. Nel 1791 gli scavi furono nuovamente riempiti di terra. Tutte le rarità antiche però scompaiono di fronte alla vista stupenda che si gode dalla collina di Castello, sul mare di Sicilia, sul golfo azzurro di Napoli e sulla rupe maestosa di Anacapri. Si vedono pure di là la rupe scoscesa che dà a mezzodì, nonchè i tre picchi che si slanciano verso il cielo a foggia di obelischi granitici, denominati i Faraglioni.

Ai piedi della collina, trovasi una delle località più romantiche dell'isola, la Marina piccola, spiaggia angusta, esposta a mezzogiorno, incassata nelle rocce, i cui massi rotolati in mare si avanzano a foggia di penisola. Sorgono ivi, quasi scavate nella roccia, due casette solitarie di pescatori; in quel punto la spiaggia può ricettare a mala pena due barche. Seduto colà, uno si può credere solo al mondo. Il golfo di Napoli, le sue spiagge, le sue isole, le sue vele, sono scomparse quasi non esistessero; la vista spazia unicamente sull'immensità del mare nella direzione della Sicilia e più lontano dell'Africa. Non si vede che acqua, e la fantasia può trasportarsi ugualmente a Palermo, a Cagliari ed a Cartagine. Non si hanno all'intorno che nude rocce, scogli deserti, caverne che si aprono sulla riva ad ambo i lati; a destra il capo Marcellino, rupe erta gigantesca, la quale si avanza in mare; a sinistra, dentellato e merlato, come un castello antico, il capo Tragara, ed in vicinanza a questo i Faraglioni, scogli giganteschi, inaccessibili, d'oltre cento piedi di altezza, emergenti dal mare come piramidi, di forma conica, uno levigato, l'altro frastagliato in modo fantastico e bizzarro. La loro ombra si estende sul mare, a cui dà un aspetto melanconico. Più in là si apre in uno scoglio l'arco di una caverna, in cui possono entrare anche le barche, e sulla loro sommità, agitati dal vento, ondeggiano vaghi arbusti e piante selvatiche. Di tanto in tanto l'alcione che ammaestra la giovane prole al volo, fa udire il suo rauco grido. Non si può fare a meno di ricordare il passo del Prometeo incatenato di Eschilo e par quasi che all'orecchio giunga lo sbatter d'ali delle Oceanidi e l'eco dei loro canti. Più di una volta, di buon mattino, io son rimasto ad ascoltare il canto degli uccelli marini quando scendono sugli scogli e svolazzano sulle onde, ed alla sera la loro voce m'è apparsa più lamentosa, simile al suono delle arpi eoliche, che riportano inconsciamente ai desiderî del passato. Sapevo che su i Faraglioni si trovano pure alcioni venuti dall'isola di Ustica e dalla grotta d'Alghero in Sardegna, e se io avessi avuto vent'anni di meno, avrei domandato loro di portarmi in quella rara grotta, o nella foresta di Milis, dove cinquecento mila piante di aranci fan mostra dei lor fiori e dei lor frutti, e dove notte e giorno risuona il canto dell'usignolo. Colà mi avrebbero potuto deporre un mattino, ai piedi della pianta di aranci più alta d'Europa, grande quanto un'elce, dove il marchese Boyl fa ai suoi ospiti gli onori della sua villa.

Sono sogni, è vero, ma chi può rimanere qualche istante sulla Marina piccola di Capri senza lasciare sciolta la briglia alla propria fantasia? La solitudine e l'aspetto deserto della spiaggia sono magici, in ispecie nel silenzio della notte, al lume di luna, quando non si ode altro che il frangere delle onde che incessantemente si succedono le une alle altre, quando gli scogli e i capi si perdono nell'ombra, e le fiaccole delle barche pescherecce ora brillano sulla superficie del mare, ora scompaiono. Pochi sono i pescatori che tengono ivi le loro barche: io li ho visti seduti sulla sabbia bianca, intenti a racconciare le reti, silenziosi, immersi in profondi pensieri come gente che sa mirabili cose delle profondità marine e delle sirene che vi abitano. Uno degli scogli porta appunto il nome di scoglio delle Sirene. L'immaginazione del popolo sa sempre dare ai luoghi le denominazioni che più vi si adattano; certo, sarebbe impossibile trovare in Capri un luogo migliore per collocarvi le Sirene. Quivi si possono passare lunghe ore a godere la brezza marina ed a contemplare gli effetti di luce sul mare: tutto è tranquillo e tutto risplende; scintillano le onde, e gli scogli nel calore della giornata; non si ode altro che il canto monotono delle cicale. Luce, aria, profumi, tutto vive sotto il regno dell'armonia, e l'animo si inebria di solitudine.

Tra la Marina piccola ed i Faraglioni, si apre una delle più vaste grotte dell'isola, la grotta dell'Arsenale. L'acqua non vi penetra, perchè trovasi entro terra. Vi si scorgono vestigia di costruzioni romane. Il suo nome dice già che dovette un tempo servire di magazzino alla gente di mare, se pure non fu un ricovero per le galere di Tiberio, imperocchè la sua entrata è abbastanza grande per dar loro accesso, e sono tutt'ora visibili le impronte dello scalpello che l'allargarono e resero più regolare. Il punto della spiaggia dove essa si trova, porta il nome di Unghia Marina, ed ivi pure, tanto al mare quanto in alto, si scorgono vestigia di antichi muri. Anche al capo Tragara, presso il quale sorgono in mare i Faraglioni e lo scoglio detto il Monacone, si scorgono avanzi di antiche mura; difatti ai tempi di Tiberio ivi era un piccolo porto, cui probabilmente si accedeva per una strada coperta dalla villa sorgente sul monte Tuoro.

Al capo Tragara si può discendere a terra dalla barca e salire sul monte Tuoro, dal quale si scopre un bellissimo panorama. Sorge colà, sopra un antico muro, un telegrafo aereo; è una particolarità dell'isola che quasi ogni punto elevato sia occupato da un solitario, da un monaco o da un ufficiale telegrafico. Quello del monte Tuoro abita una piccola casa bianca. La sua stanza ha due piccole finestre ed in ognuna trovasi fissato un telescopio. L'ufficiale telegrafico, piccolo vecchietto dalla vista stanca, sta seduto ad un tavolo collocato fra le due finestre, sul quale tiene aperto un voluminoso registro. Ad ogni istante sorge dalla sua sedia, va all'una o all'altra finestra, pone l'occhio ai due cannocchiali, quindi torna a sedere, con tranquillità filosofica, dinanzi al suo registro, per portarsi di nuovo dopo pochi istanti alle finestre; e questo dura dalla mattina alla sera. Il suo cane sta seduto avanti alla porta e spia esso pure il mare, ma... senza cannocchiale. In cima al Solaro, sopra Anacapri, dimora un altro ufficiale telegrafico per la segnalazione dei legni che compaiono nel mare di Sicilia. Allorquando scorge qualche cosa degna di osservazione, la comunica al suo collega del monte, il quale ne dà avviso all'ufficio telegrafico di Massa, che si trova al di là dello stretto di mare, sul promontorio della Minerva; questi manda l'avviso a Castellamare, e di là lo si trasmette infine a Castello S. Elmo di Napoli, da dove la notizia viene tosto spedita al palazzo reale, vera sede di novello Atreo. L'ufficiale telegrafico del monte Solaro è quegli che dà origine a tutto questo movimento. Quando io lo vidi intento al suo ufficio di vigilanza, mi venne in mente la sentinella del castello di Atreo, nell'Agamennone d'Eschilo, che sta aspettando la fiammata che deve annunciargli la presa di Troia:

θεοὺς μὲν αἰτῶ τῶν ἀπαλλαγὴν πόνων
(Supplico gli Dei di volere por termine alla mia fatica).

e mi sovvennero pure i versi di Clitennestra, quelli che descrivono con rara evidenza il modo di trasmissione dei segnali con le fiammate. La fiamma si accendeva sul monte Ida, giungeva su quello di Lemno, arrivava al monte Athos dedicato a Giove, e, varcando le onde dell'Euripo, svegliava il guardiano di Mesapio, passava il fiume Asopo, giungeva sulla rupe di Ciotaro e, per lo stretto di Gargopi, per la vetta di Agiplanco, per il mare Saronico e per la rupe Aracnea, arrivava finalmente al castello degli Atridi.

Se i Greci avessero comunicato con Troia per via di un telegrafo elettrico sottomarino, saremmo privi del piacere di leggere nei versi stupendi di Eschilo una descrizione così vivace piena di verità.

Era venuta intanto la sera. L'ufficiale telegrafico del monte Solaro fece un segnale, che quello del monte Tuoro trasmise tosto a Massa. Domandai che cosa volesse esso significare. «Oggi nulla di nuovo», mi rispose tutto soddisfatto il vecchietto; si stropicciò gli occhi, pose in ordine i suoi istrumenti, diede un fischio al suo cane e cominciò a scendere dal monte. Egli abitava in Anacapri, ed ogni sera doveva discendere cinquecento sessanta gradini, per risalirne il mattino appresso altrettanti. Da dieci anni egli compie quel solitario ufficio, compresi i giorni di feste, compreso quello di Pasqua: si potrebbe dunque calcolare matematicamente quante centinaia di volte il brav'uomo abbia fatto l'ascensione del Chimborazo, e ciò per la paga di trenta carlini al giorno!...

Ad eccezione di questo guardiano, che mi ricordò Eschilo, non ho trovata alcuna antichità sul monte Tuoro. Però, anche su quell'altura Tiberio ebbe una villa. Fra il monte Tuoro e quello di Castello, scende al mare la valle Tragara, tutta coltivata a viti e ad olivi. Giace in questa l'edificio medioevale più ragguardevole dell'isola, la Certosa, ora deserta, ma un giorno abitata dai monaci dell'ordine di S. Bruno. Occupa questa un grande spazio; la sua architettura originale, i suoi portici, i suoi i campanili bizzarramente istoriati, le sue terrazze, i suoi tetti fatti a volta, sorgenti in mezzo alla verzura e specchiantisi in mare, le dànno un'impronta tutta magica, che è appunto la caratteristica dell'isola.

La navata angusta della chiesa senza cupola è parimenti l'unico edificio di Capri che possegga un tetto a forma gotica ricoperto di tegole. Le sue linee, delicate e nette, offrono un vivo contrasto coi tetti a volta delle celle e coi portici ad arco tondo del cortile. Nell'interno, la chiesa è semplice, ed ha solo qualche affresco sulle mura. Entrando, tutto l'insieme produce una favorevole impressione. Le celle sparse qua e là, le piccole corti, i giardini deserti ed invasi da lussureggiante vegetazione, dànno al monastero abbandonato l'aspetto di un laberinto romantico. La Certosa è dedicata a S. Giacomo e venne fondata nel 1363 dal nobile caprese Giacomo Arcucci. Sua moglie era rimasta sterile al par di Sara ed egli aveva fatto voto di fondare un monastero se Dio gli avesse concesso un figliuolo; la preghiera fu esaudita e il gentiluomo mantenne la promessa facendo edificare il convento sul disegno della stupenda Certosa del Vomero a Napoli, dedicata a S. Martino; e nel 1374, terminato l'edificio, vi chiamò i padri di S. Martino. Col tempo, la Certosa diventò ricca e le migliori terre dell'isola passarono in sua proprietà. La Repubblica Partenopea però la soppresse, fondendola con i due conventi di Toresiani, che si trovavano pure nell'isola, e incamerandone gli averi. Ora, questi son venuti in possesso della cattedrale d'Ischia e la povera popolazione di Capri va soggetta alla grande ingiustizia di vedersi tolte le sue terre migliori per arricchire il clero ozioso di un'isola straniera. Durante l'occupazione inglese, la Certosa fu il quartiere generale di Hudson Lowe, ed anche i Francesi l'adibirono ad usi militari. Oggidì vi ha sede un ospedale militare.

IV.

Anche nella valle Tragara esistono avanzi di antiche costruzioni. Gli archeologi pretendono che ivi esistessero l'antico collegio degli Efebi e la villa Giulia, eretta da Augusto in onore della figlia sua dilettissima. Ivi sorgeva pure la Sellaria, quella vergognosa villa di Tiberio, dedicata alla Venere impudica, che, secondo Svetonio, era ornata delle imagini più oscene. Tali congetture però hanno poco fondamento, perchè è facile riconoscere la destinazione di tutti quegli avanzi di mura denominati camerelle e che corrono in una linea ad arco sul Tragara fino al di là del Tuoro. Portano il nome di camerelle come alcuni avanzi della Villa Adriana a Tivoli, e sono costruite parte di roccia calcarea dell'isola, parte di mattoni. Nella loro fronte esteriore presentano una serie di camere, le cui volte sono in parte ancora in piedi. Rosario Mangone afferma che queste camerelle sostenessero una strada che doveva portare alla villa di Tiberio e si divideva in tre rami: l'uno diretto al monte Tuoro, l'altro alla villa di San Michele, il terzo alla villa di Giove.

Sopra le camerelle sorge la collina di S. Michele, una delle più graziose dell'isola, e da cui si gode la vista stupenda della sottostante città. A cavallo di questa s'innalza il forte Castello, sopra le ripide pendici del Solaro, e ai due lati si aprono vallette ricche di vegetazione che scendono al mare ceruleo. La stupenda posizione di questo colle dice da sè che lassù doveva sorgere uno dei palazzi di Tiberio. Si vedono infatti ai piedi del monte rovine grandiose ed una serie di volte che sostenevano senza dubbio la strada che portava al monte. Sulla sommità stanno giardini, case di agricoltori. Percuotendo col piede il suolo, questo manda un suono cupo, il che indica chiaramente esservi al disotto delle volte, di cui, del resto, ancora oggi si scorgono gli avanzi ad opera reticolata. In una di queste stanze io scoprii tracce di un'antica cappella dedicata a S. Michele, da cui il monte ha preso il nome. Oggi sorge solitaria sulla collina una chiesetta del santo, curiosa assai per la sua architettura moresca: circondata com'è da un muro, sulla roccia deserta, ricorda i templi della Mecca.

Si fecero pure scavi sul monte di S. Michele, ma le ricerche diedero uno scarso risultato. Gli agricoltori ridussero tutto il terreno d'intorno a terrazzi piantati ad olivi, e le case della città sono addossate al monte in guisa che da questo si può scendere benissimo su i tetti. Una sera, difatti, presi questa strada per rientrare in città e passando da un tetto all'altro, riuscii ad entrare in casa mia.

La costa orientale dell'isola s'innalza ripida sul mare per un'altezza di novecento settanta piedi, di guisa che la villa di Giove trovasi al punto più elevato della spiaggia, d'aspetto veramente selvaggio.

Scendendo dal Tuoro per la piccola valle di Matromania, verso la spiaggia a mezzogiorno, si giunge ad un punto in cui la costa si apre in uno spazio circondato da rupi tagliate a picco, dove regna una confusione fantastica di scogli, uno dei quali, aperto a foggia di portico, ha nome d'Arco Naturale. Questo è il punto più solitario dell'isola. Ai piedi giace il cupo mare, in alto si scorge il cielo limpido ed azzurro, tutto all'intorno stanno rupi rossastre, e la vista si estende fino al capo di Minerva, ed alle spiagge di Amalfi e di Salerno.

Scendendo per un ripido sentiero, si giunge alla grotta enigmatica di Matromania, piena di rovine, ed a cui si accede per un ampio arco, che dà in una caverna larga circa cinquantacinque piedi e profonda circa cento. La grotta è opera della natura, ma la mano dell'uomo l'ha migliorata: tanto all'ingresso quanto nell'interno si vedono difatti ancora avanzi di mura romane. Dentro stanno disposti a forma di semicerchio due rialzi bianchicci, dei sedili; alcuni gradini portano ad una nicchia, dove probabilmente stava la statua del nume.

Tutto là fa pensare che la grotta sia stata ridotta ad uso di tempio. Il nome di Matromania, che il popolo con innocente ironia ha convertito in quello di Matrimonio, quasi Tiberio avesse celebrato ivi le sue nozze, si pensa che derivi da Magnae Matris antrum, oppure da magnum Mithrae antrum.

Si dice che il tempio fosse dedicato a Mitra, non tanto perchè il dio persiano del Sole fosse venerato nella caverna, quanto per essersi scoperto in questa uno dei bassorilievi rappresentanti il mistico sacrificio di Mitra, tanto numerosi nel museo Vaticano. Io ne ho visti due negli Studi a Napoli, uno dei quali venne scoperto appunto in questa grotta, l'altro nella grotta di Posillipo. Rappresentano Mitra in ginocchio dinanzi al toro, nell'atto di piantargli il coltello nel collo, mentre la bestia viene ferita da un serpente, da uno scorpione e da un cane. Non è addirittura inammissibile che la grotta fosse dedicata a Mitra, essendo anche adatta al culto del sole, la sua apertura guardando verso oriente. Dalla sua profondità io potei vedere il sole che nasceva, imporporando i lontani monti ed illuminando il mare. La posizione romantica e selvaggia della grotta, le rovine dell'antico tempio, il culto mistico di Mitra, il profondo silenzio, la luce crepuscolare, lo stillare dell'acqua a goccia a goccia, e infine la vista stupenda del mare e della campagna, tutto contribuisce a produrre una profonda impressione di mistero, anche su chi nulla sa del culto di Mitra e della vita di Tiberio. In questa caverna misteriosa fu fatta la rara scoperta di una tavola di marmo con la seguente iscrizione in versi greci: «O regione dello Stige, spirti propizi che qui avete la vostra stanza, accogliete me pure, infelice, che morte repentina colse nel fiore degli anni e dell'innocenza. Me pure aspettavano i favori di Cesare; ma ora per me, per i miei genitori, non avvi più speranza. Non avevo ancor raggiunta l'età nè di venti, nè di quindici anni: non godrò più la splendida vista del sole. Ipato fu il mio nome. Fratello, io mi rivolgo ancora a te! Genitori, ve ne scongiuro, non piangete più a lungo me poveretto».

A quale orribile fatto possono alludere le parole misteriose di questa iscrizione? Vi è in questo un romanzo di Capri. La storia del povero Ipato è ignota, ma si può facilmente indovinare. In un'ora indemoniata, Tiberio sacrificò al sole il suo favorito, un giovanetto, qui, in questa caverna, davanti all'imagine del Dio, nella stessa guisa che più tardi Adriano sacrificò al Nilo il bellissimo Antinoo. In quei tempi i sacrifici umani, sebbene non frequenti, erano ancora in uso e venivano dedicati per lo più a Mitra.

Se questa grotta, questi scogli potessero parlare, quanti orrendi fatti dell'antichità noi apprenderemmo! La tradizione accenna a questa selvaggia riva, quale sito prediletto di Tiberio e quale teatro delle immani sue crudeltà. E' il luogo più diabolico dell'isola; procedendo sulla spiaggia, verso mezzogiorno, si arriva ad un punto denommato Salto di Tiberio. La riva cade ivi a picco sul mare dall'altezza di più di ottocento piedi. Si dice che di là il mostro precipitasse le sue vittime. Narra Svetonio: «Si fa vedere in Capri il punto dove Tiberio spiegava tutta la sua crudeltà, facendo precipitare in mare alla sua presenza le vittime, dopo averle a lungo martoriate con ogni sorta di tormenti. Cadevano in mezzo ad una squadra di marinai, i quali le percuotevano barbaramente con bastoni e con i remi, fino a tanto che non fosse spento in esse ogni alito di vita.» Doveva essere per dir vero un piacere diabolico quello di precipitare disgraziate creature da quell'altezza, vederle balzare di scoglio in scoglio, ed udire il tonfo dei loro corpi in mare.

A pochi passi dal Salto crudele, sorge ora una casetta, sulla cui porta sta scritto Restaurant. Nella stanza trovasi ad ogni ora apparecchiata una tavola con frutta, pane ed un fiasco di lacrime di Tiberio. L'albergatore ha fatto costruire sul margine del Salto un piccolo muro ed offre così di che ristorarsi, a chi piace, sul teatro stesso di tanti orrori.

Si passa da questa casa per arrivare all'antico faro di Capri, il quale non dista che una trentina di passi dal Salto. Questo faro è in gran parte rovinato ed i suoi neri avanzi vennero alcuni anni or sono colpiti dalla folgore. I materiali giacciono all'intorno dispersi fra le vigne. Si trovano ancora in piedi avanzi di mura e di vòlte, le quali bastano a far comprendere che il faro era un edificio ampio e notevole, che poteva benissimo competere con quello di Alessandria e con quello di Pozzuoli. Il poeta Stazio in un verso lo paragona alla luna, splendore delle notti. Svetonio narra che quella torre fu atterrata da un terremoto pochi giorni prima della morte di Tiberio; ma dopo di allora è da ritenersi che sia stata ricostruita, altrimenti Stazio non ne avrebbe potuto far parola. Attualmente la sua altezza non supera i sessanta piedi.

Nel 1800 Hadrava fece in quel luogo eseguire scavi e vi rinvenne avanzi di un piano sotterraneo, alcuni marmi ed anche un bassorilievo, che rappresentava Lucilla e Crispina in atto di pregare.

Dal faro, salendo ancora pochi passi, si arriva alla rinomata villa di Giove, la quale, secondo Svetonio, era propriamente l'abitazione ordinaria di Tiberio; anzi, il tiranno, dopo l'esecuzione di Seiano, vi si tenne rinchiuso per ben nove mesi, per il timore di una congiura. Le rovine che si scorgono al capo della spiaggia a settentrione-levante dell'isola, appartengono alla villa: lo confermano la tradizione, la quale addita quella località come la più importante dell'isola; l'estensione del palazzo, le cui rovine sono le più importanti di tutta Capri, e la natura delle costruzioni, appartenenti all'epoca migliore dell'architettura romana.

Uno può aggirarsi colà in un vero laberinto di volte, di gallerie sotterranee, di infinite stanze, in massima parte ridotte poi ad uso di cantine e di stalle per il bestiame. Giacciono qua e là dispersi sul suolo capitelli, piedistalli, fusti di colonne, frammenti di marmo; alcune stanze presentano ancora avanzi di stucco e in qualche punto si osservano tracce di pitture gialle e rosse, simili a quelle di Pompei. Sul suolo sono pure frammenti di pavimenti a mosaico di marmo bianco, inquadrati da una fascia nera, come pure sono tuttora visibilissime le scale che portavano ai piani superiori.

Sembra che la villa avesse parecchi piani; l'inferiore è intieramente sepolto sotto il suolo. Nel piano superiore invece si può ancora riconoscere la distribuzione delle stanze, e, dal lato verso il mare, la pianta di un semicircolo, probabilmente di un teatro. In altro punto, nicchie e mura circolari dimostrano l'esistenza di un tempio. La villa riuniva in sè tutto quanto apparteneva allo splendore della vita principesca di allora, ed essendo stata così a lungo la sede della corte imperiale, doveva, prima che Nerone ed Adriano innalzassero i loro sontuosi palazzi, sorpassare in bellezza tutte le altre ville romane. Certo contribuiva a renderla ancora più bella la sua incomparabile posizione sul mare e la vista dei due golfi. Da questo punto Tiberio dominava tutta l'isola come un avvoltoio e scorgeva anche le navi che traversavano il golfo, provenienti dall'Ellade, dall'Asia, dall'Africa, o da Roma.

Più bella però doveva essere la vista dell'isola dal mare, veleggiando fra Capri ed il capo di Minerva e contemplando i palazzi marmorei, il faro ed i templi, imperocchè Tiberio, in cima ad ogni vetta, aveva innalzata una torre, od un tempio, fra cui quelli famosi di Minerva, delle Sirene e di Eracleo.

Rimasi lunghe ore seduto sulle rovine, cercando raffigurarmi l'antica Capri. Pensavo che dovesse essere stupenda con ogni sua sommità coronata da un tempio, con i suoi portici, teatri e ville e le strade popolate di tutto quel mondo romano, dalla corte di Cesare, da senatori, da ambasciatori d'ogni parte del mondo, dalle più belle donne della Ionia, delle Etari seducenti dell'Asia, da squadre scapigliate di baccanti, da ninfe, da dee, da tutto un popolo di figure mitologiche. Qui regnava Bacco, e la sua corte era composta di baccanti e di satiri.

Il lungo soggiorno di Tiberio a Capri non fu che una satira dell'uman genere e probabilmente la più terribile: si può facilmente indovinare contemplando i tratti del principale attore, giacchè a Napoli esistono busti e figure colossali di Tiberio. Il suo miglior ritratto però trovasi nel Museo Vaticano a Roma; quelli di Napoli lo rappresentano già avanzato negli anni; quello di Roma, al contrario, nel fiore della sua giovinezza, probabilmente perchè la maggior parte dei busti disotterrati ad Ercolano ed a Pompei appartengono all'epoca del suo soggiorno in Capri. Nella galleria Chiaramonti del Museo Vaticano esiste la sua figura colossale, scoperta a Veia, in cui è rappresentato giovane, divinizzato, ma con i suoi lineamenti reali. La sua testa appare intelligente, ben formata, la bocca regolare e di una finezza indicibile; tutti i suoi lineamenti giovanili hanno qualche cosa di dionisiaco ed anche le forme del corpo sono piene, voluttuose, in certa guisa femminili.

Questo mostro reale era, al pari di Cesare Borgia, l'uomo più bello de' suoi tempi, e, fra tutti gl'imperatori romani, Augusto solo fu di bellezza più classica. Non si dimentica la figura di Tiberio dopo averla veduta una sola volta; ognuno si aspetta di trovarsi dinanzi un mostro, una specie di demone, ed invece rimane addirittura stupito dalla bellezza de' suoi lineamenti feminei, che gli dànno piuttosto l'aspetto di un Sardanapalo. Soltanto con gli anni la bocca acquistò un'espressione di sarcasmo, d'ironia, e tutta la sua fisonomia qualche cosa di duro, di crudele e di volgare insieme, come si rivela nella testa colossale di Napoli e nel suo busto in Campidoglio. Volendo avere una rappresentazione plastica della scelleratezza bestiale, fa d'uopo contemplare la testa diabolica di Caracalla, che è la rappresentazione più perfetta di un carattere diabolico a cui sia potuta giungere la scultura. Ritengo che quell'uomo scellerato fosse davvero tale e quale la storia ce lo ha descritto. Fu il solo monarca, dopo Augusto, che abbia regnato con le forme repubblicane. Ebbe in retaggio un popolo divenuto spregevole, e trovato un mondo pessimo e proclive ad ogni sorta di abbiettezza vi si abbandonò interamente. Caligola vaneggiava di divenire il padrone del mondo e la sua potenza durò pochi anni. Egli che avrebbe voluto sorbirsi il mondo come si sorbe un uovo, fu un giorno atterrato dal caso, con tutti i suoi godimenti, che non eran che pazzie.

Dopo le guerre civili e dopo Augusto, regnò un silenzio spaventoso nella storia del mondo e quella fu l'epoca più cupa dell'umanità. Augusto fu grande e felice perchè aveva dovuto conquistare la sua signoria; i suoi successori, invece, furono miseri per non aver più nulla da conquistare. Venuti ad un tratto in possesso di un dominio già affermato, non seppero quale impiego fare del loro tempo, imperocchè anche i piaceri diventano insopportabili quando non l'interrompono il lavoro e le difficoltà. Caligola nella sua pazzia volle gettare un ponte sul mare; Claudio fu un pedante; Nerone incendiò Roma, e mentre questa era in fiamme suonò la cetra; faceva versi e voleva aver fama di abile guidatore di cocchi, e di commediante. In quel periodo di generale sonnolenza del genere umano, noi troviamo l'uno dopo l'altro, Tiberio, Caligola, Claudio e Nerone, demoni e scellerati: la storia taceva.

Sarebbe però mostrarsi ingiusti con Tiberio confondendolo co' suoi successori, i quali furono soltanto scellerati volgari, senza pudore e senz'ombra di vergogna nel rivelare la loro bestiale natura; Tiberio, superiore per ingegno alla sua epoca, fu uomo fiero, diplomatico, della scuola dell'ipocrita Augusto. Tutta la sua fisonomia rivela la finezza, la dissimulazione, particolarmente il taglio della sua bocca gesuitica, la bocca più perfetta di diplomatico che la natura abbia creato: si direbbe che pronunci la sentenza di Talleyrand, che, cioè, la parola fu data all'uomo per nascondere i suoi pensieri. Infatti poi sappiamo da Tacito quanta fosse l'arte di Tiberio nel parlare: egli fu veramente l'inventore della grammatica e della logica diplomatica. Non prometteva, non giurava, non mentiva: egli era un impasto di menzogna continua. Quanto sembrano grossolani, di fronte a questo despota finissimo e signore classico della storia nuova, quegli avventurieri venuti in possesso di un trono e quei re che rompono pubblicamente i loro giuramenti! Tiberio, certamente, li avrebbe cacciati, con un sorriso di disprezzo, fra i suoi liberti. Quest'uomo non lasciò immaginare, nemmeno una sol volta, che cosa avesse in animo di fare governando, non col mezzo ruvido dei colpi di stato, bensì padroneggiando sopra gli avvenimenti. Non lasciò mai trapelare nè la sua volontà, nè i suoi disegni; basta ricordare la caduta di Seiano.

Il proscritto dell'isola dell'Elba prese una volta a difendere calorosamente il carattere di Tiberio contro le accuse di Tacito e della storia. Dopo di aver ridotta la diplomazia di Augusto a sistema del gesuitismo il più raffinato, Tiberio, compiuta la sua opera e sazio della vita, si ritirò in quest'isola per distrarsi con i piaceri materiali, e non lasciò venir meno il terrore che aveva incusso fin dal principio del suo governo, e provò i piaceri di ogni sorta. L'umana natura però è costituita in modo che non può godere in una volta poca parte di piaceri, e ciò lo dimostrano lo scoglio di Capri e la villa di Giove, nella quale erasi ritirato il signore del mondo che considerava questi luoghi come una specie di esilio. Fa orrore il pensare alle scene di cui furono testimoni queste mura, agli eccessi di rabbia di un animo che non conosceva più freno di sorta. Là dove risuonarono un giorno le armonie dei flauti della Lidia, e splenderono i sorrisi di donne superbe, mugghiano ora le mandrie dei poveri contadini. A tanto vennero ridotte le sale di Tiberio. L'edera, i fichi d'India, le malve, le rose, le cinerarie e il melagrano riempiono della loro vegetazione lussureggiante le stanze in ruina. Pendono dall'alto i festoni delle viti, discendenti dall'antico Bacco di Capri, quasi fossero gli spirti di quelle etère che quivi praticavano, un tempo, alla presenza di Tiberio, le loro danze oscene.

Sorge attualmente fra le rovine, sul punto più elevato della villa, una cappella dedicata a S. Maria del Soccorso. Vi abita un eremita. Nessun luogo mi è apparso più adatto per la penitenza, dei ruderi della villa di Tiberio, sotto il regno del quale, e durante il suo soggiorno in Capri, venne Cristo posto in croce. La cappella sorge quivi, come il cristianesimo stesso, sulle rovine del mondo pagano. Questa coincidenza è singolare, e pochi luoghi, io credo, possono ritenersi adatti del pari alla meditazione. Qui si presentano contemporaneamente all'immaginazione due figure rappresentanti i due periodi della storia del genere umano: ad occidente, il demone canuto, Tiberio, signore della terra, rappresentante del mondo pagano che sta per tramontare, ed immagine di tutti i mali; ad oriente, la figura giovanile dell'uomo Dio, di Cristo appeso alla croce, circondato di profeti ispirati di una rigenerazione novella dell'umanità. Queste due figure sorgono una di fronte all'altra, come Arimano ed Arzmud, il Dio della luce e quello delle tenebre. Come non ricordare qui la figura di Giovanni di Patmos, inondata di luce accanto alla quale l'aquila di Giove compare tutt'ora come simbolo pagano?

Seduto sopra quelle rovine, in mezzo a tali pensieri, nella meditazione del cristianesimo primitivo, vidi tutto ad un tratto il rappresentante storico di quella religione ideale nella persona dell'eremita, sudicio frate francescano, e poco mancò non mi ritraessi dallo spavento. Era un vecchio monaco, dalla lunga barba bianca, vestito di una tonaca nera, zoppo, brutto, con due occhi da falco. Mi parve che sorgessero davanti a me Tiberio o Mefistofele, e mi dicessero, con sorriso beffardo: «Redivivo! soltanto mutato d'aspetto». Tale è la storia del cristianesimo.

Il vecchio frate mi condusse zoppicando nella sua cella. Diedi uno sguardo ai suoi libri, e su di uno lessi il titolo seguente: Leggende delle sante vergini che vollero morire per Nostro Signore Gesù Cristo. Anche il solitario Tiberio leggeva libri che parlavano di vergini; non erano però di quelle che volevano morire per il suo contemporaneo, bensì i libri della etéra greca Elefantide, i quali insegnavano la scienza del piacere, ed erano allora di moda in Roma. Svetonio narra che Tiberio teneva quei libri nella sua stanza a Capri. Trovai, del resto, qualche cosa di lascivo anche presso l'eremita; egli mi fece vedere la copia di un bassorilievo esistente nel Museo di Napoli: un vecchio nudo, a cavallo, che portava in sella, davanti a sè, una ragazza parimenti nuda con una fiaccola in mano; un giovanetto, esso pure nudo, guidava il cavallo verso la statua di un Dio. La somiglianza del vecchio con Tiberio mi parve così sorprendente, che io credetti che quel bassorilievo rappresentasse una scena notturna nella sua villa di Capri, forse un sacrificio a Priapo. La catena sola, che il vecchio portava al collo, era quella stessa dei gladiatori combattenti e degli altri condannati, e non si addiceva affatto all'imperatore Tiberio. L'eremita aveva copiato il bassorilievo ad acquarello, con somma diligenza e con vera intelligenza del nudo. L'opera apparteneva alla sua abitazione, imperocchè era stata scoperta fra le rovine della villa. Sebbene in modo incompleto, due volte furono praticati scavi intorno a questa: la prima volta da Hadrava nel 1804, la seconda da Feola nel 1827. Vi si trovarono bei pavimenti di marmo, uno dei quali venne adattato davanti all'altare maggiore nella cattedrale di Capri; parecchie belle statue, fra cui una piccola in lapislazzuli acquistata poi da un Inglese; varî busti, che andarono dispersi, e mosaici, attualmente raccolti nel Museo di Napoli.

Nessun imperatore può vantare una villa da cui si goda una vista pari a quella che ha dinanzi a sè l'eremita nella sua cella. Dalla sua finestra ei vede i due golfi di Napoli e di Salerno, e le più belle coste e le isole d'Italia.

L'aria quel giorno era limpidissima, ed io vidi distintamente Pesto, Castel Baro e la lontana punta di Licosa. Al cadere del sole i monti e il mare rivestirono dei colori dell'iride, ed io mi chiesi sorpreso se ciò era realtà o piuttosto una fantasmagoria di sogno.

V.

Una sera, mentre stavo seduto sulle rovine della villa e contemplavo il magico panorama, il mio sguardo cadde sulla testa argentea di una serpe, che doveva avere mutata di recente la pelle e che stava ai miei piedi. La considerai quale un felice presagio, riferendosi a qualche mia memoria dei giorni trascorsi, e ricordai che Tiberio pure possedeva una serpe favorita, a cui porgeva il cibo di sua mano e con la quale soleva scherzare. Scesi dal monte con la lucente bestia e per istrada incontrai il mio Mefistofele che saliva a cavalcioni di un asinello. Gli feci vedere la mia piccola serpe, ed allora egli mi disse di essere un grande incantatore di serpenti. Mi narrò anzi che prendeva e maneggiava a sua volontà qualsiasi specie di rettile, ed avendogli domandato in qual modo facesse ciò, mi rispose: «Li prendo dopo aver loro comandato di stare tranquilli, li attorciglio intorno al mio braccio, e poi li chiudo in un vaso e li mando a Napoli a dei farmacisti».—«Ma come mai voi potete comandar loro di rimanere tranquilli?» Mi rispose subito con un sorriso diabolico: «Dico loro una parola, ed il nome di S. Paolo, ed allora non si muovono più!»—«Non potreste insegnarmi quella parola?» gli chiesi.—«Impossibile—mi rispose-; io l'ho appresa da un altro eremita, ed ho giurato solennemente di non rivelarla a nessuno». Quando gli domandai perchè aggiungesse alla parola il nome di S. Paolo, mi rispose che S. Paolo era il patrono dei serpenti, e che tutti gli animali avevano il loro protettore. Gli domandai ancora quali fossero i patroni di alcuni altri animali, ed appresi che S. Geltrude è la protettrice delle lucertole, e S. Antonio è patrono dei pesci, S. Agata dei leoni e S. Agnese degli agnelli. Non mi era affatto ingannato nel ritenere a prima vista quel frate per una specie di negromante, e chi sa che non praticasse ancora altre arti occulte, di notte, al lume di luna in mezzo alle rovine, con erbe, radici e animali velenosi.

Ho dimenticato fino ad ora di accennare che nell'isola vi è un'altra piccola città, Anacapri, e la cosa non è strana, perchè vivendo in Capri inferiore non si vede e non se ne sente neanche parlare a cagione della sua posizione solitaria e appartata. Si scorgono, è vero, i molti gradini tagliati nella roccia che bisogna salire per giungervi, ma la loro ripidezza non invita davvero il visitatore a salire.

È singolarissimo trovare in una stessa piccola isola, alla distanza di poco più di un quarto d'ora, due paesi tanto estranei l'uno dall'altro, e i cui abitanti abbiano così scarsi rapporti e non prendano parte gli uni alle feste degli altri, e parlino perfino un dialetto diverso.

Secondo la tradizione, Anacapri deve la sua origine all'amore. Nei tempi antichi un'amorosa coppia fuggì dalla città inferiore, si arrampicò su per gli scogli e si costruì una capanna in mezzo ai cespugli, alla base del monte Solaro. Altri innamorati, col tempo, li seguirono e ne nacque quella colonia di amanti, che oggi porta il nome di Anacapri. Ancor oggi, Amore alato vola come un falco di montagna su e giù da Capri ad Anacapri, e dà le sue ali in prestito al giovanetto della città inferiore, il quale ama una di quelle belle e ritrose ragazze che lassù, nella loro casetta circondata da tralci di viti, siedono al telaio e tesseno nastri, cantando canzoni d'amore, come Circe nell'Odissea. Anacapri si trova talmente lontana da tutto il rimanente dell'isola, che non v'è altra strada per giungervi all'infuori dei cinquecento sessanta gradini di quell'eterna scala di Giacobbe. Gli scogli scendono a picco, verticali, quasi un muro di cinta sulla città inferiore, avendo alla loro sommità, simile al tetto di una basilica, il monte Solaro. La scala, scavata nel vivo della roccia, sale in ripidissimo zig-zag.

Si attribuisce quest'opera singolare ai tempi remoti, allorquando i Fenici ed i Greci costrussero la città superiore, allora in comunicazione con l'inferiore solamente per questa via. Si vedono ancora tracce di più antica salita: a metà della strada s'incontra una piccola cappella di forma bizzarra, dedicata a S. Antonio, dove uno può fermarsi a prender fiato; quindi si sale di bel nuovo e si arriva spossati alla sommità. Giunti al piano denominato Capo di Monte, si trova ampia ricompensa della fatica sofferta nella vista di quell'altura coltivata, la quale ricorda gli orti pensili di Semiramide, della parte sottostante, dell'isola e dell'immensità del mare. Sulla pianura s'innalza ancora d'alcune centinaia di piedi il monte Solaro, che è d'aspetto bruno e selvaggio e presenta in cima a uno de' suoi picchi le belle rovine del castello di Barbarossa, così nomato dal famoso corsaro che sorprese un giorno Capri.

Fatti appena pochi passi sul piano, si apre davanti agli occhi una novella vista. Non si vede più Capri in basso e si entra in una solitudine di bellezza inarrivabile. Sorge di fronte il monte Solaro, della stessa forma del monte Pellegrino di Palermo, nudo, nero, cosparso di massi staccati. Verso ponente e settentrione, scende alla pianura più ampia di tutta l'isola; e su quella ripida pendice, ad altezza notevole sopra il mare, fra le piante verdeggianti ed i cespugli, giace Anacapri. La piccola città può dirsi un complesso di eremi, imperocchè le case piccoline, di costruzione originale, sorgono sparse in mezzo ai giardini, la cui vegetazione è più rigogliosa di quella di Capri, particolarmente per gli olivi e per le vigne che pendono in festoni dagli alberi, come nelle pianure della Campania. Nel contemplare la pittoresca cittadina, la profonda solitudine, non che la vista del mare ceruleo, nasce il desiderio di deporre il bastone di pellegrino, dare un addio al mondo, e costruire lassù una cella.

La tranquillità regna ancor più solenne che a Capri; non si vedono altro che uomini seduti sulla porta delle loro case, i quali cantano davanti al telaio od all'arcolaio, da cui dipanano una seta color dell'oro, ovvero intenti nei giardini a vangare e a raccogliere la foglia dei gelsi per i bachi, o diretti alla fonte, con le loro brocche sul capo. Siccome quando io mi recai lassù tutti gli uomini stavano in campagna e molti giovani erano partiti per la pesca del corallo, non vidi in paese che donne; sembrava di essere a Lemno, dove le femmine sole, sedute sulle rupi, lavorano indefessamente davanti ai loro telai.

Nei giorni e nelle ore in cui sogliono arrivare da Napoli le barche, trovai spesse volte sedute sulla lunga gradinata più di trenta fanciulle, alcune delle quali di rara bellezza; cinguettavano fra loro ed aspettavano che comparissero le vele per scendere sulla spiaggia. Sedevo in mezzo ad esse, ed io pure aspettavo con non minore desiderio la barca, che doveva recarmi la posta. Quelle fanciulle avevano in mano quasi tutte un mazzolino di fiori od un ramo di maggiorana, che offrivano ai visitatori.

Antonietta aveva uno stupendo mazzo di garofani, di rose, di maggiorana e di mirto legato con un bel nastro. Questo mazzo fu l'intermediario della nostra amicizia; esso m'introdusse in una delle più linde e graziose casette di Anacapri, dove trascorsi molte ore simpatiche. Antonietta tesseva in giardino, sotto un pergolato, fra le viti e i leandri, nastri di molteplici colori: era una tessitrice disinvolta quanto Aracne; sua sorella maggiore non tesseva che nastri di un colore solo. Essa non suonava lo scacciapensieri, ma era abilissima nel battere il tamburello. I fratelli delle due ragazze si trovavano in mare. L'attività di quelle donne, che attendono inoltre a tutte le cure di casa, è sorprendente, imperocchè fin dal levare del sole seggono al loro telaio, e vi rimangono con brevi interruzioni fino a sera, e questo dura tutto l'anno. Per vero dire, non sono condannate alle dure e gravose fatiche delle sorelle di Capri, ad eccezione di quando viene a mancare l'acqua nelle cisterne; allora sono costrette a scendere a Capri, dove esistono quattro povere fonti, e recar l'acqua nelle brocche su per la lunga gradinata. Portano quasi tutte un qualche gioiello d'oro o di corallo, spilloni d'argento nelle trecce.

La città possiede un bel cimitero, piantato di cipressi e popolato di fiori; ma il più grande orgoglio gli Anacapresi lo ripongono nel cosiddetto paradiso terrestre, vale a dire nel pavimento della loro chiesa, sui quadrelli del quale è rappresentato in ismalto il Paradiso, opera di buon disegno del Chiaese, e che risale al secolo XVII. Anche in Anacapri l'architettura moresca è bizzarra ed originale, e vi sono case col loro pergolato, veramente belle a vedersi. Sono poche nel paese le rovine di Tiberio; i coltivatori di vigne le hanno quasi tutte distrutte; del resto, gli edifici romani erano qui in minor numero che a Capri. I ruderi romani di maggior momento si rinvengono nella pianura di Damecuta, fertile regione che scende dolcemente al mare, e sulla cui riva trovasi la Grotta Azzurra. Capri superiore, nonostante la sua altezza, possiede coste più basse che Capri inferiore, imperocchè la montagna degrada dolcemente verso il mare, quantunque la spiaggia non sia accessibile nè alle barche, nè alle persone, e si trovi senza sabbie, senza porto, ed irta di scogli.

La torre di Damecuta indica ad un dipresso il punto dove, sotto la spiaggia, trovasi la famosa Grotta Azzurra, la meraviglia di Capri, ma non la sola che si rinvenga in quest'isola delle sirene. Il mio albergatore, don Michele, mi narrò quando e come venne fatta la scoperta, alla quale prese parte ei pure, da ragazzo. Suo padre Giuseppe, Augusto Kopisch, il pittore Fries ed il barcaiuolo Angelo Ferraro, furono i primi ad arrischiarsi nella grotta. Ora sono morti tutti quanti, e solo don Michele può ancora narrare la scoperta. Un suo zio sacerdote ammonì la compagnia di non voler tentare l'impresa, asserendo che la grotta era sede di spiriti maligni e di mostri marini, e che era pericoloso avvicinarvisi, perchè a quell'epoca non esisteva in Capri nessuna barca adatta. Angelo pertanto si servì di una tinozza, e Kopisch e Fries vi penetrarono a nuoto. Il mio albergatore mi descrisse con vivacità la gioia dei due pittori quando riuscirono a penetrare nella grotta e mi disse che Fries particolarmente pareva fuori di sè, e che entrava e usciva nuotando e mandando continue grida d'allegria. Augusto non ebbe riposo, finchè non partì per Napoli, onde far parte ai suoi amici della scoperta. Pagano conserva un vecchio registro dei forestieri, il quale è una vera reliquia, ed in questo Kopisch ha fatto menzione, sotto la data del 17 agosto 1826, della scoperta nei termini seguenti: «Raccomando agli amanti di curiosità naturali la scoperta da noi fatta, insieme col nostro albergatore Giuseppe Pagano e col signor Fries, della grotta, nella quale da secoli nessuno si arrischiava a penetrare, per timori superstiziosi. Finora è accessibile appena ai buoni nuotatori; quando il mare è tranquillo vi si potrebbe pure entrare con una piccola barca, però la cosa sarebbe sommamente pericolosa, imperocchè il più leggiero soffio d'aria, basterebbe ad impedirne l'uscita. Abbiamo dato il nome di Azzurra a questa grotta, perchè le acque del mare sotto l'azione della luce vi assumono il più bel colore ceruleo. Recherà stupore trovare che ogni onda del mare presenta l'aspetto quasi di una fiamma azzurrina. In fondo trovasi un antico sentiero fra gli scogli, il quale porta probabilmente alla pianura superiore di Damecuta dove, secondo la tradizione, Tiberio manteneva una fanciulla; ed è possibile che questa grotta sia stato un tempo un punto segreto d'approdo. Fino ad ora un marinaio soltanto ed un conduttore di somari furono dotati di bastante coraggio per accompagnarmi nella grotta, sul conto della quale si spacciano le favole più assurde. Consiglio però ad ognuno di contrattare prima il prezzo. L'albergatore, che raccomando a tutti per la sua conoscenza dell'isola, ha in animo di far costruire una piccola barca per agevolare l'accesso alla grotta. Finchè non sia costruita l'imbarcazione, la visita alla grotta non la consiglio che ai bravi nuotatori. Le ore migliori sono quelle del mattino; nel pomeriggio la soverchia luce che scende perpendicolarmente, ne menoma l'effetto magico. L'impressione pittoresca sarà maggiore ancora se si entrerà nella grotta nuotando con una torcia a vento accesa nella mano, come abbiamo fatto noi».

Tali sono le parole di Kopisch. Il dabben uomo assicurò con questa scoperta la sua memoria nell'isola, e la meravigliosa grotta mi parve in certo modo proprietà tedesca e simbolo tedesco. Non rimane soltanto il ricordo di Kopisch nell'isola; vi si rammentano pure Tieck, Novalis, Fouqué, Arnim, Brentano, i quali tutti sono morti; l'eccellente Fichendorff ed Heine, l'ultimo scomparso di quella scuola poetica floridissima.

Mandiamo pertanto, dalle onde azzurre di questa grotta, un saluto alla loro memoria, imperocchè tutti l'hanno vagheggiata, ed era degna veramente di essere scoperta da un pittore e da un poeta, ai tempi di coloro i quali cercavano il fiore della poesia nelle acque con le Ondine, nei monti con Venere e nelle grotte sotterranee d'Iside. Essi furono tutti graziosi ed amabili, giovani e vecchi, con il loro corno magico. Il loro gran sacerdote Novalis compare quasi un bel giovanotto pallido, il quale abbia rivestito la lunga tonaca del defunto suo nonno e che stia ragionando di una saviezza mistica, che nessuno sa dove il giovanetto abbia potuto imparare. La loro musa è una sirena che abita la bella Grotta Azzurra nell'isola del crudele e lascivo Tiberio. Tutti udirono il suo canto, ma nessuno la potè scoprire; tutti la cercarono e morirono col desiderio vivo di quel fiore azzurro e misterioso. Goethe lo profetava nel suo pescatore: «Ora lo chiamava a sè, ora si tuffava nelle onde e non si lasciava vedere». Ed ora che il misterioso fiore azzurro, vale a dire la meravigliosa Grotta Azzurra, il mistero ignorato venne scoperto, il prestigio è scomparso, ed il canto dei romantici ha cessato di risuonare nelle regioni germaniche.

Intanto, nella grotta mi sovvennero tutte le storie delle fate ascoltate avidamente da bambino. Il mondo ed il giorno erano scomparsi; mi trovavo tutto ad un tratto in un elemento nuovo di luce cerulea. Le onde si muovevano appena e scintillavano con tutta la varietà dei colori, con tutto lo splendore delle pietre preziose; le pareti erano rivestite di una misteriosa tinta azzurra, quasi fossero quelle di un palazzo di fate. Tutto colà era nuovo, strano, misterioso. Il silenzio era così profondo che nessuno osava aprir bocca. Provammo a dire qualche parola, ma tacemmo subito di bel nuovo; non si udiva più che il tonfo del remo ed il frangersi delle onde contro le pareti, dalle quali si sprigionavano sprazzi di luce fosforescente. Avrei voluto tuffarmi, immergermi in quella specie di bagno di luce. Secondo me, da quello che narra Svetonio, ivi si doveva bagnare Tiberio e nuotare con le belle fanciulle del suo harem. Fra quelle onde fosforescenti, quei corpi giovanili dovevano splendere di luce magica, nè dovevano mancare allora il canto delle sirene, nè l'armonia dei flauti, a rendere quel bagno più voluttuoso. Vidi dipinta sopra un vaso greco una sirena, in atto di sollevare due bianche braccia, sorridere e battere l'un contro l'altro due cembali d'argento. Tali dovevano essere le sirene della magica grotta, che solo gli uomini prediletti dalla fortuna ed i bambini possono ancor oggi vedere.

L'abbondanza di grotte, di caverne, in quest'isola è straordinaria. Vi sono grotte marine, caverne sotto terra, tutte belle, dalle forme più bizzarre, ed in così gran numero che rimane impossibile visitarle tutte. Io entrai in più di quindici e ne trovai sulla riva, a mezzogiorno, una piccola con effetti di luce molto simili a quelli della Grotta Azzurra. In altre invece rinvenni una luce verdognola, particolarmente in quella detta appunto la Grotta Verde, per la vastità e per le forme grandiose della sua architettura, fuor di dubbio la più notevole dell'isola. Questa non è intieramente sotterranea e vi si può entrare ed uscire da due grandi aperture. Alcune grotte hanno un nome, come la Marmolata e la Marinella; altre invece no. Mi procurai la soddisfazione di battezzare tutte quelle da me visitate e senza nome. Unica e veramente bella mi parve la grotta Stella di Mare popolata di piante acquatiche; ammirai pure la grotta Euforio e quella dalle pareti variopinte dei più vivaci colori, detta la grotta dei Ragni di mare. Ne trovai una anche dove le onde erano di continuo agitate e la dedicai alle Eumenidi.

Quasi tutte queste cavità si trovano lungo la riva dal Solaro ai Faraglioni; sono però poco visibili al di fuori. All'interno sono alte, oscure, popolate da ragni, da uccelli e da ogni specie d'animali marini.

Una bella passeggiata in mare è quella del giro dell'intera isola; vi s'impiegano circa tre ore. La costa a ponente non offre di simili cavità, imperocchè ivi le pendici del Solaro scendono dolcemente in mare, fra i due capi denominati Punta di Visareto, e Punta di Carena. Si avanzano colà in mare tre promontori, bassi ma ripidi, detti: Campitello, Pino, ed Orica, muniti di alcune fortificazioni. Fu in quella località che i soldati di Murat sorpresero di notte tempo l'isola, arrampicandosi su per gli scogli. Procedendo oltre la Carena, la sponda meridionale si presenta ad un tratto altissima e tagliata a picco. Le rupi sono gigantesche e selvaggie e si specchiano in mare, innalzandosi verso il cielo. La riva presenta lo stesso aspetto sino alla punta di Tragara e non è meno gigantesca e bizzarra tutta la costa di levante fino al promontorio di Lo Capo, a settentrione levante dell'isola, dove abbondano le grotte ricche di stallattiti.

Rimane ora da parlare della vetta più alta dell'isola, del monte Solaro. Partendo da Anacapri e salendo a stento per un malagevole sentiero, si arriva sul dorso del monte. La sua forma e il suo aspetto sono strani, imperocchè alla sommità la montagna presenta una pianura arida, nericcia, quasi a foggia di terrazzo sulle rupi che scendono sopra Capri. Si cammina colà in un labirinto di macigni, facendo sorgere ad ogni passo sciami di locuste nere, le quali, innumerevoli, ricoprono tutto il suolo. All'orlo di questa pianura, sopra una rupe severa che piomba in mare, sorge la cella dell'eremita di Anacapri; io non vidi mai romitaggio più degno di questo nome. Per entrare nella cella, bisogna attraversare un'antica cappella. Trovai tutte le porte aperte e l'eremita assente; la sua tonaca era gettata sul muricciolo del giardino e sopra il suo letto stavano appesi un'immagine di S. Antonio di Padova, un ramoscello d'olivo ed un rosario. Nella stanza stavano derrate, una Madonna Addolorata era appesa sopra un mucchio di cipolle, presso una cesta piena di pane e di piatti vuoti.

Vidi nel camposanto di Pisa quella pittura ad affresco, originalissima, di Ambrogio e di Pier Lorenzetti, la quale rappresenta la vita degli anacoreti nel deserto e posso dire di averla veduta qui riprodotta al vero. Credo che il vecchio eremita di Capri facesse ivi, ogni venerdì, la sua predica ai pesci, come si vede, in un dipinto a Roma, S. Antonio seduto sur uno scoglio predicare verso il mare, brulicante di pesci con la testa fuori dell'acqua, a bocca aperta. Mentre stavo girando attorno alla casetta, comparve il vecchio frate laico, con un fardelletto di legna sulle spalle.

Tutto lieto di trovare un ospite, dimostrò il suo dispiacere di non avere vino da offrirmi. Egli abitava da ben trentadue anni su quell'altura; zoppicava esso pure nell'arrampicarsi, ma non aveva affatto l'aspetto mefistofelico dell'eremita zoppo della villa di Tiberio; in lui era anzi qualcosa di quell'ingenua bontà propria dei santi e delle statue degli idoli indiani. Sopra la sua casa sorgeva la vetta del Solaro, il punto più elevato dell'isola, con la stazione del telegrafista, di cui ho già fatto parola. Saliti colassù, si ottiene giusta ricompensa della fatica sostenuta, imperocchè si scopre tutta l'isola e si gode una vista insuperabilmente bella: all'orizzonte, verso mezzodì, il mare senza limiti; a ponente e a settentrione l'isola di Ponza, quella torreggiante d'Ischia, quella di Vivara e di Procida; più lontani, perduti nelle nebbie, i monti di Gaeta, di Terracina, il promontorio di Miseno, ai cui piedi finì i suoi giorni Tiberio; i campi Elisi e Cimmeri, le spiagge azzurre di Baia, Pozzuoli e Cuma, il monte Gauro, la Solfatara, l'isola di Nisida col suo castello, Posillipo, la vetta dei Camaldoli, i monti di Capua, la splendida spiaggia di Napoli con una collana di città fino a Torre del Greco, la punta del Vesuvio montata da una colonna di fumo; verso il basso, Pompei; al di là i monti frastagliati di Sarno e di Nocera; a levante la spiaggia bruna di Massa coi capi di Sorrento e di Minerva; al di là il gigantesco monte S. Angelo, più oltre gli scogli delle Sirene e tutta la regione montuosa dei golfi di Amalfi e di Salerno; finalmente, in lontananza, i monti delle Calabrie biancheggianti per le nevi, e la spiaggia di Pesto, al capo Licosia in Lucania.

A tale altura e con tale vista dinanzi agli occhi, uno si sente quasi vivere doppiamente. Imperocchè è assai ristretta la cerchia dell'umana vita, tante sono le cose che quotidianamente ci stringono, ci contrastano da ogni parte, ci condannano ad una lotta penosa, meschina, in un orizzonte che pure sarebbe vasto. Ogni orizzonte è bello; bello è contemplare dall'altezza della civiltà l'orizzonte del pensiero, delle scienze, delle arti, l'armonia che presiede all'ordine di tutte le cose create. Io, in cima al monte Solaro, pensava ad Humboldt, al cui genio, credo, andiamo debitori di trovare il mondo così bello, così mirabilmente ordinato, e, fissando poi lo sguardo sul capo Miseno e sul Vesuvio, pensavo pure a Plinio, l'Humboldt dei Romani, non che ad Aristotile, genio veramente universale ed ordinatore dell'umano sapere.

Lieto di aver potuto contemplare tanto spettacolo delle armonie della natura, scesi di lassù quando il sole verso Ischia volgeva al tramonto. Il mare s'imporporava già ad occidente e l'isola di Ponza, la quale emergeva lontana e bella dalle onde, quasi giacesse in una sfera di luce, rosseggiava come se fosse in fiamme.

Addio pertanto, bella e romita isola di Capri.

PALERMO
(1855)

I.

La Sicilia fu il primo paese europeo ove sbarcarono i Saraceni dopo che la signoria araba ebbe allargati i suoi confini sui lidi settentrionali dell'Africa. Le loro prime scorrerie nell'isola risalgono al VII secolo: provenivano dall'Asia, in seguito dall'Africa, da Candia, dalla Spagna, come corsari, senza un fine prestabilito. Solo nell'827 iniziarono un piano regolare di conquista.

Michele Amari, nella sua Storia dei Mussulmani in Sicilia, ricostruì dalle fonti originali, con fedeltà storica, le vicende dell'invasione araba. Egli si servì per ciò delle cronache di Giovanni Diacono di Napoli, dell'830, e delle cronache dettate dall'Anonimo Salernitano, della fine del x secolo; nonchè, presso i Bizantini, delle cronache di Costantino Porfirogenito e del suo continuatore, e presso gli Arabi, delle storie di Ibn-el-Athir Nowairi e di Ibn-Kaldum.

Una rivoluzione militare era scoppiata in Sicilia, che mal sopportava il giogo bizantino; il duca Eufemio decise allora di strappare l'isola all'odiosa dominazione di Costantinopoli; ma le truppe non erano siciliane e ben presto passarono al partito bizantino, costringendo i ribelli a cercare scampo in Africa ed a gettarsi fra le braccia degli Aglabiti. Per odio e per desiderio di personale vendetta, Eufemio divenne allora traditore della sua fede e della sua patria: fece in Kairewan la proposta a Ziadeth-Allah d'inviare nell'isola un esercito, perchè, con l'aiuto dei Siciliani insorti, la conquistasse.

Nel suo atto Eufemio sperava anche di conseguire un sogno ambizioso: quello di divenire imperatore. Le opinioni in Kairewan erano discordi: gli uni protendevano per l'impresa, gli altri la ritenevano troppo arrischiata: Ased-ben-Forad, il cadì settuagenario della città, stimato da tutti per la sua sapienza, riuscì a persuadere i recalcitranti ed egli stesso volle assumere il comando della spedizione.

Il 13 giugno dell'827, in un centinaio d'imbarcazioni, 10.000 fanti, composti di Arabi, Berberi, Saraceni fuggiti dalla Spagna, Persiani e sopra tutto Africani, salparono dal porto di Susa e quattro giorni dopo sbarcarono presso Mazzara e sconfissero in un sanguinoso scontro il duce Palata, mentre Ased, durante la mischia, seguendo l'esempio di Alì e di Maometto, stava in preghiere e recitava il capitolo la-Sin del Corano.

Poscia i Saraceni mossero contro Siracusa e si accamparono, come narra lo storico arabo, in alcune grotte intorno alla città, cioè nelle famose latomie. Per un anno rimasero dinanzi alla città, dove i Greci, incoraggiati dalle promesse di soccorso fatte dal doge di Venezia Giustiniano Partecipazio, opposero gagliarda resistenza. I Saraceni furono decimati dalla peste, come era avvenuto a tutti gli eserciti che, nei tempi anteriori, avevan stretto d'assedio Siracusa, particolarmente ai Cartaginesi ed agli Ateniesi. Lo stesso Ased-ben-Forad vi perdette la vita, per malattia, nell'828. Si dovette eleggere un nuovo condottiero, che fu Mohamed-ibn-el-Gewari. Ma presto, ridotto a mal partito, come un tempo quello di Nicia, l'esercito saraceno dovette nella stessa direzione battere in ritirata, inseguito dai nemici.

Guidati da Eufemio, gl'infedeli si arrestarono a Minoa e, rinforzati di nuove truppe, poterono impadronirsi di Agrigento. Panormo cadde nell'831. Questa città veniva dai Maomettani chiamata Bulirma; più tardi prese il nome di Palermo. Ivi si stabilì Ibrahim-ibn-Abdallah-ibn-el Aglab, che fu il primo valì (governatore) della Sicilia. Sotto il suo successore anche Castrogiovanni, l'antica Ema, passò in potere dei Saraceni. Siracusa e Taormina continuarono a resistere, difendendosi con grande valore: di quel memorabile assedio rimangono documenti che attestano l'eroismo dei Siracusani ai tempi di Nicia e di Marcello. Tutti i viveri erano consumati; i miseri abitanti dovevano nutrirsi di ossa triturate e di cadaveri; essi speravano sempre negli aiuti dell'imperatore Basilio, che avea appunto inviato il suo ammiraglio Adriano con una flotta in soccorso della città.

Per dimostrare il culto che ancora a quei tempi inspirava l'antica Siracusa, basta riportare la singolare tradizione la quale narra che, nel mentre Adriano se ne stava inoperoso sulle coste dell'Elide nel Peloponneso, vennero alcuni pastori ad annunziargli l'apparizione avuta nelle paludi di alcuni demoni, che avevan annunziata loro la caduta di Siracusa pel giorno appresso. I pastori vollero inoltre condurre l'ammiraglio sul luogo indicato, ed egli udì le voci che annunziavano la resa dell'eroica città. Così difatti avvenne: il 21 maggio 878 Siracusa dovette arrendersi; i Saraceni, entrati nella città, compirono gesta vandaliche, trucidarono gli abitanti, saccheggiarono le case, vi appiccarono poscia il fuoco, e largo bottino vi fecero, perchè il paese anche allora era un centro di grande commercio bizantino.

Di quell'epoca esiste un prezioso documento, una lettera del monaco Teodosio all'arcidiacono Leone, nella quale egli descrive l'assedio e la sua prigionia, nonchè quella dell'arcivescovo. Dopo che la città fu presa e ne fu trucidata la maggior parte degli abitanti, i Saraceni trascinarono l'arcivescovo e l'autore della lettera a Palermo, davanti al grande emiro. Allorchè gl'infedeli comparvero dinanzi alla città col bottino raccolto, i loro correligionari andarono ad incontrarli, cantando inni di vittoria. Si sarebbe detto—scrive il monaco,—che colà si fosse dato appuntamento tutto il popolo d'Islam, da oriente a ponente, da settentrione a mezzogiorno. I prigionieri furono condotti dinanzi all'emiro, che stava seduto a terra. E sembrava fiero del suo potere assoluto. Egli rimproverò all'arcivescovo il disprezzo che i cristiani nutrivano per Maometto, rimprovero a cui il degno sacerdote rispose con l'energia e la sincerità di un martire, così che gli valse, e valse al monaco suo compagno, il carcere. Di là quest'ultimo scrisse la lettera.

Il 1o agosto del 901 anche Taormina si arrese e così l'intera Sicilia passò in potere della mezza luna maomettana ed ebbe, da quel momento, leggi mussulmane, lingua e costumi arabi. Quella Sicilia che aveva dato a Roma ben quattro papi (Agatone nel 679, Leone II nel 682, Sergio nel 687 e Stefano III nel 768), correva ormai il rischio di andare perduta per la cristianità, tanto più che gli Arabi non si comportavano da popolo fanatico, ma si sforzavano piuttosto d'indurre i Siciliani ad abbracciare la fede di Maometto. Narra Albufeda che Achmed, governatore dell'isola nel 959, portò seco in Africa trenta giovani della nobiltà siciliana e li costrinse ad abbracciare l'islamismo. Parecchie chiese e parecchi monasteri cristiani furono però distrutti, molte corporazioni religiose soppresse; altre ottennero la tolleranza mediante il pagamento di forti tributi, riuscendo così a sopravvivere anche sotto questa dominazione. Allorquando i Normanni discesero nell'isola, trovarono valido appoggio nei cristiani in Val Demone e nella Valle di Mazzara; a Palermo trovarono un vescovo greco, Nicodemo, che compiva il suo ufficio nella chiesa di S. Ciriaco.

La signoria degli Arabi fu, secondo la natura di quel popolo, irrequieta e agitata: mentre la minacciavano la guerra con i Greci delle Calabrie e di Bisanzio, era travagliata all'interno dalle fazioni; più di una volta le ribellioni di Siracusa, di Agrigento, d'Imera, di Lentini, di Taormina ne minacciarono la sicurezza.

Fino a che durò la dominazione degli Aglabiti di Kairewan, l'isola fu governata dai loro valì; ma quando, sui primi del x secolo, successero a quella dinastia i Fatimidi, e il califato di Tunisi fu riunito a quello egiziano, la Sicilia divenne del pari egiziana, senza lotta sanguinosa fra gli antichi e i nuovi signori.

La signoria dei Fatimidi fu l'epoca più fortunata della dominazione araba in Sicilia: l'isola fu elevata a dignità di emirato, indipendente dall'Egitto, e Palermo ne divenne la capitale. Primo emiro ne fu Hassan-ben-Alì, nel 948; e nel 969 l'emirato della sua stirpe divenne ereditario. La sapienza di Hassan non fu meno apprezzata della sua energia; egli seppe domare i varî partiti, restituire all'isola la tranquillità, ed incutere timore alle Calabrie ed all'intera Italia, Roma compresa. Invano contro di lui tentò una spedizione l'imperatore greco Costantino Porfirogineta; il suo esercito fu battuto, la sua flotta distrutta. Anche Abal-Kasem-Alì, successore di Hassan, diede da fare all'Italia con le sue scorrerie, e per poco lo stesso imperatore Ottone II non cadde nelle sue mani. Frattanto i continui bottini che gli Arabi portavano a Palermo, rendevano ricca la città; nuove continue schiere di arabi veniano a stabilirsi dall'Africa, e l'isola cominciò a rifiorire, come la Spagna era rifiorita sotto i Mori.

I regni di Jussuf, dal 990 al 998, quello di Giaffar, al principio dell'xi secolo, e quello del suo successore Al-Achals furono del pari felici. Questo stato di cose durò circa ottant'anni, finchè le sollevazioni africane si estesero anche nell'isola e generarono la scissione del governo in tante piccole signorie, le quali portarono alla caduta finale della dominazione araba in Sicilia.

L'ultimo emiro dell'intera isola fu Hassan-Samsan-Eddaula, contro il quale insorse il fratello Abu-Kaab: questi riuscì a cacciarlo in Egitto nel 1036. Cominciarono così a sorgere nelle varie città dei piccoli tirannelli arabi, ed altri, approfittando del movimento, ne vennero dall'Africa, per impadronirsi della signoria. L'imperatore Michele Paflagonio capì che era giunto il momento per la riconquista dell'isola e vi spedì il valoroso Giorgio Maniace con un esercito; ma questi non riuscì nell'intento e vi riuscirono invece, nel 1072, i Normanni.

Come abbiam detto, la dominazione degli Arabi in Sicilia fu assai diversa da quella dei Mori in Spagna; le due regioni, fra le più belle dell'Europa meridionale, furono conquistate dagli Arabi africani, ma in condizioni assai diverse: i Mori in Spagna distrussero un possente impero cristiano, che già possedeva i suoi buoni ordinamenti di governo e di amministrazione, ai quali dovettero sostituirne altri. La loro signoria, sorta dal califfato degli Ommiadi, assunse carattere regolare ed ortodosso di fronte a quello degli Abassidi d'Asia; il passaggio si compì con eroismo cavalleresco, a contatto della cristianità, che dovette nella lotta raddoppiare di energia. Ed infine, la Spagna era una vasta e ricca contrada. In Sicilia, invece, gli Arabi non ebbero da distruggere una grande potenza indigena, ma solo dovettero cacciare i Greci-bizantini indeboliti e quasi imbarbariti. La conquista per essi fu facile: trovarono delle città in piena decadenza e non dovettero lottare col cristianesimo, col quale piuttosto si confusero, ristretti essendo i confini dell'isola e non offrendo i suoi monti quel rifugio che avevano dato i Pirenei agli Spagnuoli.

I Mori raggiunsero in breve in Spagna uno splendore che abbagliò l'intera Europa; illustrarono il loro regno con meravigliosi monumenti architettonici e con una cultura scientifica che fece epoca nella civiltà europea; e poterono così mantenersi per ben settecento anni nella terra conquistata. Gli Arabi in Sicilia invece non riusciron durante i duecento anni di dominazione ad uscire da loro stato caotico. Ad onta dell'opinione dei Siciliani d'oggi, i quali guardano con una certa compiacenza romantica il periodo della dominazione araba nell'isola, si può affermare che il regno dei grandi emiri di Sicilia non differì gran che dagli stati barbareschi d'Africa.

I Saraceni, del resto, non erano affatto rozzi, nè barbari. Tutti presero parte alla cultura scientifica d'Oriente, sviluppatasi con grande rapidità. Anche la poesia, le arti, le scienze orientali piantarono le loro radici nell'antico suolo dorico di Sicilia. La storia moderna della letteratura dell'isola accolse anche gli Arabi-siculi nel catalogo de' suoi scrittori compilato dall'Amari. Ma noi regaleremmo assai volentieri tutti quei verseggiatori dai nomi ampollosi per un'opera sola, la storia araba di Sicilia di Ibn-Kalta, che andò perduta; per questa rinunceremmo del pari al Divano di Ibn-Hamdis di Siracusa.

I monumenti che soli rimangono della loro presenza in Sicilia, sono quelli dell'architettura Kairewan, la città donde pervennero, rinomata per la moschea fondata da Akbah nel VII secolo, e quale sede del califfato. Di là portarono gli Arabi il gusto della buona architettura, ma non costruirono nelle sicule contrade notevoli edifici come i Mori in Spagna. Nessuna traccia di qualche loro bella moschea rimane a Palermo, e lo stesso Alcazar, divenuto più tardi castello dei Normanni e degli Svevi, non conserva niente della parte dagli Arabi edificata. Palermo fra tutte le città si distinse per lusso e ricchezza, e divenne presto un centro voluttuoso, tutto orientale. Ivi e in altre città gli Arabi edificarono i loro mercati, le loro ville cinte di giardini. Nel periodo più florido della loro dominazione, sotto il governo di Hassan-ben-Alì e di Kasem, dei quali ci e stato tramandato che costruirono città e castelli, l'architettura moresca necessariamente si estese. Nessun contrasto doveva esser maggiore di quello offerto allora dallo stile grazioso e fantastico dell'Oriente con quello severo e maestoso dei tempi dorici in Sicilia. L'architettura moresca si mantenne anche nei periodi posteriori; fu, come la scrittura e la lingua araba, usata talvolta anche dai Normanni e dagli Svevi, e dalla fusione del tipo saraceno col tipo bizantino-romano nacque quello stile misto che prese il nome di arabo-normanno: dal che si può argomentare che i Saraceni in Sicilia dovettero elevare splendidi edifici. Ma il tempo ha distrutto tutti i palazzi degli emiri, la cui magnificenza produsse tanto stupore nel principe normanno Ruggero, e dei monumenti di architettura araba non rimangono più che la Cuba e la Zisa, due ville presso Palermo, costruite senza dubbio dai Saraceni, ma poi alterate grandemente e restaurate e in tempi posteriori ampliate.

Le due ville stanno fuori della Porta Nuova, sulla strada che mette a Monreale. La Cuba (parola che in arabo significa arco o vòlta) è stata da parecchi anni adibita a caserma di cavalleria ed ha subito tali rovine e alterazioni che ben poco ormai si riconosce dell'antica disposizione. All'esterno è un edificio quadrato, regolare, costruito con pietre ben lavorate, proporzionato e diviso da archi e da finestre, in parte finte e soltanto ornamentali, secondo l'usanza araba. Sulla cornice in cima all'edificio si scorge ancora un'iscrizione araba, indecifrabile. L'interno fu completamente devastato e trasformato; soltanto nella sala centrale, in origine molto probabilmente sormontata da una cupola, sono avanzi di pittura e bellissimi rabeschi di stucco.

Boccaccio collocò in questo palazzo la scena della V novella della sesta giornata del suo Decamerone, e lo storico Fazello ne descrisse la magnificenza, riportando quello che ne avevano detto scrittori antichi, imperocchè a quel tempo—secolo XVI—il castello era già rovinato. Così egli ce lo descrive: «Unito al palazzo, fuori le mura della città verso ponente, trovasi un pomario di duemila passi di circonferenza, detto parco, ossia Circo reale. In questo giardino, rallegrato da acque perenni, crescono meravigliose specie di piante e qua e là si vedono cespugli di alloro e di mirto odoroso. Colà, dall'entrata all'uscita, si stendeva un lungo portico, con parecchi padiglioni aperti a forma circolare, adibiti per gli svaghi del re, uno dei quali tuttora rimane in buone condizioni, con nel mezzo una grande vasca fatta con pietre regolari e commesse con mirabile arte. La vasca esiste ancora, ma priva d'acqua e di pesci. In questo pomario sorgeva lo stupendo palazzo dei re saraceni, in un angolo del quale si tenevano raccolte fiere d'ogni sorta. Oggi tutto è rovinato; i giardini sono stati ridotti a vigne di privati e solo se ne giudica l'estensione dai muri di cinta in massima parte ancora in piedi. I Palermitani continuano ancora a dare a questo luogo l'antico nome saraceno di Cuba».

Il palazzo nelle sue parti principali esiste ancor oggi, tale e quale ci fu descritto da Fazello, ed in particolare si possono ancor vedere le mura di cinta del giardino ed in questo gli avanzi dell'antica vasca.

La Zisa era una villa ancor più bella, più vasta. La famiglia spagnuola di Sandoval, di poi proprietaria, l'alterò grandemente con nuove costruzioni, ma la preservò anche in tal modo dalla sua completa rovina. Lo stile è lo stesso della villa Cuba; ha la forma ben proporzionata di un dado, semplice, costruita con pietre regolarmente lavorate, divisa in tre parti da cornici, archi e finestre. Guglielmo il Malo la fece restaurare e probabilmente anche l'ampliò, poichè non potrebbesi spiegare altrimenti l'asserzione di Romualdo da Salerno: che quel re cioè avesse fatto costruire un palazzo chiamato la Zisa. «In quel tempo—ha lasciato scritto Romualdo—re Guglielmo fece edificare presso Palermo un palazzo di meravigliosa architettura, cui diede nome Zisa e che circondò di ameni giardini e arricchì questi con appositi acquedotti, di grandi vasche in cui si allevavano dei pesci». La Zisa mantenne sempre il suo carattere arabo, nonostante che re Guglielmo vi facesse notevoli modificazioni. Il suo interno, interamente restaurato, contiene parecchie sale e appartamenti, che niente conservano del loro carattere arabo; soltanto il portico d'ingresso ha serbato un certo aspetto di antichità. Ivi, nel muro, sono nicchie ed archi sostenuti da colonne, fra le quali sgorga in una vasca di marmo una fonte, tappezzata di muschio e di piante rampicanti. L'arco superiore alla fonte è di stile arabo ed ha notevoli ornati e rabeschi originalissimi e fantastici. Gli affreschi e i mosaici, rappresentanti palme, ramoscelli d'olivo, pavoni e figure di arceri, sono di origine normanna, e normanna è pure l'iscrizione cufica sulla parete, riprodotta anche dall'orientalista Morso nella sua opera Palermo antica, nonchè dal de Sacy. La già nominata iscrizione, ora illeggibile, in cima al palazzo, è invece araba.

La fonte dal portico sgorgava in una bella vasca, ancora esistente nel 1626, come ne fa parola il monaco bolognese Leandro Alberti nella sua descrizione dell'Italia e delle sue isole. La vasca era sita di fronte al portico, aveva forma regolare, lunga cinquanta passi ed era rivestita tutta di muratura. Nel mezzo vi sorgeva un grazioso e piccolo edificio, al quale si accedeva per mezzo di un ponticello di pietra, ed in cui esisteva una saletta a vòlta, lunga dodici passi e larga sei, con due finestre; di là, dice l'Alberti, si passava in una bella stanza destinata alle donne, con tre finestre a duplice arco, sostenuto nel mezzo da una colonnetta di marmo.

Parecchie scale portavano al piano superiore del palazzo, ove erano varie camere a vôlta, con colonne ed archi di stile arabo; e nell'interno c'era un cortile a porticato. Tutto quanto l'edificio era coronato di merli. Le sale, con le pareti rivestite di mosaici, coi pavimenti di marmo e di porfido nei colori più svariati, dovevano essere indubbiamente stupende. Ma l'Alberti trovò già la Zisa ridotta in tale stato di ruina da fargli esclamare melanconicamente:

«In verità, io non credo possa esistere animo gentile che, dinanzi a quest'edificio già così bello e in parte ora caduto, in parte minacciante rovina, non provi un senso di profonda compassione». Quanto bella doveva essere questa villa ai tempi degli emiri, dei Normanni, di Federigo, sotto questo splendido cielo, in quelle notti serene di questa amena contrada che fa pompa, dal lido del mare ai piedi del monte, de' più deliziosi aranceti dai frutti d'oro!...

Ho visto pochi panorami simili a quello che si gode dal tetto a foggia di terrazzo di questo castello; di là si scorgono tutti i dintorni di Palermo, dalla spiaggia ai monti, dintorni di una bellezza che la parola non sa, nè può descrivere. Basti dire che si abbraccia con lo sguardo tutta la Conca d'oro, co' suoi neri monti, maestosi e severi, tali da sembrar tagliati dallo scalpello greco, co' suoi giardini ricchi d'aranci, cosparsi di ville, con la sua città turrita e piena di cupole, col suo mare sempre meraviglioso, con la mole gigantesca e imponente da una parte del monte Pellegrino, dall'altra del capo Zafferano, che si protende in mare, co' suoi monti coronati di neve nel lontano orizzonte, perduti in una atmosfera pura, serena, tranquilla. Terra, mare, aria, luce, colà tutto ricorda l'Oriente. Nel fissare dal tetto della Zisa i giardini, vien fatto di attendere l'uscita delle belle odalische al suono di una mandola, e di un emiro dalla lunga barba, in caftano rosso e pantofole gialle. Là si prova quasi il desiderio di vivere secondo i precetti del Corano.

Non è errato credere che, specie ai tempi della dominazione spagnuola, il fanatismo religioso abbia cercato di distruggere l'antica dimora dei Saraceni. I principi normanni, invece, rimasero colpiti dallo splendore dei palagi e dei giardini arabi e l'imitarono nelle loro costruzioni. Ruggero pel primo edificò delle ville in quello stile, Favara Mimnermo ed altre, come ha lasciato scritto Ugo Falcando, contemporaneo degli ultimi principi normanni. Le fontane sopratutto furono da questi imitate e le vasche di foggia orientale; molte ne costruì difatti Federigo II, giovandosi della ricchezza d'acqua di cui Palermo godeva sin dai tempi più antichi. A prova della passione che gli Arabi dimostrarono nel costruire vasche, basta citare la descrizione che Leonardo Alberti fa di quella della Zisa, e la descrizione che l'ebreo Beniamino di Tudela, nella sua breve opera su Palermo, fa della vasca Albehira. Beniamino di Tudela venne in Sicilia nel 1172, ai tempi di Guglielmo il Buono, per visitarvi le corporazioni israelitiche, e così descrisse l'Albehira: «Nel centro della città sgorga la più copiosa delle fontane, quella circondata da mura cui gli Arabi diedero il nome di Albehira. Vi si mantengono pesci di varie specie e vi navigano le barche reali, ornate d'oro, d'argento ed elegantemente dipinte; il re con le sue dame vi si reca spesso per diletto. Nei giardini reali trovasi inoltre un castello, le cui pareti son rivestite d'oro e d'argento, e i pavimenti sono formati di marmi rarissimi; contiene statue d'ogni sorta. Non vidi mai altrove edifici paragonabili ai palagi di questa città».

S'ignora ove sorgesse l'Albehira; Morso ha cercato di provare che Beniamino alludesse al così detto Mar Dolce, nome dato alle rovine arabe del castello di Favara, presso il pittoresco convento del Gesù, fuori le porte della città, sotto la grotta famosa per i suoi fossili. Queste rovine presero il nome di Mar Dolce perchè si trovavano di fronte ad una vasca; gli Arabi però le dicevano Case Djiafar.

Fuori di Palermo esiste ancora una quarta villa o palazzo saraceno, quello di Ainsenin, dal popolo soprannominato Torre del Diavolo, le cui rovine giacciono nella pittoresca valle Guadagna, attraversata dall'Oreto e dominata dal monte Grifone.

Questi sono gli unici monumenti di costruzione saracena che, a ricordo della dominazione araba, rimangono in Palermo. Con l'invasione spagnuola scomparve la graziosa architettura orientale e cominciarono anche a venir meno ai tempi di Federigo II le tradizioni dell'islamismo, sopratutto allorquando, nel 1220, gli Arabi ancor rimasti nell'isola furono trasportati a Nocera nelle Puglie, avendo durante l'assenza di Federigo, guidati da Mirabet, tentato di riacquistare la loro indipendenza. D'allora in poi il linguaggio e i costumi arabi andarono perdendosi in Sicilia ed una nuova nazionalità, quella spagnuola, cercò di stabilirvisi, cominciando col cancellare ogni traccia dei predecessori.

Nell'ultimo secolo, quando la scoperta di Pompei riaccese in tutta Italia lo studio dell'antichità, si prese a indagare pure con ardore le vicende della dominazione araba in Sicilia. Le iscrizioni esistenti nelle chiese e nei palazzi portarono allo studio della lingua araba ed in Palermo sorse anzi una cattedra speciale per l'insegnamento di questa. Ma la cosa non avvenne senza grottesca soperchieria, la quale valse a provare sino a qual segno ogni tradizione araba fosse scomparsa dall'isola in cui un tempo gli stessi re cristiani avevano parlato quella lingua. Il maltese Giuseppe Vella venne a Palermo e si spacciò per dotto orientalista, falsificando anche un codice contenente parecchie corrispondenze degli Arabi in Sicilia. L'abile falsario seppe ingannare tutta quanta l'Europa erudita, fintanto che, smascherato, venne rimosso dalla cattedra e imprigionato.

Frattanto però presero a dedicarsi allo studio dell'arabo parecchi Siciliani, fra i quali Airoldi, Rosario e Morso, quest'ultimo in special modo, che successe al Vella nella cattedra e fu in relazione con i maggiori orientalisti, col Tichsen, col Silvestre, col Sacy, con l'Hammer e col Frahn, e molto si adoperò nell'interpretazione delle iscrizioni cufiche esistenti in Palermo. Ne risultarono opere veramente utili, come la Rerum Arabicarum quae ad historiam siculam spectant ampla collectio di Gregorio, pubblicata a Palermo nel 1790; le Notizie storiche dei Saraceni siciliani del Martorana, pubblicate del pari a Palermo, nel 1833; ed infine la Storia dei Mussulmani in Sicilia, dovuta all'insigne Michele Amari, ma di cui furono editi soltanto i due primi volumi.

Lo studio delle antichità arabe risvegliò anche l'amore per l'architettura saraceno-normanna, e divenne così generale, che molte botteghe della bella via Toledo di Palermo sono oggi ornate alla foggia araba e in stile arabo sono costruite molte ville di ricchi possidenti nella campagna.

Il gusto corrotto dei palazzi e delle ville siciliane è noto a tutti per la sua straordinaria bizzarria. Mentre si avevano sott'occhio dei modelli graziosissimi e si avevano alle porte di Palermo la Cuba e la Zisa, mentre esistevano nella stessa città edifici dell'epoca normanna o posteriori, come, per esempio, il palazzo del tribunale, che insegnavano come anche in edifici grandiosi si potesse unire la semplicità all'armonia delle proporzioni ed alla sobrietà della decorazione, si preferì innalzare costruzioni di gusto esageratamente barocco, come la villa del principe di Palagonia, o ricorrere al gusto cinese, come nella regale villa della Favorita.

In questi ultimi tempi veramente si è fatto ritorno allo stile arabo-normanno, e farà epoca fra le moderne costruzioni la villa Serra di Falco, innalzata a poca distanza dalla Zisa da quel duca che è altamente benemerito per lo studio delle antichità siciliane. I magnifici giardini di questa palazzina dànno l'illusione di rivivere ai tempi di Hassan.

In Palermo, il marchese Forcella innalzò pure un bel palazzo di stile arabo-normanno, nel quale sono però alcune cose grottesche come in tutte le imitazioni di architettura passata. Questo palazzo sorge in piazza Teresa, presso la porta dei Greci; il proprietario vi spese ingenti somme e i lavori non ne sono peranco ultimati. All'esterno le finestre sono a doppio arco di sesto acuto, divise da una colonnetta, guarnite con vetri colorati. Le sale sono parecchie e ricche, in specie quelle centrali, di gusto tutt'altro che arabo, con le pareti rivestite di marmi e di pietre dure, preziosi quelli e queste, di vario colore, a disegni graziosissimi. La volta è ornata fantasticamente, e il pavimento è in marmo di vario colore; questa profusione di marmi prova la ricchezza mineralogica dell'isola. A rendere quest'edificio simile ad un'Alhambra non manca nemmeno una fontana. Altre stanze furono dal ricco marchese decorate in stile romano e pompeiano e dimostrano l'abilità dei Siciliani nell'affresco, imperocchè tutte le imitazioni di pitture antiche furono colà eseguite unicamente da artisti nati e vissuti nell'isola.

II.

Due isole molto distanti fra loro, l'Inghilterra e la Sicilia furono ad uno stesso tempo conquistate da una razza audace e avventuriera, quella dei Normanni, che, dopo avervi per poco brillato, vi si spense. Nell'una e nell'altra isola venne introdotto il governo feudale, con baronie e maggioraschi, i quali durano ancor oggi. In entrambe le isole si formò una costituzione aristocratica, che si sviluppò possente in Inghilterra e di cui rimangono ancora vestigia in Sicilia, ove più presto si estinse.

Questa similitudine di destini fra le due isole è abbastanza singolare e potrebbe servire a spiegare altri fatti storici avvenuti dopo la Rivoluzione francese, fra i quali la costituzione introdotta dagli Inglesi in Sicilia nel 1812.

La signoria dei Normanni in Sicilia fu di breve durata; brillò appena un secolo e ne furono caratteri distintivi l'intelligenza, la costanza, l'audacia quasi feroce, una politica vasta e intraprendente, una grande vastità di disegni e di imprese. Tutto ciò soggiacque al contatto della vita voluttuosa dei Saraceni, al clima, alla libidine sfrenata delle partigianerie.

Nel 1038 Giorgio Maniace era stato invitato in Sicilia dall'Imperatore greco per cacciarne i Saraceni. Egli si rivolse a Guaimaro perchè gli concedesse una piccola schiera di Normanni che teneva al suo servizio; Guaimaro gli mandò circa trecento uomini al comando di Guglielmo dal braccio di ferro, di Dragone e di Umfrido. Greci e Normanni si precipitarono sull'isola, posero in fuga gli Arabi, s'impadronirono di Messina, Siracusa e altre città; ma l'avidità del bottino portò fra loro la discordia; i Greci rapaci volevano tutto per sè; allora i Normanni, offesi, partirono, passarono in Italia e cercarono quivi qualche altro compenso. Sorpresero Melfi ed altri paesi delle Puglie, cominciarono per questa via a stabilire la propria indipendenza. Ma non appena i Greci seppero questo, abbandonarono la Sicilia per cacciarli dalle Puglie, ma non vi riuscirono, e le città da loro conquistate in breve tornarono in potere dei Saraceni.

Trascorsero così varî anni senza speciali avvenimenti; i Normanni riaffermarono il loro prestigio nelle Puglie, Guglielmo ne divenne conte, più tardi Drogone ne ereditò i possessi, e Umfrido, dopo la morte di quest'ultimo, costrinse papa Leone IX a concedergli l'investitura della provincia. Novelle schiere vennero dalla Normandia, sotto il comando di Ruggero Guiscardo, il quale, dopo la morte di Umfrido, avvenuta nel 1056, si fece proclamare duca delle Puglie e delle Calabrie. Più tardi discese anche suo fratello minore, Roberto, per dividerne le sorti. I due valorosi fratelli nel 1060 occuparono Reggio ed una notte, Ruggero, accompagnato da soli sessanta soldati, mosse alla volta di Messina, per conoscere le condizioni del paese; attaccò audacemente sulla spiaggia i Saraceni, quindi s'imbarcò di nuovo e fece ritorno a Reggio. Poco dopo, la fortuna volle favorirlo ed egli si accinse seriamente all'arrischiata impresa. A lui si presentò l'emiro di Siracusa, Bencumen, scacciato dal fratello Belcamend, e lo informò delle lotte che travagliavano l'isola e lo persuase di tôrre agli Arabi il possesso della Sicilia.

L'impresa non fu certo facile. I Saraceni opposero la più viva resistenza e nuove truppe vennero dall'Africa per respingere Ruggero, che, dopo una sanguinosa battaglia, si era impadronito di Messina. Roberto lo raggiunse allora a Castrogiovanni; l'esercito principale dei Saraceni fu posto in fuga, dopo di che i Normanni fecero ritorno nelle Calabrie per rafforzare le proprie file e prepararsi ad una più seria lotta. Almocz, califfo d'Egitto, aveva frattanto spedito in Sicilia una flotta, la quale però fu dispersa da una tempesta e distrutta presso l'isola di Pantelleria. La fortuna aveva arriso agli arditi avventurieri, ma la discordia minacciò di rovinarli. Roberto Guiscardo cominciò ad avere invidia dei successi del fratello Ruggero, pretendendo il possesso di metà delle Calabrie e dell'intera Sicilia; l'altro non volle aderirvi e i due eroi ricorsero alle armi, e, senza curarsi dei Greci e dei Saraceni, nè della poca stabilità delle recenti conquiste, presero a straziarsi fra loro in una guerra feroce. Ruggero cadde nelle mani di suo fratello, che, però, cedendo all'influenza di quell'uomo straordinario, lo lasciò libero. Allora, riconciliati, i due fratelli si rivolsero verso la Sicilia e due volte si spinsero sino a Palermo, ma dovettero quindi far ritorno nelle Calabrie per sistemare la loro posizione in quel dominio. Soltanto nel 1071 poterono stringere di regolare assedio la capitale dell'isola. A quell'epoca Palermo era forse la città più popolosa d'Italia, senza dubbio la più florida, la più ricca: in essa era tutto lo splendore della vita orientale. Gli Arabi opposero fiera resistenza e narra la tradizione che, per dimostrare la loro fiducia nell'esito della lotta, essi non chiudessero neppure le porte della città e che un ardito cavaliere normanno l'attraversasse un giorno da solo, di galoppo, con la lancia in resta. Finalmente Roberto penetrò per la porta di mezzogiorno, mentre Ruggero entrava per quella di ponente. I Saraceni, ritiratisi nel centro della città, capitolarono, cedendo Palermo al fortunato vincitore, a condizione che fosse loro garantita salva la vita e libero l'esercizio del loro culto.

Venti anni appresso i cristiani entrarono in Gerusalemme, conquistata pure a forza, e si portarono quali orde selvagge. I Normanni, invece, essi pure valorosi crociati, furono più clementi e risparmiarono Palermo maomettana. Presero possesso della splendida città senza versare sangue, senza commettere devastazioni, quali vincitori soddisfatti, che non avevano altro scopo che cacciare il nemico dalle sue voluttuose dimore per alloggiarvisi. Nessuno di quegli scoppi d'odio di cui diedero prova più tardi i cristiani contro i maomettani avvenne; i Saraceni furono lasciati liberi di vivere come volevano e di esercitare la loro religione. Il cristianesimo, languente, riprese forza e in breve si sostituì all'islamismo, che soltanto sopravvisse, per quasi centocinquant'anni ancora, fra i monti.

I Normanni furono per ragioni politiche tolleranti verso i Saraceni e vissero con questi in perfetto accordo; i conquistatori, in picciol numero, presto scomparvero quasi in mezzo alla popolazione saracena, che seppero guadagnare a sè, trattandola con dolcezza. Accettarono le arti e le scienze degli Arabi; nei loro edifici usarono lo stile arabo e la stessa corte cristiana prese un carattere arabo, circondandosi di guardie saracene, di eunuchi, ed adottando pure la foggia turca di vestire. Allorquando Mohamed-Ibn-Djobair di Valenza visitò la Sicilia, sullo scorcio del secolo XII, lodò re Guglielmo pel suo amore verso l'islamismo. «Il re—scrisse—legge e scrive l'arabo, e il suo harem è composto di donne mussulmane, e mussulmani sono i suoi paggi e i suoi eunuchi». Il visitatore trovò le donne di Palermo belle, voluttuose, vestite completamente alla turca, e nel vederle, nei giorni di festa, in chiesa, con abiti di seta gialla, con veli dai vivaci colori, con catenelle d'oro e grandi orecchini, dipinte e profumate come le femmine orientali, ricordò i versi del poeta: «In verità, quando si entra in un giorno di festa nella moschea, vi si trovano gazzelle ed antilopi».

La lingua araba continuò ad essere insegnata, ed usata anche negli atti governativi; ed anche le iscrizioni arabe, visibili tuttora nei mosaici delle chiese cristiane, furono dai re e dai vescovi cristiani dettate. I Normanni in Sicilia trovarono la lingua greca degli antichi Elleni, dei Bizantini e la lingua latina degli antichi Romani; nella bocca del popolo il linguaggio volgare, che divenne poi l'italiano; ed infine, gli idiomi arabo ed ebraico, tutti contemporaneamente in uso e tutti usati nei diplomi, in sulle prime scritti in greco con la traduzione araba.

Caduta Palermo, l'isola fu suddivisa: Roberto Guiscardo prese per sè la capitale e metà della Sicilia; Ruggero ebbe l'altra metà; al prode nipote Serlo furon date grandi baronie e l'altro nipote Tancredi fu creato conte di Siracusa. Roberto prese il titolo di duca di Sicilia, Ruggero quello di conte. Ma l'isola non era ancora tutta soggiogata; Siracusa, difatti, si arrese solo nel 1088, Agrigento nel 1091, e più tardi anche Castrogiovanni, Noto e Butera. Fino al 1127 i ducati delle Puglie e di Sicilia si mantennero in questo stato di cose; ma nel 1127, estintosi il ramo di Roberto Guiscardo, il figlio di Ruggero ereditò pure gli Stati al di là del Faro. Fu questi Ruggero II, il principe più insigne della stirpe normanna. Suo padre, che valorosamente aveva conquistato la Sicilia, era morto nel 1011; gli era succeduto il figlio maggiore Simone per cinque anni; poi, ancora minorenne, sotto la tutela della madre Adelasia e dell'ammiraglio Giorgio Antiocheno, Ruggero era salito sul trono.

Ruggero, possessore di tutte le virtù necessarie in un fondatore di dinastia, sollevò il regno normanno a grande splendore. Nel 1127 ereditò il ducato delle Puglie, come abbiamo detto, e ciò spaventò il papa, l'imperatore tedesco e quello bizantino; ma Ruggero combattè con fortuna contro tutti e tre, e poi contro i principi di Salerno, di Capua, di Napoli, di Avellino e costrinse il papa a concedergli l'investitura delle Puglie ed infine si cinse della corona reale. Non potè però far questo senza il consenso del Parlamento, dei baroni e dell'alto clero, poichè, seguendo l'usanza dei conquistatori normanni, per creare una nobiltà novella era stata stabilita una certa forma di costituzione aristocratica. Il Parlamento, convocato a Salerno, decretò al principe la corona regale, che gli fu solennemente posta in testa nella cattedrale di Palermo, il dì di Natale del 1130. Così sorse il regno delle Due Sicilie.

Subito Ruggero si die' a ordinare la sua monarchia, in modo grandioso e sicuro: creò sette grandi ufficiali della corona, un connestabile, un grande ammiraglio, un cancelliere, un giudice, un ciambellano, un pronotario, un maresciallo, che formarono il suo consiglio. Si circondò di un cerimoniale orientale, affidò la custodia del palazzo ad eunuchi e a guardie saracene. Il suo regno trascorse fra continue lotte, in continua guerra; ma seppe tener fronte a tutti i suoi nemici, interni ed esterni; ispirò vivo terrore nella stessa Costantinopoli all'imperatore greco, il quale non intendeva rinunziare a' suoi diritti sulla Sicilia; s'impadronì di Corinto, di Atene e di Tebe; portò dalla Grecia a Palermo molti operai abili nel filare e nel tessere la seta, contribuendo a propagarla così nell'Occidente, e da questi fece fabbricare il pallio famoso che vestirono più tardi gl'imperatori tedeschi nell'atto della loro incoronazione; conquistò poscia Malta, inviò centocinquanta bastimenti in Africa e punì quello stesso regno di Kairewan che aveva conquistato la Sicilia. Durante la sua signoria la potenza normanna raggiunse l'apogeo. Egli morì il 26 febbraio 1154, cinquantanovenne. Fu principe di grande prudenza, valore, giustizia e ingegno: fu bello di persona, disinvolto e distinto. Verso gli Arabi si dimostrò tollerante e tenne in gran conto la loro scienza e la loro arte. Fra gli altri, accolse onorevolmente alla sua corte Edris Edscheriff, esiliato dall'Africa, che gli costruì una sfera terrestre d'argento, sulla quale erano disegnate tutte le contrade allora note, con la loro denominazione in lingua araba, e scrisse una geografia nota generalmente sotto il nome di re Ruggero, un estratto della quale, la Geografia Nubiense, venne più volte stampata a Roma, a Parigi e per ultimo a Palermo nel 1790.

Segno veramente espressivo del carattere di Ruggero era l'iscrizione incisa sulla lama della sua spada: Apulus et Calaber, Siculus mihi servit et Afer.

Gli successe Guglielmo I, per le sue cattive qualità detto il Malo. Egli era l'unico figlio superstite a Ruggero, imperocchè gli altri quattro, Ruggero, Anfuso, Tancredi ed Enrico precedettero tutti il padre nella tomba. Fu sorprendente la rapida decadenza di una stirpe tanto forte e numerosa: in pochi anni si ridusse ad un unico discendente collaterale, ed insieme il Regno di Sicilia decadde rapidamente dall'altezza a cui Ruggero aveva saputo portarlo. Morto questi, si dovette riconoscere che tutta la forza del nuovo regno riposava esclusivamente nella sua persona. Sotto il governo di Guglielmo il Malo non tardò la Sicilia a ricadere in tali condizioni da ricordare gli emirati dei Saraceni, sotto l'influenza di un favorito del re, avventuriero straniero al paese, il grande ammiraglio del regno Maione di Bari, il quale attentò alla corona. Non vi furono che congiure, rivoluzioni di palazzo, ribellioni di nobili, un caos ovunque. L'odioso re Guglielmo, dopo una vita travagliata, ma non senza qualche successo in guerra, morì nel 1166, in età di quarantacinque anni.

Con suo figlio Guglielmo II, detto il Buono, salito sul trono a soli undici anni, si estinse la linea diretta della stirpe normanna. I primi anni del suo regno furono agitatissimi, a motivo delle contestazioni sulla tutela, delle ribellioni dei baroni e degli intrighi di corte. I Normanni avevano saputo magnificare e conquistare un regno, ma non se lo seppero mantenere. Non appena il clima ed il lusso orientale cominciarono ad infiacchire in essi la nordica forza, decaddero, ed infine il feudalismo e la prepotenza indomabile dei nobili li vinsero. Nessuna dinastia, del resto, avrebbe potuto mantenersi a lungo sul vulcanico suolo di Napoli e di Sicilia; tutte furono d'origine straniera, tutte vennero in possesso dell'isola in modo avventuroso, tutte finirono miseramente e per lo più per tradimento. Guglielmo II, del resto, fu molto dissimile dal padre, e la posterità gli confermò il titolo di Buono che il clero, per gratitudine, avevagli dato. Mentre Guglielmo il Malo viveva come un maomettano e si fabbricava sontuosi palazzi e giardini, Guglielmo il Buono fondava monasteri e conventi. A lui sono dovuti parecchi monumenti d'architettura religiosa, in ispecie il famoso duomo di Monreale e la cattedrale di Palermo. Morì il 1o novembre 1189, in età di soli trentasei anni.

Della stirpe di Ruggero I non rimaneva più che un bastardo, Tancredi conte di Lecce, figlio naturale di Ruggero, primogenito di re Ruggero, premorto al padre; inoltre, l'altra figlia Costanza aveva sposato l'imperatore Arrigo VI; erede legittimo delle Due Sicilie sarebbe dunque stato l'imperatore. Ma il partito nazionale si rivolse a Tancredi, conte di Lecce, che venne a Palermo nel 1190 e si fece incoronare. Questo prode bastardo ebbe molti punti di somiglianza con re Manfredi, vissuto dopo di lui; come questo fu uomo d'ingegno, poeta, musico, versato nelle matematiche e nell'astronomia, che gli Arabi avevano allora diffuse, e come questo fu generoso ed infelice. Riuscì vittorioso nei primordi della guerra che ebbe a sostenere contro i Tedeschi di Arrigo, per assicurarsi il possesso del regno, e quando Costanza cadde nelle sue mani, la trattò con grande cavalleria, restituendole la libertà. Pareva che la nobile stirpe dei Normanni dovesse rifiorire in Tancredi, che aveva, ei pure, due figli, Ruggero e Guglielmo, al primo dei quali, bellissimo giovane, aveva dato in isposa Irene, la figlia dell'imperatore greco Isacco Angelo ed avevalo già fatto incoronare re, quando il giovane repentinamente morì nel 1193. Tancredi provò gran dolore alla perdita di questo figlio, tanto che presto, il 20 febbraio 1194, lo raggiunse nella tomba. Rimase suo unico erede Guglielmo, ancor minorenne, che fu incoronato a Palermo. La reggenza venne assunta dalla vedova di Tancredi, Sibilla, che aveva pure tre figlie: Albina, Costanza e Mandonia.

In questo stato di cose, facile fu ad Arrigo conquistare la Sicilia. L'esercito di Sibilla fu sconfitto; Messina, Catania e Siracusa caddero nelle mani dell'imperatore e i baroni passarono dalla parte di questo. L'infelice regina si era ritirata co' figli suoi nella rocca di Caltabellotta ed attendeva colà il corso degli avvenimenti. Il 30 novembre 1194, Arrigo era entrato in Palermo, che avevagli fatto festosa accoglienza, salutando con musica ed inni di gioia la nuova signoria degli Svevi. Sibilla, allora, vistasi da tutti tradita, si decise a trattare, ed il giovane principe Guglielmo, cui l'imperatore aveva promesso solennemente la contea di Lecce e il principato di Taranto, venne a deporre a' suoi piedi la corona. Ma gl'infelici erano caduti in un tranello: Arrigo, non appena incoronato, col pretesto di una falsa congiura, dimentico de' suoi giuramenti, sfogò la sua selvaggia passione di vendetta contro i partigiani della stirpe normanna e contro la misera famiglia regale. Molti baroni e sacerdoti furono tormentati e condannati a morte; Sibilla e i suoi figli furon cacciati in carcere, e Guglielmo, l'ultimo campione della sua gente, venne accecato. Indi la regina e le figlie furono trasportate nel monastero di Hoenburgo, in Alsazia, ove a lungo vissero in prigionia. S'ignora qual fine facesse Guglielmo; una vaga leggenda vuole che ei fuggisse dal carcere e vivesse a lungo da eremita a S. Giacomo, presso Chiavenna.

Così tragicamente si spense la stirpe normanna, cui la fortuna aveva fatto dono di una fra le più belle contrade del mondo, e la sua fine fu tanto più notevole in quanto che non tardò a tenergli dietro quella degli Hohenstaufen. La Nemesi vendicativa colpì questa pure. Come erasi impadronita della signoria di Sicilia col sangue e la crudeltà, così ebbe a patire la stessa sorte, raccogliendo quel che aveva seminato. Secondo la tradizione, Federigo nacque lo stesso giorno in cui suo padre Arrigo macchiava la sua mano di sangue, il 26 dicembre 1194. Arrigo morì tre anni dopo in Messina, di soli 32 anni. Manfredi, bastardo al pari di Tancredi ed al pari di Tancredi prode e generoso, fu tradito e cadde nella battaglia di Benevento; Elena, sua moglie, ricoveratasi nella rocca di Trani, come un dì Sibilla co' suoi figli in quella di Caltabellotta, al pari di lei si vide tradita e fu rinchiusa insieme con i figli in carcere, dove morì di dolore; sua figlia Beatrice visse per ben diciotto anni nel Castel dell'Uovo a Napoli; i tre figli minori, Enrico, Federigo e Anselmo rimasero per trenta anni in carcere, e Corradino, infine, lasciò la vita sul patibolo. Tanto sangue versato suscitò novella sete di vendetta che poi si sfogò sopra gli Angioini, nei Vespri siciliani.

Gli Hohenstaufen trovarono, del resto, l'isola in floride condizioni; paese dalla natura prediletto, la Sicilia era divenuta durante la signoria normanna ricca, mercè l'industria e il commercio. Nessun nemico esterno in quel periodo era entrato nella città, mentre dall'Oriente e dall'Africa erano stati portati in grande quantità oggetti preziosi.

Allorquando Arrigo VI entrò in Palermo, rimase impressionato dallo splendore della città, e trovò nel palazzo dei re normanni grandi tesori, oro, gemme, rare stoffe di seta, che fece imbarcare.

Arnoldo, abate di Lubecca, narra che «entrato Arrigo nella dimora del morto Tancredi, vi trovò letti, sedili, tavole d'argento, vasellame d'oro finissimo, tesori nascosti, gemme, meravigliosi gioielli sì da caricarne centocinquanta bestie da soma, facendo ritorno in patria ricco e glorioso».

Fu in questa occasione che venne portato in Germania il prezioso manto, tessuto con seta, ornato di caratteri arabi, che aveva servito all'incoronazione di Ruggero I, e che, nel 1424, per volere dell'imperatore Sigismondo, fu riunito con altri gioielli dell'Impero a Norimberga, tanto che poi lo si credette il pallio di Carlomagno.

Reynaud recentemente ha dato questa traduzione dell'iscrizione araba ricamata sul manto di re Ruggero: «Tessuto nella fabbrica reale, nella sede della felicità, della nobiltà, della gloria, del conseguimento duraturo del benessere, della buona accoglienza, della fortuna, dello splendore, della reputazione, della bellezza, del compimento di ogni desiderio, di ogni speranza; del piacere del giorno e della notte, senza tregua, della devozione, della conservazione, della simpatia, della felicità, della salute, dell'aiuto, della soddisfazione, nella città di Sicilia nell'anno 528» (1133 dell'èra volgare). Questa orgogliosa ed ampollosa iscrizione in stile orientale, sul manto solenne di un re normanno, basta a provare quanto i Normanni si compiacessero di conformarsi agli usi ed ai costumi arabi.

Di quei tempi ci rimane una delle più antiche descrizioni di Palermo, quella del normanno Ugo Falcando, che visse in quella città durante il regno di Guglielmo il Malo, e che poi fece ritorno nella sua patria. Mentre la dinastia di Ruggero stava per estinguersi, egli scrisse un'epistola a Pietro, tesoriere della cattedrale di Palermo, lamentando i mali che stavano per cadere sopra la città e dando un'idea della sua bellezza. La sua lettera rivela un odio feroce contro i Tedeschi. Dopo aver rivolto apostrofi piene di entusiasmo verso i Normanni che a Messina ed a Catania stavano allora lottando coi barbari, si rivolge a Siracusa, esclamando: «Dovrà dunque ridursi a servire i barbari l'antica nobiltà di Corinto che, abbandonata la propria patria, venne in Sicilia per edificare una città, e finì per stabilirsi sulla costa più amena dell'isola ed ivi innalzò una città, fra porti che non hanno gli eguali? A che ti vale ora l'antico splendore de' tuoi filosofi, dei poeti che s'inspirarono alla tua fonte profetica? A che ti vale avere scosso il giogo del tiranno Dionigi e de' suoi eguali? Minor danno sarebbe per te stato sopportare il furore dei despoti siciliani, piuttosto che la tirannia di un popolo barbaro e crudele. Guai a te, guai a te, Aretusa, fonte cantata da uomini illustri che, dopo aver offerto ai vati l'ispirazione, devi saziare l'ebbrezza dei Tedeschi e soffrire le loro turpitudini!»

La lettera di Falcando è un documento importantissimo per la conoscenza delle condizioni di Palermo al tempo dei Normanni. A questo proposito, l'autore ad un certo punto esclama: «Chi potrà mai bastantemente esaltare la bellezza degli edifici di questa nobile città? Chi l'abbondanza delle fontane sgorganti d'ogni parte? Chi lo splendore della lussureggiante vegetazione? Chi gli acquedotti, che in tanta abbondanza forniscono alla città il salutare elemento?»

Ancora prima di Falcando, Ibn-Hankal di Bagdad, verso la metà del secolo X, aveva dato una descrizione di Palermo in un'opera geografica, descrizione che venne pubblicata, tradotta in francese da Michele Amari, a Parigi nel 1845. Il lavoro non è di gran mole, ma ha un certo valore. L'autore divide Palermo in cinque quartieri, e nell'Alcazar (la Paleopoli di Polibio) fa menzione della grandiosa moschea, l'antica cattedrale dei cristiani, nella quale eravi una cappella in cui stava sospesa per aria la tomba di Aristotile. Ivi, nei tempi anteriori, venivano i cristiani a pregare per implorare la pioggia.

Nel Khalessah stava la dimora dell'emiro; nel Sakalibah (secondo l'Amari, quartiere degli Schiavoni) c'era il porto; il quarto quartiere era quello della moschea di Ibn-Saktab; a mezzogiorno della città si stendeva il quartiere di El-Jadid, l'attuale Albergaria.

Ibn-Hankal accenna anche ai mercanti, alle loro botteghe, specie quella dei macellai, alla preparazione dei papiri, ed ancor più descrive le fontane, sopratutto quella di Favara.

Ho già ricordato il viaggio di Mohamed-Ibn-Djobair, che contiene pure una pregevole descrizione della città sotto i Normanni: egli paragona Palermo, specialmente la città antica, l'Alcazar, per i suoi bei palazzi e le sue torri, a Cordova. «La città, egli scrive, è fabbricata mirabilmente sullo stesso tipo di Cordova, tutta in pietra lavorata, della cosidetta El-Kiddan. I palazzi reali stanno all'intorno e la circondano come una collana posta sul bel collo di una fanciulla».

Le notizie di questi due Arabi e dell'ebreo Beniamino di Tudela completano la breve descrizione del normanno Falcando, il quale descrive pure i principali edifici di Palermo ed afferma che la città al suo tempo si era mantenuta divisa in quartieri, come sotto la dominazione araba, e che parecchie piazze e strade e porte avevano conservato i loro antichi nomi arabi. Da quanto egli narra si arguisce che la città a quel tempo si trovava nel suo massimo splendore. Per la ricchezza e la bellezza dell'architettura indubbiamente il periodo normanno fu il più felice e normanni sono difatti i monumenti più notevoli che ancora rimangono. Gli Svevi, compreso Federico, non hanno lasciato alcun ricordo architettonico. Per varie ragioni essi dimorarono sempre fuori dell'isola, mentre i principi normanni stabilirono colà la loro dimora e cercarono di dare alla città lo splendore necessario alla capitale di una nuova e possente monarchia.

Ci resta ora da parlare dei principali monumenti dell'epoca normanna, primo fra tutti il palazzo reale. Questo castello, così straordinariamente interessante in special modo pei Tedeschi, poichè fra le sue mura trascorse la poetica giovinezza uno dei più grandi imperatori di Germania, e del pari interessante per gl'Italiani, che lo considerano quale culla della poesia nazionale,—sorge in fondo alla via detta Cassero, sulla piazza da cui si domina tutta la città. A quanto pare, è l'edificio più antico di Palermo, non risalendo soltanto ai Saraceni, ma ai Cartaginesi, ai Romani ed ai Goti, che vi stabilirono la loro sede principale. Ivi sorgeva indubbiamente il palazzo degli emiri, da cui si farebbe derivare il nome di Cassero, che fui poi esteso a tutta la città e finì per rimanere alla strada principale. Si vuole che il palazzo sia stato costruito dal saraceno Adelkam. Ruggero I e il suo successore lo ampliarono; ivi vissero Federico, Manfredi e i suoi successori, che lo resero sempre più vasto, riducendolo nella forma irregolare di palazzo e di fortezza che attualmente presenta.

Falcando così ce lo descrive ai tempi di Guglielmo il Malo: «Lo stupendo edificio è costruito con pietre lavorate con grande cura ed arte squisita; è circondato da solide mura ed è pieno di ori e di argenti. Alle estremità sorgono due torri, la Pisana, destinata a custodire i tesori regali, e la Greca, dominante la parte della città chiamata Khemonia. Nel centro sorge una sala straordinariamente decorata, per nome Ioaria, in cui si trattengono in udienze segrete il re e i suoi confidenti, ed in cui il re concede udienza ai baroni, per discutere degli affari più importanti del regno».

Quasi ogni traccia di quelle antiche costruzioni è ormai andata perduta; solo rimane la torre di S. Ninfa, che doveva essere la parte più antica del castello, e la famosa cappella palatina. In cima alla torre sorge l'osservatorio, da cui padre Piazzi, il 1o giugno 1801, scoprì Cerere, la stella dal nome della Dea protettrice dell'isola. Il cortile ha tre ordini di portici, che lo circondano; al primo piano trovasi la celebre cappella palatina, uno dei più bei monumenti dell'epoca normanna, costruita da re Ruggero nel 1132 e dedicata a S. Pietro. Essa è connessa al palazzo e non ha una vera facciata; vi si accede da un portico sostenuto da otto colonne di granito egiziano, con mosaici nelle parti superiori, illustranti i fatti dell'antico Testamento e l'incoronazione di Ruggero. Sull'ingresso sta un'iscrizione in lingua greca, araba e latina, che indica come il re avesse fatto disegnare con somma cura nel palazzo un orologio solare. L'iscrizione in lingua araba è stata così tradotta: «Fu dato ordine dalla maestà reale, il magnifico ed illustre re Ruggero, che Iddio protegga ed eterni, di costruire questo strumento per segnare le ore, nella metropoli di Sicilia, protetta da Dio, l'anno 536» (dell'Egira).

La basilica, davvero caratteristica, fantastica e misteriosa, non paragonabile a nessun altro tempio italiano dello stesso genere, scarsamente illuminata dal sole, ha le pareti rivestite di marmi e di mosaici a figure su fondo d'oro, che a momenti si perdono nella dubbia luce e a momenti, colpite da un raggio improvviso e passeggero, balzano fuori violentemente. Quando io vi entrai, si stava celebrando una messa solenne da morto per l'ultimo re defunto. Nella navata centrale sorgeva un alto catafalco coperto di velluto nero, su cui posava una regale corona d'oro; tutt'intorno ardevano ceri e sotto le volte risuonavano i canti dei sacerdoti e si elevavano nubi d'incenso. Lo spettacolo, fra lo splendore misterioso dei mosaici e le decorazioni arabe, riportava la fantasia ai tempi di re Ruggero.

La cappella ha forma di basilica, con una tribuna e superiormente una cupola d'oro. Dieci colonne corinzie, sulle quali riposano gli archi, la dividono in tre navate. Le pareti, all'intorno, sono del pari rivestite, sino all'altezza di dodici palmi, di marmi diversi, e al disopra, ovunque, sono mosaici, che illustrano gli episodi dell'antico e del nuovo Testamento. Sull'arco della tribuna vi è rappresentata l'Annunciazione e sulla tribuna stessa una mezza figura gigantesca di Cristo, con la mano sollevata in atto di benedire. Sotto le figure stanno iscrizioni greche e latine. Questi mosaici non risalgono a Ruggero I, ma a Guglielmo I, secondo quanto afferma Romualdo da Salerno, il quale ha lasciato scritto che «Guglielmo fece ornare di pitture preziose la cappella di S. Pietro, nel palazzo, e ne fece rivestire le pareti di marmi preziosi». Ciò non esclude però che tali lavori fossero stati iniziati, come pare, da Ruggero.

A quel che sembra, in Sicilia e nell'Italia meridionale esisteva una scuola di mosaicisti greci, i quali allo stile bizantino diedero una più vivace espressione. Infatti, i mosaici siciliani sono di una dolcezza tutta speciale, non hanno nulla della durezza e dell'angolosità della scuola bizantina. Mentre i Veneziani chiamavano mosaicisti da Costantinopoli per la decorazione del S. Marco, i Normanni, allorchè edificarono in Sicilia le loro chiese, vi trovarono già una scuola, che era in fiore al tempo dei Greci, come ne fa fede il tempio grandioso di Gerone a Siracusa, ove era rappresentata in mosaico l'Iliade. La pratica di quest'arte non venne mai meno: sul finire del secolo IV dell'èra cristiana gli artefici del mosaico in Sicilia erano superiori a quelli di Roma, da quel che si rileva dall'epistola che papa Simmaco scrisse ad un certo Antioco di Sicilia per avere dei modelli per i mosaicisti romani: «L'eleganza del tuo ingegno—dice la lettera—e la squisitezza delle tue invenzioni meritano di essere tenute in gran conto, poichè tu hai trovato nell'arte tua mezzi nuovi, prima sconosciuti, e ci piacerebbe poter ornare con qualcosa di tuo i nostri appartamenti: inviaci dunque una tavola, o una lastra di marmo con un modello dei metodi nuovi da te escogitati».

L'arte del mosaico non si perdette nell'isola, neppure sotto la dominazione degli Arabi; la Sicilia si era mantenuta sempre in relazioni continue con Costantinopoli, e gli Arabi si valsero dell'opera loro per ornare le proprie case, con figure e sopratutto con disegni capricciosi e con arabeschi. Molto probabilmente i lavori in mosaico del duomo di Salerno, di quello di Palermo, di quello di Monreale, sono opera di scuola indigena dell'Italia meridionale. Ruggero stesso fece eseguire notevoli lavori in mosaico nel suo palazzo e la cappella palatina è adorna di dorature, pitture e arabeschi, che conferiscono ancor più al tempio un carattere misterioso.

Nel 1798 fu scoperta nella vòlta di questa cappella una lunga iscrizione araba, in caratteri cufici, compresa in venti grandi compartimenti, che, per quanto si potè decifrarla, si riferiva al fondatore della cappella ed al tempio stesso, con parole esagerate di lode e invocazioni di durata. Siccome poi quest'iscrizione, al pari di tutte le altre arabe che sono nelle chiese palermitane, era di origine cristiana, si rimane davvero stupiti nel trovare adoperata con tanta ingenuità nei tempi cristiani la lingua e le parole del Corano, specie in un'epoca in cui il fanatismo religioso dei crociati aveva raggiunto l'apogèo. Come facilmente si arguisce, nessuna di queste iscrizioni è tolta testualmente dal Corano, ma coi caratteri serba anche una certa impronta mussulmana. L'idioma arabo a quel tempo non era ritenuto da meno del greco, e l'Oriente, per intelligenza e per civiltà, era grandemente superiore all'Occidente, e buona parte della letteratura greca era pure stata rivelata all'Occidente per mezzo della lingua araba che divenne quasi una lingua ufficiale. Del resto, i caratteri orientali avevano un non so che di enigmatico, di misterioso; avevano già in sè delle linee geometriche e si prestavano quindi mirabilmente all'ornamento delle pareti e delle colonne delle basiliche siciliane, che formano quasi un nesso tra il cristianesimo e l'Oriente, nella stessa guisa che quelle di Roma lo formano tra il paganesimo e il cristianesimo.

Negli archivi della cappella palatina sono conservati parecchi diplomi greci, latini ed arabi del periodo normanno ed un prezioso cofano circondato d'iscrizioni in caratteri cufici.

Uscito dall'antica cappella, salii al piano superiore del palazzo e vidi i ricchi e belli appartamenti, che hanno un valore storico, poichè vi si ammira ancora la sala del Parlamento, la sala del trono e quella delle udienze, ove si conserva ancora uno dei due famosi arieti di bronzo, che ornavano un tempo una delle porte di Siracusa; l'altro andò distrutto in un incendio. La sala dei Vicerè ne contiene i ritratti dal 1488 ai giorni nostri.

Più interessante di tutte queste sale mi parve la stanza di re Ruggero, ornata di mirabili mosaici, che rappresentano una lotta di centauri, una caccia e degli uccelli. Non si sa veramente perchè questa stanza porti il nome di Ruggero: i mosaici appartengono al XII secolo. Tutti i locali subirono trasformazioni, ed invano io ricercai l'appartamento di Federico II, o almeno una stanza che portasse il suo nome. Qual nome avrebbe del resto potuto dar lustro al palazzo quanto quello di Federigo? Molti principi di diversi paesi, Saraceni, Normanni, Svevi, Spagnuoli, Angioini, Borboni, abitarono questo palagio nella prospera ed avversa fortuna; ma il ricordo di tutti questi scompare quando il nostro pensiero va a quel grande imperatore che vi trascorse la sua giovinezza.

III.

Molte cause contribuirono a far sorgere in Sicilia un'eccellente architettura ecclesiastica ed a darle un'impronta tutta speciale, e sopratutto il carattere di quel secolo in cui il cristianesimo venne in lotta con l'islamismo, in contatto del quale sì a lungo era vissuto, specie quando la dominazione dei Normanni si trovò di fronte alla religione di Maometto. Trionfante, allora, risorse in Sicilia la fede di Cristo e riacquistò il terreno perduto: chiese stupende, capolavori in cui l'ispirazione orientale sopravviveva, monumenti della vittoria della religione cristiana su quella di Maometto, sorsero ovunque.

Qualcosa di simile era già avvenuto quando gli Elleni avevano sconfitto nella battaglia d'Imera i Cartaginesi, che avevano invasa tutta quanta l'isola: essi, nell'ebbrezza della vittoria, avevano disseminato il suolo conquistato delle loro magnifiche costruzioni. Gli Dei della Grecia, Giove, Apollo, Cerere e Venere, avevano atterrato il Moloch africano, e il contrasto della civiltà e della religione greca con la barbarie africana si era pronunciato meravigliosamente, avendo Gelone di Siracusa, fra le altre condizioni di pace, imposto ai Cartaginesi di cessare del tutto, qualsiasi sacrificio umano.

Dopo oltre quindici secoli, nel secondo grande periodo architettonico siculo, un fatto quasi identico si ripetè, fatto degno di osservazione, unico, che prova ad un tempo come la civiltà umana si svolga secondo le leggi esterne immutabili nella sostanza, varie nella forma. Nella stessa guisa che i Greci nel primo periodo innalzarono i famosi templi di Segesta, di Selinunte, di Agrigento e di Siracusa, i Normanni, una volta liberata l'isola dai novelli Cartaginesi, innalzarono le splendide cattedrali di Monreale, di Palermo, di Cefalù e di Messina. Nel primo periodo la civiltà si era rivolta verso il mezzodì, nel secondo invece si estese nel settentrione, mentre le contrade di mezzodì e di levante decadevano.

A lato del tempio greco a colonne sorse la cattedrale cristiana; a lato del tempio marmoreo, maestoso, severo di Giunone ad Agrigento, sorse il duomo scintillante d'ori dedicato alla Vergine Maria di Monreale: ambedue segnarono un'epoca di florido rinnovamento nella storia dello spirito umano; ambedue avevano un carattere originale diverso e diversa è quindi l'impressione che oggi suscitano. Chi può esprimere la commozione che si prova nel contemplare, in mezzo alla solitudine della campagna siciliana, uno dei templi maestosi di Agrigento? Si direbbe impossibile poter trovare cosa più perfetta, più bella, più armonica nelle forme. Ma anche entrando in una cappella normanna, nella sua semioscurità, fra le sue navate, sotto i suoi archi, fra quelle pareti splendenti di mosaici, non si può fare a meno, dimentichi dell'antichità, di persuadersi di essere entrati in una novella sfera di beltà e d'armonia.

Il sentimento religioso suscitato da questa architettura normanna, che io volentieri, per la sua origine orientale, chiamerei architettura delle Crociate, fu profondo. Da ciò nacquero altre conseguenze. La Chiesa romana di fronte a Bisanzio che sosteneva esser la Sicilia sua proprietà, dovette dare alla conquista dei Normanni quasi un diritto sacro, un'alta consacrazione. Il papa aveva nominato i conti Normanni suoi legati apostolici, aveva concesso a re Ruggero le sacre insegne, quasi a testimonianza della conferma data dalla Chiesa alla sua signoria; i re, inoltre, si ritenevano eletti, non per concessione del papa, ma per grazia di Dio, e difatti rappresentavano nei mosaici delle loro chiese Ruggero e Guglielmo nell'atto di venire incoronati da Cristo stesso. Era dunque necessario che fossero zelanti nel promuovere il risorgimento del cristianesimo nel loro nuovo regno, e tali furono.

Malaterra, storico dei due Ruggeri, così parla del conquistatore della Sicilia:

«Allorchè il conte Ruggero vide che per la grazia di Dio, tutta quanta la Sicilia faceva omaggio alla sua signoria, non volle mostrarsi ingrato a così gran beneficio e cominciò a render grazia a Dio, ad esser giusto, a ricercare la verità, a frequentare le chiese, a prendere devotamente parte ai sacri uffizi, a concedere alle chiese il decimo de' suoi redditi, a soccorrere le vedove, gli orfanelli, i derelitti, e in molti luoghi dell'isola innalzò basiliche».

Altre ragioni politiche, in quel tempo di Crociate, si unirono allo spirito religioso per indurre i Normanni a favorire gl'interessi della Chiesa; una stirpe principesca, salita di recente e soltanto per forza di conquista su uno dei più bei troni d'Europa, aveva bisogno dell'aiuto del papa e del clero per affermarsi. Senza quest'appoggio, sarebbero stati perduti, come avvenne di poi agli Hohenstaufen, i quali, entrati in lotta con la Chiesa, cominciarono dal perdere Napoli, poi la Sicilia e quindi ogni dominio.

A queste influenze aggiungasi il desiderio naturale in una dinastia sorgente di affermare per mezzo di splendidi monumenti la sua dominazione, e si capirà facilmente perchè l'architettura ecclesiastica in Sicilia abbia preso rapidamente piede. Si voleva superare tutto quello che si era fatto, rivestire le chiese per intero d'oro, far cosa ancor più bella della basilica di S. Sofia e di quella di Bisanzio, al cui imperatore era stato tolto il regno: e Ruggero edificò rapidissimamente, in un anno si dice, il duomo di Cefalù, la cattedrale di Messina e la cappella palatina di Palermo. Così lo sviluppo dell'arte fu altrettanto rapido quanto quello della dominazione stessa dei Normanni.

Tutte queste costruzioni furono però superate da Guglielmo II, ultimo principe legittimo della stirpe normanna, il quale eresse nel duomo di Monreale il più bel monumento alla sua famiglia e contemporaneamente uno dei più bei monumenti dell'architettura medioevale. Fu compiuto in sei anni, fra il 1170 e il 1176 e la fama della sua magnificenza si propagò rapidamente sin nei più lontani paesi. Nel 1182, papa Lucio III innalzò Monreale alla dignità di arcivescovado e parlando nella bolla di re Guglielmo, così scrisse: «In brevissimo volgere di tempo seppe elevare al Signore Iddio un tempio meraviglioso, lo dotò di castella, di rendite, di libri, di arredi sacri, riccamente ornati d'oro e di argento, vi chiamò buon numero di monaci dalla Cava, li fornì di abitazioni e di ogni cosa occorrente, di guisa che non vi fu dai tempi più remoti altro re che compisse opera altrettanto grande, la cui sola descrizione riempie di stupore».

La chiesa di Monreale ha veramente qualche cosa di singolare; si direbbe che ivi, nelle vicinanze dei lidi africani, fra quelle piante aromatiche e bizzarre, fra le palme gli agavi, gli aloe, sotto quel luminoso sole meridionale, il cristianesimo abbia ricevuto una speciale, quasi fantastica impronta.

L'architettura della basilica è un capolavoro dello stile ecclesiastico normanno-siculo e riunisce in sè i tre tipi: greco-bizantino, latino ed arabo. I Normanni, che veniano dall'Occidente, ove predominavano le forme romane, trovarono in Sicilia tanto le tradizioni bizantine, quanto quelle saracene. L'isola era stata posseduta varî secoli dai Bizantini, la lingua usata in Sicilia era greca, greco il loro culto, greci i caratteri architettonici delle loro chiese, caratteristiche per la pianta quadrata e per l'abbondanza delle cupole. In esse il Santuario veniva elevato in forma di triplice ovale, simbolo della Santissima Trinità, imperocchè di fianco del coro stavano due cappelle meno elevate, di forma emisferica, a sinistra la protesi per la preparazione al sacrificio, a destra il diaconico, destinato ai diaconi ed alle loro letture. Anche i Bizantini solevano ornare di mosaici le vòlte, gli archi e le pareti delle loro chiese.

I Normanni accettarono quest'architettura e dai Saraceni presero l'arco a sesto acuto e i rabeschi per le pitture murali. Conservarono inoltre il tipo della basilica romana, in uso nel resto d'Italia, cioè a dire una navata lunga, divisa da due file di colonne sostenenti il tetto a solaio, e collocarono questa navata davanti al santuario, ma invece di destinare, come nelle antiche chiese le colonne a sopportare un architrave, portarono sopra quelle gli archi a sesto acuto, riunendo in una le tre forme architettoniche e dando origine a quel tipo che fu in uso in tutta quanta la Sicilia e che a poco a poco si accostò a quello gotico, e finì per confondersi con questo.

Si possono consultare utilmente a questo riguardo l'opera di Serra di Falco intorno a Monreale ed altre chiese sicule-normanne, quelle di Hittorf e di Zanth sull'architettura moderna della Sicilia, e le descrizioni di Monreale fatte dal Lelli e dal Del Giudice.

Il duomo misura 372 palmi di lunghezza, 174 di larghezza; il suo campanile è alto 154 palmi. Ha bellissime porte di bronzo, sulle quali sono scolpiti parecchi archi semispezzati ed ornati di ricchi arabeschi, sostenuti da pilastri con mosaici, e sculture nel vano: un'iscrizione latina dice che fonditore di esse fu Bonanno da Pisa, lo stesso che gittò le porte di bronzo del duomo di quest'ultima città. Gli altorilievi, divisi in quarantadue campi, rappresentano le gesta dell'antico e del nuovo Testamento, e per valore artistico possono stare a fronte dei mosaici bizantini. Le figure sono forse dure, sono un po' magre, ma colpiscono pel loro carattere d'ingenuità quasi puerile. Le iscrizioni in lingua volgare dell'epoca che accompagnano le figure, corrispondono perfettamente all'idioma usato dai poeti siciliani contemporanei. Ad un lato della chiesa v'è un'altra porta, pure di bronzo, opera di Barisano da Trani.

Nell'interno il duomo si presenta grandioso, stupendo, ma non con quel carattere severo delle antiche cattedrali gotiche, ove l'anima quasi si sperde nell'idea dell'infinito, e non ha neppure l'imponenza maestosa di S. Pietro, in cui lo splendore del papato s'impone, e nemmeno ha la severa maestà delle basiliche bizantine: ivi la grandezza è minore e la severità è temperata dalla grazia dell'arte. Gli archi snelli a sesto acuto, poggianti sopra nove colonne di granito orientale, dànno belle proporzioni alla navata centrale e lasciano penetrare e spaziare lo sguardo in quelle laterali. Il pavimento di marmi rari, di vario colore e a disegni, lo splendore delle travi dorate, le pitture dei compartimenti del solaio, i mosaici e gli arabeschi che cuoprono tutti gli archi e le pareti delle tre navate, tanta profusione di sculture e d'oro, producono un'impressione indimenticabile. Pel Dio delle terre nordiche un tempio così luminoso e così gaio non parrebbe conveniente, ma pel Dio del mezzogiorno indubbiamente sì. Entrando in questo tempio dalla meravigliosa campagna di Monreale, pare piuttosto di trovarsi in un vasto e regale palazzo.

Nella navata centrale i mosaici cominciano sopra il piccolo architrave che posa sui capitelli delle colonne. La parete superiore è divisa in due parti da una cornice, l'inferiore è ornata di arabeschi che seguono la forma degli archi; nei campi intermedi fra questi sono rappresentate, su fondo d'oro, scene bibliche. Nella parte superiore si trovano le finestre, aperte nel centro degli archi, e gl'intervalli sono tutti quanti riempiti di mosaici. Sotto il solaio corre una larga fascia, coperta di arabeschi, con spazi circolari di tanto in tanto, nei quali stanno mezze figure d'angeli. Ovunque lo sguardo si volge, verso le cappelle, le navate, le pareti, ovunque trova mosaici, che rappresentano fatti della sacra Scrittura, oppure figure isolate di Dio, di angeli, di santi greci o latini; tutto l'antico e novello Testamento contribuì alla decorazione di questa meravigliosa chiesa; tutto il ciclo della religione mosaica e di quella cristiana venne svolto sulle pareti di questo duomo; e concorsero ad arricchirlo perfino le due comunioni cristiane in disaccordo, quella dei Greci e quella dei Latini: i santi dell'una e i santi dell'altra vi trovarono ospitalità.

Grande è la meraviglia che desta questo fatto, l'aver l'arte potuto nello stesso luogo concentrare, radunare e rappresentare tutto quanto il sistema e l'ordinamento della religione cristiana. L'arte moderna non è più capace di riprodurre, come allora, le varie fasi dello svolgimento dello spirito umano; tutti i tentativi recentemente fatti con la pittura ad affresco, son riusciti fredde allegorie, incapaci di suscitare veruna commozione.

I mosaici, le sculture di Giotto sul campanile di Firenze, rappresentanti la storia della civiltà umana, e il poema di Dante, si possono considerare come monumenti di quel periodo in cui l'idea cristiana si rese padrona dell'arte e la costrinse a farsi riprodurre sotto tutte le più svariate forme. Bisogna però ricordare che il ciclo di mosaici di Monreale è anteriore di circa un secolo a Dante e a Giotto; e quando si pensi che la Divina Commedia non esercitò la sua vera e positiva influenza sull'arte che ai tempi di Michelangelo, e non indusse fino a quell'epoca i pittori a rappresentare il ciclo epico di quella, sembrerà ancor più meraviglioso che fin da allora si potesse rappresentare con tanta grandiosa unità nei mosaici di Monreale, l'intera storia del cristianesimo.

Non si sa bene a chi si debba attribuire questo pensiero; ma osservando in altre chiese di Palermo del periodo normanno la stessa idea, quantunque in esse svolta con minori proporzioni nella loro decorazione, si può arguire che avesse origine da tradizioni bizantine. Del pari non sappiamo chi dirigesse i lavori, ma si sa che furono impiegati tre anni nell'esecuzione dei mosaici, e il duca Serra di Falco ha calcolato che vi dovettero essere adibiti non meno di cinquanta artefici.

L'idea della ripartizione è la seguente: il ciclo comincia con la creazione del mondo ed arriva sino alla lotta di Giacobbe con l'angelo; ogni quadro ed ogni soggetto ha il suo fine in Cristo, la cui immagine è rappresentata nella tribuna. La navata centrale è riservata all'antico Testamento; nel santuario, nelle cappelle e nelle navate laterali è tracciata la vita di Cristo e sono rappresentati anche i profeti e i patriarchi che annunziarono la sua venuta; infine vi è tutta la storia, forse soverchia, dei martiri e dei santi. S. Pietro e S. Paolo, come principi della Chiesa, stanno a fianco della cappella di Cristo: S. Pietro a destra, seduto sul trono, con la mano sinistra appoggiata ad un libro, e con la destra sollevata in atto di dare la benedizione; al disopra ed ai lati sono rappresentate le gesta della sua vita. S. Paolo si trova a sinistra, seduto; superiormente c'è raffigurata la sua decapitazione. In mezzo alla tribuna campeggia il colossale Cristo. Una croce greca splende sul suo capo, lunghe ciocche di capelli gli scendono sulle spalle ed una barba lunga e folta gli copre il mento. Egli solleva la mano destra in atto d'insegnare e con la sinistra tiene un libro: un'iscrizione in lingua greca gli dà il nome di Gesù Cristo pantocrate. Questa figura colossale fa l'impressione di una potenza soprannaturale; è di una cupa solennità e, come tutte le immagini di Cristo d'origine bizantina, rivela un'espressione tutt'altro che divina; come le immagini degli Dei dell'antico Egitto, rivela tradizioni ancora pagane. Il tipo ci trasporta in un'ordine d'idee più lontane da noi della stessa antichità pagana; esso rappresenta un'astrazione terribile che esclude ogni idea di umanità, d'immaginazione, di vita. Tali immagini di Cristo producono in certo modo l'impressione che suscita la testa di Medusa. Io non le ho mai potute guardare senza vedervi, quasi in uno specchio, riflessa la storia della Chiesa, cioè l'ascetismo fanatico, il monachismo, l'odio contro gli ebrei, la persecuzione degli eretici, le lotte dogmatiche, la supremazia dei papi. Nessun'altra cosa ha mai rappresentato meglio, sotto forma simbolica, la potenza positiva e negativa della religione cristiana, e nessuna cosa potrebbe meglio spiegare lo sviluppo dell'arte cristiana nel progresso dei tempi, quanto il confronto di un Cristo bizantino con le teste del Salvatore di Raffaello, o del Tiziano, che esprimono i limiti estremi del modo di comprendere e di rappresentare il tipo religioso.

Non parlerò degli altri mosaici, come quello della Vergine col bambino, in mezzo alla cappella centrale, e dei fatti della vita di Cristo. In genere si osserva nel santuario il predominio del carattere patetico, soprannaturale, religioso ed astratto. Nel riprodurre invece i fatti dell'antico Testamento, l'arte si fa più umana, assume un carattere meno severo, e talvolta anzi quasi ridente; essa, spesso, rappresenta anche piante ed animali. Con molti di questi quadri, che sono di un'ingenuità primitiva, si entra nel mondo naturale, nella storia dell'umanità. Il sacrificio di Isacco, per esempio, è rappresentato con una semplicità caratteristica: Isacco è disteso sopra una catasta di legno; Abramo lo ha afferrato pel capo e solleva un coltellaccio lungo quanto la metà del corpo del ragazzo; dietro a lui stanno due uomini che impugnano nodosi bastoni, e al di sotto un cavallo sellato, e in alto un angelo in atto di volare. Il disegno è spesso difettoso, specialmente negli animali; i dromedari a cui Rebecca porge da bere, sono addirittura grotteschi. Nell'insieme però tutti questi mosaici producono una buona impressione, per quanto le loro tinte si siano di molto annerite pel fumo, giacchè l'11 novembre 1811 lo stupendo tempio di Monreale corse rischio di rimanere preda delle fiamme. Un chierichetto aveva collocata una candela accesa in un armadio, e il fuoco si era appiccato ad alcune stoffe ivi riposte; egli aveva tentato di soffocarlo, chiudendo l'armadio, ed era fuggito senza dir nulla, per timore di una punizione. Nel pomeriggio si vide uscire un denso fumo dalle porte e dalle finestre della chiesa; il popolo si precipitò dentro e trovò il coro in fiamme. Dopo quattr'ore di alacre lavoro si riuscì a spegnere il fuoco, ma il danno era stato grave; i due organi erano rimasti distrutti, il solaio in gran parte rovinato, le travi nella caduta avevano infranto le tombe di Guglielmo I e di Guglielmo

II, ed i mosaici erano stati in parte devastati. Fin dal 1816 si diede principio al restauro dei guasti, e fu fortuna che le tribune e le navate fossero rimaste illese dalle fiamme.

Le tombe dei due Guglielmi e della loro famiglia, a quell'epoca rimaste danneggiate, si trovano oggi nell'ala destra del coro. Guglielmo il Malo riposa in un sarcofago di porfido, e presso di questo sono pure sepolti i suoi tre figli: Ruggero, duca delle Puglie, morto nel 1164; Enrico principe di Capua, morto nel 1179; Guglielmo il Buono, e Margherita loro madre. Così, di tutta la stirpe normanna di Sicilia non mancano che Ruggero I, Simone e Tancredi. Guglielmo il Buono, che costruì la bella chiesa, si vede rappresentato due volte nei mosaici, in uno seduto su di un trono, dove Cristo gli pone sul capo la corona, e nell'altro assiso sulla cattedra vescovile, in atto di presentare alla Vergine il disegno del tempio. Egli riposa ora in un sarcofago di marmo bianco, ornato di graziosi arabeschi, su fondoni d'oro. Il monumento gli venne innalzato solo nel 1575 dall'arcivescovo Ludovico de Torres, perchè il pio re aveva voluto che la sua salma fosse deposta in una semplice fossa murata, a fianco dello stupendo sarcofago del padre.

Guglielmo II non si contentò di costruire il duomo, ma volle anche erigere al suo fianco uno stupendo monastero, dove chiamò dalla Cava i padri Benedettini; e spesso si compiaceva di trattenersi con essi, rallegrandosi dei lavori degli edifici grandiosi, che in quell'epoca andavano sorgendo in Monreale. Il monastero edificato da re Guglielmo, cadde poi in rovina, ma uno nuovo ne venne innalzato sullo stesso luogo, veramente splendido, come del resto lo sono in Italia tutti i conventi dell'Ordine di S. Benedetto, rassomiglianti più a palagi principeschi che a monasteri.

L'antico convento doveva essere assai bello, più bello certo di quello di S. Martino. Sorgeva, come si è detto, di fianco al duomo e dominava tutta la pianura di Palermo. Guglielmo aveva circondato il convento di mura e di torri, delle quali rimangono oggi alcuni avanzi; del resto, dell'antico convento poche rovine rimangono, ad eccezione del meraviglioso chiostro, ancora ben conservato. Questo è un ampio quadrato, circondato da portici; duecentosedici colonnette fantastiche, accoppiate a due a due, reggono gli archi a sesto acuto, ricchi di ornamenti bizzarri; negli angoli si trovano riunite quattro di queste colonnette, ed i loro capitelli sono lavorati con grande cura e perfezione. Meraviglioso è l'effetto che produce questa selva di colonnette graziose, i cui fusti sono tutti lavorati in modo diverso; ve ne sono degli scanalati, degli striati, dei lisci, ed anche a spirale. L'arte prese qui la varietà per legge e si abbandonò interamente al suo capriccio; tutto vi è ingenuo, grazioso, puerile, fantastico. La piccolezza delle forme si prestò a questo slancio ardito dell'immaginazione. Il porticato del chiostro offre il più grande contrasto dei colonnati greci, e difficilmente si possono trovare, negli ordini architettonici, due cose più dissimili.

Meritano poi grande attenzione i capitelli di tutte queste colonnette. Anche in essi regna la varietà; non v'è un capitello simile ad un altro; sembra inoltre che gli scultori abbiano voluto gareggiare con la natura nel riprodurre la varietà delle sue forme. Dalle foglie di acanto, che disposte in varî modi formano la base dei capitelli, sorgono imagini fantastiche, ora di un fiore, ora di un animale, ora di una pianta, ora di una figura umana, le quali sembrano rappresentare un piccolo poema. In alcuni capitelli si scorgono intiere figure che, a guisa di cariatidi, sostengono l'abaco; in altri si vedono imagini bizzarre di leoni, di cavalli, di delfini, di geni alati, di arpie, di dragoni, di grifoni, di esseri fantastici, che balzano fuori dai fiori, e sostengono la tavola che forma l'estremità superiore del capitello. Molti di questi rappresentano fatti dell'antico e del nuovo Testamento; se per il disegno non sempre sono pregevoli, meritano purtuttavia l'attenzione per la loro semplicità e la loro ingenuità. Sopra uno dei capitelli si scorge, come sopra un mosaico di cui abbiamo parlato, re Guglielmo che presenta alla Vergine il disegno del duomo, e in un altro i re Magi che offrono doni a Gesù Bambino. Vi sono poi lotte di guerrieri, che muovono gli uni contro gli altri armati, e scene del tiro all'arco, esercizio molto gradito ai Normanni e in genere a tutti i popoli del Nord. Vi si vedono dunque riuniti argomenti sacri e profani, biblici e scientifici. Come spesso nella natura umana si trovano a contatto il serio e il giocoso, così in Monreale si trova ad ogni passo il contrasto del sublime e dell'umile; la qual cosa è caratteristica dell'architettura gotica, molto più ricca di quella dei Greci sull'espressione delle idee che le diedero vita, perchè maggiormente è rivolta a riprodurre sotto i suoi varî aspetti la natura.

Il chiostro di Monreale è uno dei migliori monumenti di quei primi tempi del medioevo, in cui lo spirito umano nell'architettura, nella scultura e nella poesia cominciava a prodursi con infinite varietà di forme. E poichè tutti i rami di civiltà sono uniti gli uni con gli altri, si può dire che nella poesia i sonetti, le canzoni, le terzine, i madrigali, corrispondessero ai mosaici, agli arabeschi, agli ornati architettonici, alle sculture di quell'epoca di risorgimento delle arti e delle lettere. Come meglio si comprende il senso intimo delle tragedie di Eschilo, dopo aver contemplato i tempî greci di Pesto e di Sicilia, così meglio si comprendono e si apprezzano i poemi di Dante e di Wolfram di Eschenbach, dopo aver visitato le cattedrali d'Italia e i monasteri della Germania.

*

* *

Il duomo di Palermo era, anche prima della venuta dei Saraceni, la chiesa principale della città e della arcidiocesi; esso era dedicato a Maria Assunta in cielo. Gli Arabi lo avevano ridotto a moschea, i Normanni lo restituirono al culto cristiano, togliendovi tutto quanto sapeva di Saraceno. È rimasta solo sopra una colonna del portico un'iscrizione araba tolta dal Corano, la quale così si può tradurre: «Il nostro Dio ha creato il giorno, al quale segue la notte, e la luna e le stelle si muovono secondo i suoi cenni. Non è sua la creatura, non è sua la signoria? Sia lodato Dio, il Signore dei secoli».

L'antica chiesa fu eretta dall'arcivescovo Gualtiero di Offamil, parente di Ruggero, dal 1170 al 1194, secondo lo stile gotico, che il duomo ha ancora conservato, nonostante le molte ed infelici mutazioni a cui andò soggetto. Dell'antica chiesa non lasciò che la cappella di S. Maria Incoronata, nella quale furono incoronati Ruggero e tutti i suoi successori, come accenna l'iscrizione hic regi corona datur. Nel 1781 il duomo fu restaurato, o per dir meglio fu deturpato, per opera dell'architetto napoletano Ferdinando Fuga, il quale eresse una barocca cupola e fece molti altri lavori che ne alterarono completamente l'antico stile. Però, nonostante questi non felici restauri, il duomo di Palermo produce ancora una grande impressione, perchè riunisce in sè la semplicità dell'architettura gotica, e la grazia degli archi e degli arabeschi saraceni, e non v'è altro edificio a Palermo che mostri con tanta evidenza i contrasti di cui è ricca la storia dell'isola.

Il duomo sorge libero, su una piazza di discreta ampiezza, circondata da una balaustra con barocche statue. In mezzo, sopra un piedistallo triangolare s'innalza la statua di S. Rosalia, protettrice della città; questa santa è per i Palermitani quello che per i Napoletani è S. Gennaro.

Ai quattro angoli del duomo si levano quattro torri e sopra le navate laterali delle piccole cupole. L'antico campanile quadrato, per fortuna, non fu restaurato; secondo l'uso toscano sorge accanto alla chiesa ed è a questa unito per mezzo di archi. La tribuna, di forma semicircolare, è ornata con arabeschi in nero. Sulle pareti esteriori, nelle porte, nelle finestre, nelle fasce, nelle cornici si vedono graziose sculture dalle forme fantastiche di colonne e di merli. Sulle porte sta il maggiore ornamento; soprattutto sono da ammirarsi i ricchi arabeschi della porta maggiore e lo stile della porta laterale. Il portico, del 1430, è formato da tre archi a sesto acuto, i quali riposano sopra quattro colonne. Sulle pareti interne dell'altro si vedono due sculture moderne, rappresentanti l'incoronazione di Carlo III e di Vittorio Amedeo di Sardegna, che fu per pochi anni re di Sicilia.

L'interno della chiesa, interamente rimodernata, appare semplice e di piacevole aspetto; ha tre navate a forma di croce latina, con archi a sesto tondo, sostenuti da pilastri. Le cappelle e gli altari sono sopraccarichi di ornati di gusto assai barocco. V'abbondano il marmo e il porfido, ma non vi sono sculture, nè pitture di pregio, eccezione fatta di due acquasantiere di marmo, una delle quali appartiene alla scuola di Antonio Gagini, discepolo di Michelangelo ed uno dei migliori scultori della Sicilia. Nel duomo ci sono pure molte opere di questo chiaro artista, mirabili sopratutto alcuni monumenti sepolcrali nella cripta sotterranea, edificata al tempo dei Normanni e conservante tutto il suo antico carattere di basilica ad archi a sesto acuto sostenuti da gigantesche colonne di granito. Lungo le pareti si allineano le tombe degli arcivescovi di Palermo, consistenti per la maggior parte in sarcofaghi di mediocre lavoro romano. L'aspetto semplice e severo di questo edificio produce una profonda impressione.

La cosa però più pregevole del duomo sono le tombe dei re della stirpe normanna, e di quella degli Hohenstaufen: monumenti non solo della storia siciliana, ma anche di quella tedesca. Queste tombe sono collocate in una cappella della navata di destra; sono dei sarcofaghi di puro e severo stile, di porfido rosso cupo o di marmo. Non ho visto mai nessuna tomba dei tempi cristiani che abbia un carattere così semplice e severo come queste, e che sembri come queste fatta per durare eternamente. Gli stessi due sarcofaghi di porfido del tempo di Costantino, che si ammirano in Vaticano, non producono un'eguale impressione, perchè i loro bassorilievi distraggono alquanto l'attenzione. Tombe di una così grandiosa semplicità e di una maestà così severa potrebbero servire anche per i re dei Nibelungi. In esse si riconosce l'impronta grandiosa del secolo XIII. Attestano che in quell'epoca i Siciliani avevano conservata l'arte di lavorare il porfido, arte che nel resto della penisola era andata perduta e non fu ritrovata, narra il Vasari, che alla metà del secolo XVI da Francesco del Todda.

In queste tombe sono sepolti il gran re Ruggero, Costanza sua figlia, il marito di lei Arrigo VI, Federico II, il principe più geniale che abbia avuto la Germania, e la sua prima moglie Costanza d'Aragona.

La tomba di Federico è quella che più colpisce la nostra attenzione. Egli morì a Firenzuola, presso Luceria, nelle Puglie, il 13 dicembre 1250, in età di soli cinquantasei anni; e la sua salma fu trasportata in Sicilia da sei squadroni di cavalleria e dalle guardie saracene, e venne deposta nella stessa chiesa dove aveva da ragazzo ricevuta la corona e dove aveva fatto incoronare suo figlio Manfredi. Questi aveva incaricato Arnolfo di Lapo, discepolo dell'illustre Nicola Pisano, d'innalzare uno stupendo monumento all'imperatore suo padre, che però non fu eseguito. Non si sa bene chi sia stato l'autore del monumento attuale, se un Toscano od un Siciliano. Il sarcofago, col coperchio ornato di aquile e di grifoni, posa sopra quattro leoni, i quali tengono fra le loro zanne degli schiavi; al di sopra si erige un tempietto, sostenuto da colonne.

Nel 1491 il vicerè spagnuolo Ferdinando di Acunta si arrischiò ad aprire quelle tombe: alla presenza degli arcivescovi di Palermo e di Messina e del Senato Palermitano, fece scoperchiare i sarcofaghi di Arrigo VI e di Costanza di Aragona, e, solo per la disapprovazione manifesta di tutti gli astanti, si trattenne dall'aprire anche le altre tombe. Quando nel 1781 il duomo fu restaurato, le tombe che si trovavano in una cappella di fianco al coro, vennero trasportate dove ora si vedono, e in quella occasione vennero tutte aperte. Il principe di Torremuzza, che si trovò presente, l'11 agosto, alla loro apertura, narra nella sua vita: «I cadaveri di Ruggero I, di Arrigo VI e di Costanza si trovarono quasi completamente distrutti e nulla di notevole si potè osservare nei loro ornamenti; invece, le salme di Federico II e di Costanza II, suscitarono grande ammirazione per la ricchezza dei loro abbigliamenti e per la qualità delle gemme che insieme con i due principi erano state sepolte. Sulla corona di Arrigo VI e sulla camicia che Federico II portava sotto le altre sue vesti, si trovarono ricamati parecchi caratteri arabi, che furono esattamente ricopiati e spediti, per mio suggerimento, al professore Tichsen, in Butzow, per averne la traduzione».

Le parole del principe non concordano esattamente con la notizia pubblicata dallo storiografo napoletano Daniele, intitolata: I sepolcri del duomo di Palermo illustrati. Secondo questa, il cadavere di Federico II si sarebbe trovato rivestito di magnifici abiti, quantunque con poco decoro si fossero collocati nella stessa tomba due altri cadaveri, uno dei quali fu ritenuto per Pietro II di Aragona, morto nel 1342. La corona dell'imperatore, ornata di perle, posava sopra un guanciale di cuoio, ed a sinistra del suo capo stava lo scettro. Portava in dito un anello con uno smeraldo; al suo fianco stava la spada; aveva attorno al corpo una cintura di seta, con fibbie d'argento; era calzato con stivali di seta, ricamati a colori, ed aveva speroni d'oro.

Disgraziatamente, di questo gran principe non ci è pervenuto nessun ritratto autentico; non possediamo che quelli delle sue monete, e quello, scolpito in un anello, che lo storico Daniele fece incidere con l'aiuto di una maschera in gesso di Federico. Gli abitanti di Capua avevano eretto sul ponte del Volturno una statua all'imperatore Federico e a' suoi due consiglieri, Taddeo di Sessa e Pier della Vigna; oggi rimane solo la statua dell'imperatore ed in assai cattivo stato, perchè, secondo quanto narra Raumer, una soldatesca sfrenata le ruppe le braccia e i piedi e ne buttò a terra la testa. Prima che la statua fosse così mutilata, Daniele aveva preso l'impronta della fisonomia e con questa aveva inciso l'anello.

Quali sensazioni prova oggidì un Tedesco davanti alla tomba di questo grande imperatore, sepolto in terra straniera!

La tomba suscita molti pensieri, e nessuno certo vi si può accostare senza sentirsi commosso.

Altri principi proiettano sul mondo ancora dopo molti secoli un'ombra cupa; questi invece getta tuttora sull'Italia e sulla Germania un raggio di vivida luce. Un grande impulso partì da lui, impulso che si andò poi allargando e che fece sentire per molti secoli la sua influenza, quantunque sembri che nella lotta Federico sia stato vinto. Egli fu il primo ad indebolire il Papato, col quale a lungo lottò, e la sua morte non rimase senza frutto. Federico fu un precursore della Riforma; egli prese a propugnare i diritti dell'umanità, della civiltà e della ragione, contrastati dalle barbarie feudali e sacerdotali del medioevo. Egli dette a' suoi popoli leggi piene di saviezza e di umanità, come mai prima di lui erano state concesse; fu il primo a render ragione al popolo nel diritto di essere rappresentato, chiamando il terzo stato a sedere a parlamento; favorì le scienze, in cui era dotto e per le quali nutriva profondo affetto; amò in sommo grado la poesia e si studiò di farla risorgere in Italia. Federico II fu insomma uno dei più grandi fautori della civiltà, della quale gettò semi che dovevano poi germogliare nel corso dei secoli.

Ora voglio descrivere altre chiese di Palermo, pure dell'epoca normanna; alcune fra le più antiche sono molto graziose, come, per esempio, quella della Martorana, detta anche S. Maria dell'Ammiraglio. Questa venne costruita nel 1143 dal grande ammiraglio Giorgio, in uno stile antichissimo e puro. A fianco della chiesa sorge un campanile di carattere arabo-normanno, ornato di piccole colonne. Si entra nella chiesa per un portico, e subito produce grande impressione la magnificenza dei mosaici, assai simili a quelli della cappella palatina. Il coro ha otto colonne di granito con capitelli dorati che sopportano gli archi. Questi, la cupola, le pareti sino a mezza altezza, sono rivestiti interamente di mosaici su fondo d'oro; il pavimento è formato di marmi rari e di porfido; molte sono in questa chiesa le iscrizioni arabe sopra alcune colonnette.

Fra i quadri a mosaico, due meritano una speciale attenzione; in uno si vede il grande ammiraglio inginocchiato ai piedi della Madonna, e sopra di lui sta scritto in greco: «Preghiera di tuo servo Giorgio Ammiraglio». La Vergine, modestamente vestita, tiene in mano un foglio arrotolato; in alto sta un Cristo con lo scettro. Sul rotolo si legge la seguente iscrizione: «Proteggi e libera da ogni male Giorgio, primo fra tutti i principi, il quale mi abbia costruito questo tempio dalle fondamenta, e concedi a lui il perdono dei suoi peccati, chè tu solo, come Dio, lo puoi». Un altro mosaico, di migliore fattura, rappresenta re Ruggero incoronato da Cristo. Il re ha una bella testa, con i capelli lunghi che gli scendono sulle spalle e con la barba a pizzo; porta un abito lungo di colore turchino, con sopra una tunica del medesimo colore, ricamata d'oro, e sulle spalle una fascia pure d'oro, che, dopo essersi incrociata sul petto, gli ricade sotto il braccio sinistro.

In capo tiene la corona, o meglio un berretto quadrato, ed ai piedi le scarpe color di rosa. A questa maniera fu trovato vestito Federico II, quando fu aperta la sua tomba, e così pure vestivano Arrigo VI e Guglielmo I. Marso sostiene che questi abiti regali fossero insegne della podestà sacerdotale che Ruggero ottenne dal papa Lucio II per dare maggiore consacrazione alla sua nuova signoria. Infatti, come narra Ottone da Frisinga, egli ottenne lo scettro, l'anello, la dalmatica e i sandali.

Disgraziatamente i mosaici della tribuna furono distrutti quando si fecero i restauri alla chiesa, nel secolo XVI, e la tribuna stessa fu trasformata in stile barocco. Oltre il pregio artistico, la chiesa della Martorana ha pure quello storico, poichè essa fu, dopo il Vespro, sede del Parlamento che elesse re Pietro di Aragona.

La piccola chiesa di S. Giovanni degli Eremiti è più antica, essendo stata edificata da re Ruggero nel 1132. Ha quattro cupole di stile prettamente arabo, nell'interno è piccola, ed essendo abbandonata da lungo tempo, non presenta che nude pareti. Vicino alla chiesa si vedono le rovine di un piccolo chiostro, di stile arabo-normanno, graziosissimo.

La terza chiesa dei primi tempi normanni è S. Cataldo, di carattere greco, con tre cupole emisferiche sostenute da archi a sesto acuto. Essa è di forma quasi quadrata, e si dice che sia stata eretta dall'ammiraglio Maione.

Di altre chiese normanne, come quella di S. Giacomo la Magara e di S. Pietro la Bagnara, non rimangono quasi più traccie; altre furono in tempi più recenti dagli Spagnuoli mutate interamente di forma. Gli Hohenstaufen non costruirono chiese in Sicilia. Sembra invece che l'architettura religiosa sia tornata a fiorire al tempo degli Aragonesi, e ne fanno prova S. Agostino e S. Francesco; di quest'ultima non si conosce l'anno preciso della fondazione. La sua porta maggiore è ornata di colonne che sembrano di origine araba, e che debbono aver appartenuto prima ad una moschea, poichè sopra una di esse si legge ancora la seguente iscrizione maomettana in caratteri cufici: «Nel nome di Dio misericordioso, misericordia. Non vi è altro Dio che Dio, e Maometto è il suo profeta».

Bella e pittoresca è la facciata della piccola chiesa di S. Maria della Catena, che risale al secolo XVI; il suo portico a tre archi, sostenuto ognuno da due colonne, è molto bello, e sopra di esso corre una fascia con arabeschi graziosissimi. Anche S. Maria Nuova possiede un simile portico. Potrei descrivere molte altre belle chiese, come quella dell'Olivella, ma ciò mi porterebbe in altri tempi, nei quali l'architettura non ebbe più un carattere deciso, poichè col secolo XV l'arco normanno andò in disuso, e lo sostituì l'arco a sesto tondo, sostenuto da gravi pilastri. Il mosaico artistico è scomparso, le pareti non sono più che sovraccariche di marmi di vario colore, disposti senza gusto: l'unico capolavoro di pittura di cui Palermo potesse essere orgogliosa, lo Spasimo di Raffaello, che si trovava in S. Maria dello Spasimo, è ora il principale ornamento del museo di Madrid.

SIRACUSA
(1855)

Il meraviglioso paesaggio siracusano mi apparve, la prima volta, mentre il sole volgeva al tramonto, illuminando il mar Ionio e la ricurva costiera fino ai monti d'Ibla, di quelle tinte calde che sono quasi un segreto e un prodigio del cielo siciliano.

Nessuna parola varrebbe ad esprimere le sensazioni che quella vista mi produsse io dirò soltanto che l'emozione che ne ebbi fu di molto superiore a quella che avevo provata sulla cima dell'Etna, di dove si scorgono tutta quanta l'isola, i tre mari che la recingono e, più lontano, le coste del continente italiano. La storia parla all'anima più che gli spettacoli della natura e l'uomo non vive che di memorie. Giunsi a Lentini (Leonzio), patria del sofista Gorgia, seguendo la via di Catania e passando dinanzi alla deserta penisola di Magnisi—l'antica Tapso—e per il porto Trogilo.

Tra queste località s'innalza, per sessantacinque metri circa sul livello del mare, un vasto altipiano, dalla forma triangolare, e col vertice segnato dalla vetta del monte Eurialo. Su questo altipiano sorgeva l'antica Siracusa che si prolungava fino all'isola di Ortigia, congiungendo questa alla terra ferma per mezzo di una diga.

Oggi dal sommo dell'altipiano si vede l'isola con la povera Siracusa moderna, ai lati di essa i due stupendi porti e a tergo il capo Plemmirio: paesaggio classicamente severo, paragonabile soltanto alla campagna romana. Verso terra si aggruppano neri ed imponenti i monti d'Ibla ed ai loro piedi il mar Ionio, solcato una volta da vittoriose moltitudini di galee, s'inargenta di spume. Da tutti questi luoghi deserti e sassosi, dalle pianure ove crescono magri oliveti, dai ruderi da cui sbucano a frotte gli uccelli di rapina, dovunque si volga lo sguardo, sorgono in folla le memorie di tempi trascorsi, di generazioni distrutte, di una civiltà che originò tanti grandi avvenimenti storici. Dalla parte opposta appare il capo Plemmirio, anch'esso arido e pietroso e l'isola di Ortigia che formano i due bracci di quel porto che i Siracusani avevano sbarrato a Nicia con navi e con catene; in fondo l'Anapo scorre fra i suoi papiri; qualche capanna di pescatore biancheggia su quella solitudine e niente più della maravigliosa corona di giardini e di ville che anticamente facevano superba la contrada.

Proseguii la strada deserta verso l'isola, osservando i numerosi sepolcri scavati nelle rocce ed i bizzarri accidenti di cave abbandonate. Vicino al piccolo porto si cominciano a vedere alcuni giardini e parecchie vigne, le quali forniscono il rinomato vino di Siracusa che una volta procurava molta ebbrezza a Gelone, a Yerone ed a Pindaro. Dinanzi all'isola s'innalza una colonna bellissima, unico avanzo di quella città ricca di industrie e popolata di un milione di abitanti.

Cercherò di dare un'idea approssimativa dell'antica città della Magna Grecia, descrivendola sul luogo. Essa era composta di cinque città; Cicerone non ne annoverò che quattro, poichè non tenne conto di quella parte superiore di Epipola, la quale non constava che di castella e di fortificazioni. Le cinque città erano pertanto: Ortigia (isola), Achradina, Neapoli, Tycha ed Epipola. Le ricerche di Fazello, di Cluverio e di Mirabella e quelle più recenti di Serra di Falco, permettono di assegnare a ciascuna città la propria località di un tempo e di precisare a quali edifici debbano riferirsi le rovine che ancora esistono.

I.
Ortigia.

L'isola di Ortigia ha, anch'essa, la forma di un triangolo, col vertice in direzione del capo Plemmirio. Presentemente vi è costruita tutta la moderna Siracusa e le fortificazioni la cingono di alte muraglie. Essa era la parte più vecchia della città ed anche la più importante per le sue tradizioni favolose. Artemio vi dimorò molto tempo e fu denominata Artigia, nome appartenente pure all'isola di Delo. Fu da prima abitata dai Sicani; quindi i Corinzi, sotto la guida di Archia, la conquistarono e edificarono Siracusa.

In Ortigia si trovano i monumenti sacri più antichi di Siracusa, fra i quali notevolissimi i templi di Giunone, di Diana e di Minerva. L'isola era validamente fortificata già sotto il primo Dionigi, che costruì sull'istmo un muro con torri e con un castello, nel punto ove prima sorgeva lo stupendo palazzo di Yerone. Da Dionigi furono pure innalzate le fortificazioni dell'isola e la darsena del piccolo porto, che dopo di lui ebbe nome di Porto Marmoreo. Ortigia in seguito subì parecchie e notevoli vicende: Timoleone atterrò la rocca edificata da Dionigi e vi costruì i tribunali; ivi egli stesso fu sepolto e presso la sua tomba fu edificato il Timoleonzio, ch'era un ginnasio per la gioventù. Quando però i Romani assediarono Siracusa, sull'istmo sorgeva di nuovo una fortezza.

Dell'antica Ortigia poche rovine oggi rimangono. La città moderna occupa tutta quanta l'isola. Essa fu, per le sue opere di difesa, compiute nei tempi bizantini e sotto i regni di Carlo V e di Carlo III di Borbone, una delle fortezze più possenti del regno delle Due Sicilie. Al vertice del triangolo s'innalza la torre del greco Giorgio Maniace, generale dell'imperatore Costantino Paflagonio, il quale, avendo tolto sul principio del secolo XI ai Saraceni Siracusa, edificò la fortezza. Sulla porta di questa collocò i due famosi arieti di bronzo, fusi al tempo di Diocleziano e più tardi trasportati a Palermo, nel palazzo reale, dove ancor oggi uno si trova, essendo stato l'altro consumato in un incendio.

Vicino a questa fortezza sgorga la famosa fonte d'Aretusa, che ha origine in due antiche grotte a vòlta. Visitando queste sacre fonti, si rimane fortemente impressionati nel vedere la quantità di mendicanti che ivi domandano l'elemosina, e la turba di donne seminude che vi guazzano dentro, in modo schifoso, offrendo l'acqua ai forestieri, vera parodia delle ninfe che un dì si tuffavano in quelle onde. Nel punto dove la fonte sbocca dalla grotta, tempo addietro fu costruito un semicircolo in muratura, nel centro del quale sorge un piedistallo che aspetta ancora la statua della ninfa. Mi fu mostrato non molto distante da terra l'Occhio della Zilica, una polla d'acqua dolce che sorge nel mare nel punto dove, secondo la leggenda, Alfeo raggiunse la ninfa fuggiasca.

La più bella rovina, non solo di Ortigia, ma di tutta l'antica Siracusa, è il tempio di Minerva, salvatosi da completa distruzione pel fatto che fu ridotto a tempio cristiano. Se ne ammirano ancora le ventidue colonne del peristilio; tredici a settentrione, e nove a mezzogiorno, quantunque miseramente rinchiuse nelle pareti della chiesa. Sono stupende colonne doriche, con magnifici capitelli di otto palmi di diametro e trentadue di altezza. La forma del tempio era quella di un hexastylos peripteros, con trentasei colonne, lungo duecento diciotto palmi e largo ottantasei e mezzo. Dalla leggenda narrata da Diodoro, che i Geomori di Siracusa confiscarono i beni dell'appaltatore della costruzione, Agatocle, per essersi costruita una casa con materiali destinati al pubblico edificio, si può dedurre che il tempio di Minerva risalga all'epoca in cui i Geomori non erano stati scacciati dai plebei. Cicerone nelle sue Verrinae fa una bella descrizione del tempio, affermando che era il più bello che avesse mai visto. Bella e sontuosa era la sua decorazione, in cui abbondavano preziose sculture d'oro e d'avorio; nell'interno, sulle pareti, erano scolpite le guerre di re Agatocle contro i Cartaginesi ed i ritratti di ventisette re di Sicilia disposti come i ritratti dei Papi in S. Paolo fuori delle mura, a Roma. In cima al frontone del tempio, secondo quanto narra Ateneo, sorgeva una statua d'oro di Minerva, la quale, pel suo grande splendore, si scorgeva dal mare a grande distanza. I naviganti che salpavano dal porto di Siracusa toglievano dall'altare di Giove Olimpico un vaso di carbone acceso e lo tenevano in mano finchè potevano vedere la statua di Minerva. Marcello risparmiò il tempio, le sue statue e i suoi tesori; Verre, invece, rubò tutto quanto vi era di valore, e non ebbe nessun rispetto per l'opera d'arte.

Del tempio di Diana, in Ortigia, si sono scoperti alcuni avanzi, due colonne doriche con sedici scannellature, oggi visibili nella corte di una casa Santoro.

Questi sono gli unici avanzi dell'antica città insulare; di tutti i suoi splendidi edifici nulla più rimane; la città presenta oggi un aspetto melanconico e triste ancor più di Girgenti. Le sue strade, strette, sudicie rivelano ad ogni passo la miseria; nessun altro paese mi ha fatto tanta e così triste impressione. I due bei porti, una volta così attivi, sono morti come la città e i campi sassosi di Achradina, e le onde si frangono mestamente sulla spiaggia deserta e silenziosa. Per avere un'idea precisa della tristezza del passato, bisogna contemplare quel panorama da dove sgorga la fonte d'Aretusa, in una notte serena. Ivi la notte mi parve più mesta e più fantastica che fra le ruine del palazzo dei Cesari dell'antica Roma. Io provai una vera nostalgia per l'antica Grecia, patria di ogni eletto ingegno.

Nella notte, presso il porto più grande, splendono alcuni fanali fra gli alberi dell'unica passeggiata dei moderni Siracusani, ove s'inalzano due meschine statue di Yerone, e di Archimede. Per questa passeggiata passano lentamente i Siracusani, poveri, melanconici, senza cultura, senz'arti, senza industria, ridotti alla misera vita di abitatori di una povera terra sotto l'esecrato dispotismo di Napoli. Non ricordo di aver veduto una bella fisonomia in tutta la città; solo lo sguardo di una signora che mi passò davanti, tutta vestita di nero, mi richiamò ai tempi di Aristippo e della siciliana Laide.

Contemplando il bel porto deserto, in cui erano ancorati soltanto due piccoli legni mercantili turchi, mi tornarono alla memoria le parole di Cicerone: Nihil pulchrius quam Syracusanorum portus, et moenia videre potuisse. Infatti, l'attività commerciale dell'antica Siracusa non fu inferiore a quella di Costantinopoli, nei suoi tempi più belli.

Quanta mestizia si prova anche visitando il museo! Ivi sono radunati tutti gli avanzi dei capolavori dell'arte antica di Siracusa, ammonticchiati in una povera stanza, quasi fossero rottami di nessun valore. Tra questi scorsi la famosa Venere Siracusana, priva della testa e mutilata del braccio destro, rappresentata nell'atto di uscire dal bagno, mentre con la mano sinistra raduna il drappo attorno al corpo e tiene la destra ripiegata sul seno. Fra le varie statue più famose della Dea dell'amore, quella di Milo, di Capua, del Campidoglio, di Firenze, la Venere di Siracusa si distingue più che per la grazia, per il pieno sviluppo della bellezza femminile. La sua posa non ha quella grazia che mostrano la Venere di Firenze e quella di Roma; essa riposa quieta nella coscienza della sua sensualità divina. Non si comprende come la statua stupenda abbia potuto sfuggire allo sguardo rapace di Verre. Essa fu scoperta dal cavaliere Landolina in un giardino della famiglia Bonavia, a Siracusa, nel 1804, e diede occasione alla fondazione di questo museo, pel quale molto lavorarono fin dal 1809 lo stesso cavaliere Landolina, degno emulo del Mirabello, ed il vescovo Filippo Maria Trigona. La Sicilia non possiede un museo nazionale, e se si riunissero le collezioni di Noto, di Girgenti, di Siracusa, del museo Biscari di Catania e di quello di Palermo, si potrebbe formare una collezione nazionale che, specialmente per le monete, difficilmente potrebbe avere l'eguale.

II.
Achradina.

La seconda e la più bella parte di Siracusa era Achradina, sita presso Ortigia; vi si accedeva dall'isola, passando sulla diga che portava pure allo stupendo faro. Achradina si estendeva lungo la costa di levante, poichè a settentrione il suo territorio confinava col mare, a ponente con Tycha e con Neapoli e a mezzogiorno con l'isola e con i due porti. Da ogni parte era cinta da mura che dovevano, in verità, essere molto resistenti perchè Marcello, dopo essersi reso padrone di Tycha, di Epipola, e di Neapoli, trovò in Achradina una grande resistenza, e forse senza il tradimento dello spagnuolo Merico, che cedette per denaro l'isola ai Romani, rendendo inutile la difesa di Achradina, mai sarebbe riuscito ad impadronirsene. Verso il mare era protetta da quelle mura nelle quali Archimede aveva fatto delle feritoie per poter far funzionare le sue meravigliose macchine.

Cicerone, in una delle sue opere, così scrive: «La seconda città di Siracusa ha nome Achradina; in essa si trovano il faro principale, bellissimi portici, una vasta curva, ed un tempio magnifico dedicato a Giove Olimpico; gli altri quartieri della città sono occupati da un'ampia via maestra, in senso longitudinale, da varie strade trasversali e da private abitazioni».

In Achradina oggi si trovano le più vaste rovine di Siracusa; è un altipiano di roccia calcarea, di tinta nera, in cui si scorgono traccie di numerose strade, vestigia di passaggio di carri, sepolcri, ponti di pietra, fondamenta di case e piazze.

Per andare dall'isola ad Achradina vi sono due vie: si può passare per i tre ponti levatoi delle fortificazioni che tagliano l'istmo, ovvero per mare, imbarcandosi nel piccolo porto e scendendo a terra al disotto del convento dei Cappuccini.

Al di là dell'argine si trova la fonte degli Ingegneri, presso la quale sorge quella colonna isolata, unico segno dell'antica città, di cui già parlai. La colonna ha una base attica, è senza scannellature; non si può quindi dire dorica; Serra di Falco sostiene che abbia appartenuto al tempio di Giove, che Yerone II fece costruire nel fòro; ma questa ipotesi è assai dubbia per le dimensioni piuttosto piccole che essa presenta. Si sa invece con certezza che il fòro si trovava in quella località, poichè nessun'altra ve ne era adatta a servire alle due città di Ortigia e di Achradina. Nel fòro si entrava per una porta a cinque archi, ed esso era tutto contornato da portici; e vi si trovavano il pritaneo, la curia, della quale non rimane nessuna traccia, e anche la così detta Casa dei sessanta letti, avanzo di un antico edificio, che viene senza fondamento ritenuto come rudero del palazzo di Agatocle.

In mezzo ad Achradina, sul punto culminante dell'altipiano, si trovano le famose latomie o cave di pietra, che oggi portano il nome dei Cappuccini, avendole quei monaci ridotte a giardini per adornare il loro solitario convento che sorge all'ingresso di quelle. All'intorno si estende la pianura deserta e morta di Achradina, e sembra quasi che la natura colpita dallo sguardo di Gorgona, sia stata convertita ad un tratto in pietra.

La campagna di Roma è bella, con la sua lussureggiante vegetazione, con le sue graziose colline, con i suoi sepolcri e con le sue torri solitarie circondate da edera e non si potrebbe trovare teatro più adatto per i grandi fatti della storia antica. Qui invece tutto ha l'aspetto di decadenza, di abbandono, e per quella pianura sassosa non si vedono aggirarsi che i solitarii cappuccini. Avendo molto sentito parlare di queste latomie, credevo che mi avessero fatto molta impressione, non mai che mi commovessero come mi hanno commosso. Un monaco mi aprì la porta, e mi trovai in un ampio recinto, scavato nella viva roccia.

Vi erano stanze della grandezza di una piccola piazza, con pareti tagliate a picco, dell'altezza di 26 metri, alcune di una tinta giallognola propria delle rovine greche, altre rossicce. L'edera le copriva in gran parte, arrampicata in cerca del sole e della luce, e ricadente in graziosi festoni. Il piano era tutto smaltato di fiori, e qua e là, nelle fessure della roccia, crescevano allori, oleandri e pini. Queste latomie un tempo erano coperte; poi le intemperie ne ruinarono il tetto, ed i massi giacciono oggi ammonticchiati, formando gole, valli, così da dare l'imagine di una catena di monti in miniatura. Gli spazi di terreno esposti alla luce furono dai cappuccini ridotti ad orti e a giardini, che sono tutto l'opposto degli orti pensili di Semiramide, perchè si trovano alla profondità di venti ed anche venticinque metri sotto il livello del suolo; in queste cavità vegetano stupende piante di aranci, di melagrani, viti, cipressi, mirti e vi si vedono anche erbaggi e legumi, che i monaci coltivano per la loro parca mensa. Nell'osservare queste latomie si dimentica che esse furono orribili prigioni e che dopo la sconfitta toccata a Nicia e a Demostene, vi furono rinchiusi gli Ateniesi. Molti di questi morirono di febbre, per lo scarso nutrimento, altri invece si salvarono in grazia dei versi di Euripide. Potevano contenere ben seimila uomini; nessuna prigione presentava certo peggiori difficoltà di evasione. Trovandosi proprio nel mezzo di Achradina, si comprende che furono anteriori alla fondazione della città. Si crede che ivi abbiano lavorato i prigionieri cartaginesi dopo la battaglia d'Imera, per estrarre il materiale occorrente alla fabbricazione delle case e dei templi di Siracusa. Le rovine e la terra cadutavi hanno rialzato il suolo di circa dieci metri, diminuendone di molto la primitiva profondità. Ancora si osservano molte gallerie, anditi coperti, portici, stanze quadrate e a volta, che non sono però di origine greca, poichè presentano lo stesso carattere delle catacombe cristiane.

Sul suolo dell'antica Achradina, oltre le latomie, si vedono ovunque tracce di antiche strade e impronte di ruote di carri, come a Pompei, in grandissimo numero e visibilissime, essendo il suolo di Siracusa di calcare e non di tufo come quello di Roma. Vicino alle latomie trovai queste tracce più abbondanti, dal che argomentai che fossero state impresse dai carri che trasportavano i materiali di costruzione estratti da quelle. Certamente anche nei tempi più belli di Achradina, queste cave aperte nel centro della città dovevano deturparla, dandole l'aspetto di un vasto cantiere occupato da una folla di lavoratori. Le latomie erano le galere di Siracusa. La roccia si trova scavata e lavorata per parecchie miglia, e molte sono le fosse sepolcrali, della stessa forma delle nostre cripte. Certamente il lavoro dell'uomo in questa parte della Sicilia fu immenso, poichè, oltre le tombe, che sono innumerevoli, sotto il suolo di Siracusa si estendono vaste catacombe tutte scavate nella viva roccia.

Vidi molti spazi quadrati che segnavano certo l'area di antiche case, poichè queste in Achradina sorgevano sulla nuda roccia, senza fondamenta. Si cammina per ore intere per questo campo pietroso, lungo il mare, cercando la località e la direzione delle antiche mura, a ponente verso Tycha, dove la città si congiungeva anche a Neapoli, e dovunque si trovano traccie del passaggio dei carri e del lavoro dell'uomo.

È strano come tutta questa immensa città piena di mura e di templi, di portici e di fori, di edifizi colossali, abbia potuto sparire, quasi fosse un monticello di sabbia. Si sa, è vero, che per molto tempo non si costruì in Siracusa che con questo materiale, e che le città moderne di levante asportarono per mare grandi quantità di rovine dell'antica Siracusa; purtuttavia la completa scomparsa dei ruderi rimane sempre un enigma.

A mezzodì l'altipiano di Achradina si abbassa e anche colà si trovano degli scavi, delle tombe, quasi tutte a forma di colombari, e dei loculi di tipo romano. Ivi si trovano pure le maravigliose catacombe estendentisi sotto Neapoli, il cui accesso è sito presso la più antica chiesa cristiana della Sicilia, quella di S. Giovanni. Questa chiesa è un edificio piccolo bizzarro, preceduto da un portico con archi bizantini, ergentisi sopra colonne addossate a pilastri con capitelli del medio evo. Disgraziatamente la chiesa è ormai quasi una rovina. Si accede alle catacombe da una porta presso la chiesa; queste catacombe sono meno vaste e meno imponenti di quelle di Napoli, ma assai più regolari e formano una vera città di morti, con strade, gallerie, corridoi, stanze, nicchie, piazze. Ivi i morti dormono da secoli, mentre al disopra di essi si agita e si evolve un mondo pieno di passioni. Quanti siano ogni giorno i morti di una grande città ce lo dicono le catacombe di Napoli; da ciò si arguisce quale immenso numero ne abbiano accolto i sotterranei di Siracusa, un tempo così popolosa.

Le catacombe, come le altre, erano in origine cave di pietre; in seguito vennero ridotte ad uso di necropoli, e per molti secoli vi si seppellirono i morti secondo un sistema regolare, poichè tutte le gallerie sono di tanto in tanto interrotte da una stanza centrale, a forma di circolo, ampia e piena di nicchie, con una o tre porte a vòlta, posteriori all'epoca greca. Fino ad oggi se ne sono aperte quattro, ma la tradizione vuole che siano trecentosessanta e che arrivino sino al Sebeto e si estendano sotto il suolo fino a Catania. Per la maggior parte appaiono ingombre, specialmente nel piano inferiore; nonostante questo, furono esplorate per l'estensione di parecchie miglia. Venti anni or sono in esse si perdette un maestro con sei scolari, che da soli vollero visitare la necropoli. Si smarrirono in quel laberinto, e invano cercarono un'uscita, finchè, spossati dalla fatica, vi perirono di fame e di paura. I loro corpi furono poi rinvenuti alla distanza di quattro miglia dall'ingresso: si può facilmente immaginare di quale terribile morte gl'infelici perirono. Da allora si sono praticate di quando in quando alcune aperture, per le quali un po' di luce penetra in quei tenebrosi corridoi. La larghezza di questi è, in genere, dai dodici ai sedici palmi, e la loro altezza dagli otto ai dodici; per la lunghezza sembrano non aver fine; si continua a camminare per ore ed ore fra le tenebre in questi canali sterminati ed uniformi quanto l'eternità. Solo di quando in quando la monotonia è interrotta da sepolcri ornati di orribili pitture e rivestiti di stucco rossiccio come quelli di Pompei. In molti punti i sepolcri si succedono gli uni agli altri, quasi celle di un alveare. Si direbbe fossero tante che un verme sepolto nella terra abbia scavato tutte queste gallerie, tutti questi corridoi; e che le generazioni si siano succedute le une alle altre, e milioni di uomini vi abbiano trovato la pace eterna. Oggi non vi si vedono più nè ceneri nè ossa; il tempo, che ha distrutto ogni vestigia dell'antica Achradina, ha fatto scomparire anche le reliquie dei morti. I Greci, i Romani, i Cristiani vi trovarono, gli uni dopo gli altri, il gran riposo: vi sono stati scoperti difatti idoli pagani, piccoli bronzi, lacrimari, simboli cristiani ed un bassorilievo rappresentante i dodici apostoli, trasportato poi nella cattedrale di Siracusa. L'uso di seppellire i morti nelle catacombe è anteriore ai tempi cristiani; lo provano i sepolcri scavati nella pietra e ritrovati nella città troglodita di Ispeca, e le tombe rinvenute in Egitto, nelle Indie e nella stessa America, risalenti a tempi preistorici. Nel punto in cui Achradina confinava con Neapoli e dove sorgevano tanti stupendi monumenti, si vede oggi l'antica strada dei sepolcri, con tombe di stile greco, scavate nella pietra. La stessa strada, della larghezza di circa sette metri, si trova scavata nella roccia, ed a poco minore altezza s'innalzano le pareti che la fiancheggiano. Le tombe aperte nelle pareti sono di varia grandezza e dimensione; in molte si scorgono traccia d'iscrizioni. In genere sono di stile greco, ma in completa rovina; in parecchi si vede ancora un frontone sostenuto da due colonne scannellate. Ricostruendo la strada nella sua forma primitiva, con tutti i suoi monumenti, si avrebbe da ambedue le parti una serie di tempietti, interrotta da tombe più meschine e di povero aspetto; poichè in questa via, sita fuor delle mura di Achradina, si seppellivano persone di varia condizione.

La strada però non doveva produrre la stessa grande impressione della via dei sepolcri a Pompei. Anche il campo che si estende fra Achradina, Tycha e Neapoli, un tempo comune alle tre città e non fabbricato, appare oggi pieno di fosse e di tombe, il cui straordinario numero dice quanto grande e popolosa dovesse essere Siracusa.

Alcuni di questi sepolcri attirano sopratutto l'attenzione per la loro architettura, ch'è più ricca, o per le loro pitture ancora visibili: senza dubbio erano destinate a personaggi illustri. In questi paraggi sorgevano pure le meravigliose tombe che il popolo siracusano innalzò a Gelone e a Demarata, sua moglie; s'ignora però il luogo preciso ove si trovavano. Di tutti i sepolcri che rimangono, due meritano di essere segnalati: si trovano a poca distanza fra loro, in una bella e piccola cava di pietra gialla, fra numerose altre tombe, presso l'antico acquedotto di Tycha, e sono formati da massi sferici, ammonticchiati gli uni sopra gli altri a forma di piramide. Molto, certo, ebbero a soffrire dal tempo, a giudicare dalla presente disposizione delle pietre, non più regolare. Fra mezzo vi si scorge ancora però un frontone dorico, sostenuto da due colonne doriche, di cui una è ancora in piedi. Per quanto lo stile greco e l'altezza delle colonne e del frontone, superiori alle proporzioni dell'ordine dorico, dicano che questo sepolcro è posteriore ai tempi greci, i Siracusani, con pietoso pensiero, gli diedero il nome di Tomba di Archimede, forse per la stessa ragione che indusse gli Agrigentini a battezzare un antico monumento col nome di Sepolcro di Yerone.

Il grande matematico aveva ordinato che sulla sua tomba fosse innalzata una colonna, su cui dovevano essere incise le proporzioni del cilindro con la sfera, a ricordo de' suoi studi prediletti. Cicerone, quando era questore a Siracusa, fece ricerca della tomba di Archimede, e sotto la scorta di questa tradizione riuscì a scoprirla, quasi perduta in mezzo a folti cespugli. Il grande oratore fu orgoglioso della scoperta ed esclamò vanitosamente: «Il Destino ha voluto che la tomba del più grande dei Siracusani fosse scoperta da un uomo di Arpino». A quel tempo non erano trascorsi che cento cinquanta anni dalla conquista di Marcello, eppure la città era già decaduta, tanto che la tomba del più illustre fra' suoi cittadini stava sepolta fra cardi selvatici e spine. Cicerone, che sotto la guida dei Siracusani e della tradizione municipale, va cercando fra i ruderi la tomba di Archimede, dà la imagine di un erudito archeologo romano dei nostri giorni.

Forse dovremo anche noi rinunciare a scoprire la tomba di Archimede e verrà un giorno in cui si cercherà invano quella di Humboldt; ma il ricordo degli uomini illustri è eterno, e giustamente Pericle esclamava, nella commemorazione degli Ateniesi caduti in guerra: «A gli uomini grandi è tomba il mondo!»

Enorme è l'impressione che producono le tombe siracusane, in quella regione deserta, inondata di luce e popolata solo di grandi memorie. Seduto colà, nel silenzio del mezzogiorno, o nella tranquillità dell'infuocato tramonto, ovvero vagante fra quelle tombe, che a centinaia si aprono nel suolo, sembra che debbano sorgerci dinanzi, come ad Ulisse nell'inferno, le ombre di una stirpe di uomini più grande della presente, le ombre dei magni della Grecia. Allorchè io visitai i venerandi sepolcri, stavano seduti sui loro gradini uomini e ragazzi di povero aspetto, logori dalla febbre, con gli occhi infiammati, i capelli ispidi, coperti a mala pena da pochi luridi cenci. Nelle loro fisionomie si leggeva tutta la storia della moderna Sicilia, le sevizie della polizia borbonica, il predominio corruttore del clero, e l'animo mio, amareggiato, non potè fare a meno d'imprecare contro la sorte degli sventurati discendenti di Archimede. Non verrà mai il giorno della redenzione per questa stupenda contrada? Che Dio la renda piuttosto ai Saraceni!...

Ci vorrebbe un novello Archimede per scacciare con le sue macchine e ridurre in cenere tutto il pretismo ed il monachismo che infestano la sventurata isola!

Ancora di una tomba mi resta a parlare. Non lontano dalla via dei Sepolcri, in un giardino di viti e di olivi, si trova sepolto il nostro concittadino Platen. Mentre stavo sui gradini della sua tomba, dopo avervi depositato una corona di tralci di vite, mi ricordai, in quella pura atmosfera ellenica, le relazioni di Platen con Heine, e questi pensieri mi portarono nella malsana atmosfera della letteratura patria, nei tempi falsi, tendenti all'ebraismo, che fecero tanto male alla nostra poesia, generando una razza di uomini snervati, incuranti di Dio e dei loro simili. Come fu diversa la sorte di Heine e di Platen! Se Dio avesse concesso al primo di poter esprimere quanto soffriva nel suo animo, invece di farsi beffe di tutto, sarebbe stato un uomo veramente grande, chè per ingegno Heine fu infinitamente superiore al povero Platen. Eppure l'accanito nemico di Platen si dovè rassegnare a vedere che a questi fosse innalzata una statua.

Fu ventura per Platen il morire a Siracusa. Poco tempo prima della mia venuta, il re di Baviera, come mi narrò il giardiniere, aveva visitato la tomba del poeta e deciso di farla restaurare, poichè già cominciava a cadere in rovina.

Augusto Comiti Platen Hallermunde Auspachiensi
Germaniae Horatio.

Questa è l'iscrizione che il cavaliere Landolina fece incidere sulla tomba. Meritò quel freddo versificatore di Platen di riposare solitario fra i monti di Siracusa, in mezzo a Yerone, ad Archimede, a Timoleone, quale unico rappresentante del popolo che più di ogni altro era versato negli studi ellenici? Questo dubbio mi rimpiccioliva quella tomba poetica quanto i cipressi che presso la piramide di Caio Cestio ombreggiano la tomba di Schelley, uno dei pochi veri poeti dei tempi moderni.

III.
Neapoli.

Mi resta ora da descrivere Neapoli, la parte di Siracusa che fu, come lo dice il suo nome, l'ultima ad essere costruita. Negli inizi Neapoli fu, come Tycha, un sobborgo di Achradina; si estendeva fra il porto maggiore e l'altipiano su cui sorgeva Siracusa; dalla parte di Tycha era protetta da mura e da rupi naturali. La porta Menetide, o Temenetide, conduceva dalla città alla campagna; questa parte di Siracusa era chiamata Temenide da una statua di Apollo che portava questo nome. Cicerone ne descrive un teatro e due templi, uno dedicato a Cerere e uno a Proserpina, innalzati da Gelone col bottino fatto sui Cartaginesi. In questo luogo sorgevano anche i sepolcri di lui e della sua consorte, che più tardi vennero distrutti da Imileone cartaginese.

Non vi è in Neapoli luogo dove si raccolgano tante memorie e tanti monumenti quanto nell'angolo che confinava con Achradina, poichè in quel breve spazio vi erano le latomie di Dionigi, il teatro, la strada, l'anfiteatro e l'acquedotto.

Le famose latomie, che portano il nome di Orecchio di Dionigi, non sono vaste come quelle di Achradina, ma sono più pittoresche e, in certi punti, più belle e più singolari. Esse formano un vasto quadrato, nella cui profondità si trova un giardino sempre verde. Nel centro s'innalza un pilastro di roccia naturale, dell'altezza di circa ventisette metri, sulla cui cima, tra una lussureggiante vegetazione di piante rampicanti, si elevano gli avanzi di una torre.

Può sembrare sulle prime che questo fosse il luogo ove stava il guardiano del carcere, ma osservando meglio si vede che era invece una colonna del tetto, ora crollato. A destra, entrando, si trovano le stanze di appartamenti scavati nella roccia, una delle quali porta il nome di Orecchio di Dionigi. Questo nome le fu dato da Michelangiolo da Caravaggio che, visitando le latomie in compagnia dell'erudito siracusano Mirabella, fu indotto a darle questo nome dalla forma della cavità, dando così in seguito origine a innumerevoli leggende.

Tutte le pareti verticali di questa grotta sono rivestite di edera e di capelvenere; in cima, sul margine della cava, sorge un pino solitario. La forma strana e singolare della latomia dà luogo a quei fenomeni acustici, per i quali si formò la leggenda che ivi Dionigi stesse in agguato a spiare i discorsi de' suoi prigionieri. Serra di Falco scoprì nel 1340 un'apertura in alto, dalla quale, come da una specie di loggia, si poteva vedere tutta la latomia e udire le parole che ivi si pronunciano. Una parola sussurrata a voce bassissima, la lacerazione di un pezzo di carta si sentono distintamente di lassù, e le guide non tralasciano di darsi il piacere innocente di far ripetere all'eco: «Dionigi era un tiranno!» Un colpo di pistola viene ripetuto cento volte, col fragore di un tuono.

Un'altra parte delle latomie, vicino all'Orecchio di Dionigi, si chiama il Paradiso ed è di una bellezza straordinaria. Ha la forma di un ampio quadrato, col suolo piano; e le pareti di color roseo, o nero cupo, o giallo carico sono in certi punti angolose, in altri di aspetto bizzarro per i massi rovinati nella caduta del tetto. In un angolo si apre una specie di grotta sostenuta da pilastri naturali e a traverso a questi si vedono il verde cupo degli aranci, i fiori infuocati del melagrano ed il limpido cielo di Siracusa.

Nel tratto della latomia ancora coperta, da lungo tempo è stata costruita una fabbrica di cordami: uomini, donne, ragazze, poveri, cenciosi, pallidi, di aspetto malaticcio, guadagnano stentatamente la vita filando in quell'antica prigione.

Spesse volte mi sono trattenuto ad osservare il lavoro stando seduto all'ingresso dell'oscura galleria, e nel vederli girare di continuo le ruote e andare su e giù, filando i loro cordami, mi è parso di trovarmi nell'Averno ed ho creduto che quelle donne pallide e smunte fossero le Parche intente a filare lo stame della mia solitaria vita. Donai alcune monete a quella povera gente, che le accettò con l'espressione di gratitudine di chi non si aspetta di essere soccorsa, ed uscito di là, tornato alla luce del giorno, mi trovai ancora sotto l'impressione di quelle misere esistenze.

In Sicilia tutto ha l'aspetto di favola e di mito: Girgenti al pari di Siracusa, l'Etna e l'Enne, ogni spiaggia della sua marina. La fantasia ci riporta a tempi più antichi, ancor più della campagna romana; quivi regna severa la storia, in Sicilia la leggenda. Non è difatti la terra di Tifone, dei Ciclopi, di Dedalo?

Per quanto le latomie di Achradina e di Neapoli siano imponenti per la loro vastità, ve ne sono altre a Siracusa, più piccole, ma che pure hanno un carattere più romantico: quella del conte Casale, simile ad un piccolo Paradiso, per esempio. Io non ho mai visto un giardino così bello; è diviso in due parti, riunite da una galleria coperta, dell'altezza di circa due metri. Nel fondo si trova una sala, alta cento otto palmi e larga sessantadue, le cui pareti sono tinte di rosso e paiono rischiarate dai raggi del sole nascente. Nelle pareti vi sono molti fori i quali salgono in alto, in linea curva: forse colà si trovavano uncini di ferro per servire di scala agli schiavi che scavavano le pietre. La pianta della sala è abbastanza regolare e certo anche in origine ebbe la stessa forma. I terremoti rovinarono molte sale di questa latomia, e ultimamente, nel 1853, crollarono dall'alto varî massi, che ora ingombrano gran parte del giardino. Lo spazio libero è ammirabile per la splendida vegetazione; le foglie di fico, per esempio, hanno una larghezza tale che potrebbero servire da piatti; vi si trovano pure piante e fiori delle Indie.

Le palme, contornate di pianticelle rampicanti, vi crescono rigogliosissime; l'aria è tutta impregnata del profumo degli aranci, del mirto, e gli aloe, le agave vi crescono giganteschi. Il giardino, con le sue mura rivestite d'edera e di muschio, con tutti i suoi corridoi, con le sue rovine, presenta un aspetto così fantastico da farlo credere il giardino di Titania e di Oberone. Non un soffio di vento, non un atomo di polvere turba la tranquillità del luogo.

Presso l'Orecchio di Dionigi si trovano i notevoli avanzi del teatro di Siracusa, uno dei più vasti dell'antichità, che Cicerone chiamava maximum. Serra di Falco crede che fosse contemporaneo al teatro di Bacco in Atene, edificato da Temistocle, ed il primo che sia stato costruito con pietre in Grecia. Il bell'edificio è di un aspetto mirabile per la sua semplicità ed eleganza, nonostante che sia in gran parte rovinato e che della scena rimanga soltanto un mucchio di rovine coperte di cespugli. Il semicircolo oblungo degli ordini dei gradini è scavato nella roccia della collina di Neapoli; si contano quarantasei gradini interrotti da una larga fascia, e tagliati da otto scale diagonali.

Con quarantasei file di sedili non si ottiene che un diametro di quattrocento palmi, ma Serra di Falco ritiene che il teatro avesse un maggior numero di ordini e che perciò si allargasse a misura che saliva.

Egli crede pure che il suo diametro fosse di cinquecento palmi, cosicchè sarebbe stato il teatro più vasto di tutta la Grecia, ad eccezione di quello di Mileto. Non comprendo del resto perchè nel passo di Cicerone: quam ad summum theatrum est maximum, la parola maximum si traduca per «maggiore di tutti» e non soltanto per molto ampio.

Nell'orchestra sboccano due corridoi: la scena, che è fiancheggiata da due edifici quadrati, è attraversata da un piccolo canale d'acqua, proveniente dal vicino acquedotto. Molto si è discusso intorno alle due iscrizioni greche Basillissas Nereidos e Basillissas Philisdos, che si leggono sulla cornice che circonda il teatro, non conoscendosi nella storia di Siracusa questi nomi di regine. Secondo alcuni, Nereide era la figlia di Pirro re dell'Epiro, che aveva sposato il figlio di Gelone II, e Philiste era la figlia di Leptine e moglie di Gelone. Del teatro non rimangono altri avanzi degni di attenzione: pochi sono i frammenti di sculture, ed uno solo pregevole per quello che esso rappresenta: è un cippo di marmo bianco, sul quale è scolpita la favola omerica del serpe e del nido di passero in Aulide, che presagì a Calcante la durata della guerra di Troia.

Quello che più fa impressione è l'importanza avuta da questo teatro, che fu uno dei centri più belli della civiltà umana, poichè su quei gradini, quasi sepolti oggi nell'erba, sedettero un tempo Platone, Eschilo, Aristippo, Pindaro; nella sua orchestra furono messi i prigionieri Ateniesi, e ivi parlò Timoleone, vecchio e cieco, quando prese parte alla discussione degli affari pubblici. Tutta quanta la storia di Siracusa s'intrecciò con l'azione drammatica di questo teatro, poichè in esso si trattavano gli affari di Stato e si declamavano i versi dei sommi poeti. L'importanza nazionale del teatro era accresciuta anche dal luogo in cui sorgeva, fra Neapoli, Tycha e Achradina, e non molto distante da Ortigia.

Il panorama visibile da quell'altura è meraviglioso, il più bello certo che si gode da Siracusa: di là si vedono i due porti, il mare, la spiaggia fino ai monti d'Ibla e in lontananza la mole imponente dell'Etna ed i contorni del mar Ionio fino alla rocca di Taormina. Come doveva essere più bella la vista quando davanti si estendeva l'immensa città, co' suoi templi, i suoi portici, i suoi meravigliosi edifici e il porto pieno di una selva di antenne!

Su quelle scene l'orgoglio patrio era legittimo; e qual effetto dovessero suscitare I Persiani di Eschilo, con i quali i Siracusani festeggiavano la vittoria d'Imera, si può facilmente immaginarlo.

Non meno bello e pittoresco appare il teatro veduto dai gradini più elevati, con tutti i giardini smaltati di fiori che lo circondano. Anche di là la semplicità dell'architettura rivela la purezza del gusto ellenico.

In alto, là dove i gradini del teatro confinano con la collina, vi è un Ninfeo rivestito di muschio e di licheni, dal quale sgorga una fonte: esso mi ha fatto ricordare la grotta della ninfa Egeria a Roma.

Vicino a questa si trovano altre due piccole grotte, nelle quali le donne lavano i loro panni, aumentando col loro canto melanconico la tristezza del paesaggio. A destra vi è la strada dei sepolcri, a sinistra un braccio dell'antico acquedotto di Tycha, che oggi mette in movimento un mulino; perciò il luogo vien chiamato Mulino di Galerone. Il paesaggio è reso ancora più bello dalla parte dell'acquedotto moderno che, sostenuto da archi, corre per un certo tratto all'aperto. Nelle altre parti l'acqua scorre in canali sotterranei, che furono scavati probabilmente dai Cartaginesi. In alcuni punti il canale si trova scoperto, e si vede l'acqua discendere alla distanza di sei miglia dai monti, e correre rapida e gorgogliante.

A levante del teatro, in un bosco di melagrane, sorge l'anfiteatro di Siracusa, assai ben conservato e più vasto di quelli di Verona, di Pola e di Pompei, giacchè misura duecentosessantatre palmi nel suo asse maggiore, e centocinquantaquattro nel minore. Per la maggior parte è costruito di pietra; alle quattro estremità dei due assi si trovano quattro porte, corrispondenti alle quattro parti della città. Serra di Falco lo fece sgombrare nel 1840 dalle macerie. Nonostante che in alcuni punti le mura siano in completa ruina, nel suo complesso l'edificio può dirsi assai ben conservato. L'anfiteatro è certo di origine romana, perchè i Greci non si dilettarono mai al barbaro spettacolo delle lotte fra gladiatori e fiere. Cicerone non ne parla; ne fa menzione invece Tacito. La sua costruzione prova che Siracusa, sede di un pretore romano ai tempi di Augusto e di Tiberio, aveva riacquistato una certa prosperità.

L'ultima rovina antica che esista vicino al teatro, sono le fondamenta di un edificio lungo e stretto, del quale non rimangono che alcuni frammenti di cornici con teste di leoni. Serra di Falco scoprì queste rovine nel 1839: egli dice che dovessero appartenere all'altare di Yerone, per grandezza superiore a quello di Olimpia.

IV.
Tycha ed Epipola.

Gli edifici più imponenti dell'antica Siracusa si trovano radunati in uno spazio relativamente ristretto. Verso settentrione, vicino all'acquedotto, c'è una pianura deserta e sassosa, attraversata dalla strada che conduce a Catania; qui sorgeva Tycha, ricca un tempo di notevoli monumenti, fra i quali primeggiava il Ticheio, o tempio alla dèa Fortuna.

Tycha, a settentrione, presso il porto Trogilo, confinava col mare, cinta da forti mura, a ponente con la fortezza di Epipola. Cicerone ricorda di questa un ginnasio amplissimum e molti templi; oggi non rimangono che i sepolcri scavati orizzontalmente nella roccia, nei quali si scorgono ancora le scanalature per adattarvi le lapidi e le impronte di carri, prova questa della loro antichità.

La gita da Neapoli o da Tycha per la strada di Floridia ad Epipola è malagevole e bisogna farla a piedi o a cavallo, poichè appena si arriva sull'antico territorio di Epipola, è necessario arrampicarsi per un'orribile strada sassosa ingombra di rovine e di massi di roccia calcarea. Epipola occupava il punto più elevato dell'altipiano e confinava col colle Eurialo, mentre più in basso s'innalzava un'altro colle, il Labdalo. Anche oggi, queste due caratteristiche alture dell'antica Siracusa sono riconoscibili e portano il nome di Belvedere e di Mongibellesi.

Il Labdalo era stato fortificato dagli Ateniesi sotto Nicia per dominare la città; essi avevano fortificato anche Epipola, ma ne furono presto cacciati dai Siracusani comandati da Gelippo, i quali, come narra Diodoro, atterrarono tutte le mura. Rimase così soltanto il Labdalo fortificato. Ma Dionigi fece atterrare anche queste fortificazioni quando costruì le sue famose mura a settentrione di Epipola. In queste mura vi erano di tanto in tanto delle torri costruite con massi così grandi che sarebbe stato assai arduo abbattere. S'ignora se Dionigi abbia costruito fortezze sull'Eurialo e sul Labdalo; certo è che l'Esapilo, per il quale i Romani entrarono nella città, si trovava a settentrione di Epipola; e senza dubbio, nelle stesse mura s'innalzava la torre Gallagra, che i Romani assalirono durante le feste di Diana. Gli avanzi che oggi rimangono del Labdalo, i massi enormi della lunghezza di quattordici a sedici palmi, le fondamenta delle torri, i fossi, le gallerie sotterranee, provano che ivi sorse un giorno una fortezza e non già opere provvisorie fatte dagli Ateniesi in vista dell'assedio. Tutti gli enormi massi, secondo il sistema antico dei Greci, erano sovrapposti gli uni agli altri, ma senza cemento; ancor oggi formano una mole gigantesca. Nella roccia si vedono scavate catacombe e gallerie dell'altezza di nove e dieci palmi, e della larghezza di otto piedi, formanti quasi coi loro corridoi e coi loro antri sotterranei una seconda fortezza. Probabilmente questa era in comunicazione con la porta di soccorso che dalla città metteva nella campagna. La mancanza di volte e l'uso della linea retta ne attestano l'origine greca.

Dalle rovine di Labdalo si scorgono i dintorni di Epipola, cosparsi di massi delle mura di Dionigi, di rovine della fortezza, di pietre. Vi si vedono pure latomie di bizzarra struttura, dove si dice che Dionigi tenesse prigioniero Filesseno. Di qui furono tolti i materiali di costruzione per molte città, e tutte le fortificazioni moderne di Siracusa vennero costruite coi ruderi delle mura di Dionigi. Nel visitare queste caverne e queste rovine si rimane stupiti della grande quantità di materiale eccellente da costruzione estratto dal suolo.

Per un ripido sentiero si sale in cima all'Eurialo, che domina tutta la pianura siracusana. Lassù non si trovano altre rovine, se non una cisterna e alcune mura antiche d'origine incerta. Esaminando però il luogo, da cui si domina tutta quanta l'area occupata dall'antica città, non si può fare a meno di persuadersi che ivi dovesse sorgere una fortezza. Non essendo ricordata all'epoca dell'assedio degli Ateniesi, non sappiamo se la costruisse Dionigi; certo però, quando Marcello prese Siracusa, essa doveva avere un'importanza grandissima. Impadronitosi di Tycha e di Neapoli, Marcello dovette trovarsi l'Eurialo, cui Tito Livio dette il nome di colle e di fortezza, alle spalle, e minacciantegli la sua posizione. Egli era dunque come rinchiuso fra queste mura, e siccome dovevano arrivare Ippocrate e Imilcone, correva un grande pericolo, quando il comandante della fortezza Filodemo, perduta ogni speranza di soccorso, si arrese.

Oggi a buon diritto l'Eurialo porta il nome di Belvedere, giacche di lassù si gode una vista magnifica. Di fronte ha il mare Ionio, di dietro l'Etna «colonna del cielo»; lo sguardo spazia poi sulla costa orientale dell'isola, ricca di magnifici golfi e di promontorî, fin oltre Augusta, fino a Catania, che si perde fra le nebbie. Sul davanti appare tutta quanta la pianura siracusana.

Imaginando tutto questo ampio spazio ricoperto di abitazioni, ed il golfo seminato di villaggi, di ville, si ha una pallida idea dell'aspetto che doveva avere questa grande città. Ora la pianura è deserta e arida, e solo al confine del territorio di Neapoli, verso mezzogiorno, una linea di vegetazione segna il corso dei fiumi Ciane e Anapo.

V.
L'Anapo e l'Olimpo.

Da Neapoli si diramava la via Elorica, che attraversava le paludi Lisimelia e Siraca e varcava, sopra un ponte, l'Anapo. Sulla riva opposta di questo sorge il colle Poliene ed in cima a questo si trova il tempio di Giove Olimpico, ed un luogo chiamato Olimpio. Tutta questa contrada è assai nota nelle guerre di Siracusa, poichè tanto gli Ateniesi quanto i Cartaginesi si accamparono spesso ai piedi dell'Olimpio, e sempre furono decimati dalle esalazioni di quei terreni paludosi. Le poche colonne, unici avanzi dell'Olimpio, che ancora esistano su quell'altura, si scorgono dalla distanza di molte miglia; e queste, con le colonne che vi sono presso la fonte degl'Ingegneri, sono le sole che rimangano in piedi dell'antica Siracusa.

Per giungere fin lassù e seguire il corso dell'Anapo, il mezzo migliore è quello d'imbarcarsi nel porto più grande e di risalire il fiume attraverso le paludi. Questo sbocca in mare passando sotto un ponte, e a misura che lo si risale, il suo letto si va sempre più restringendo, fino a che la barca a stento può aprirsi un passaggio.

Allora si abbandonano i remi, e i barcaiuoli spingono la navicella con l'aiuto di una pertica, o la rimorchiano con una fune. La navigazione dell'Anapo è una gita assai romantica. Sulle due sponde crescono folti giunchi, dell'altezza di sei metri, e canne palustri di una straordinaria grossezza, tutte rivestite di piante rampicanti, che ricadono in graziosi festoni. La profonda solitudine, la tranquillità dell'atmosfera e il silenzio quasi misterioso del luogo, producono una magica impressione. Oltrepassata la via Elorica, l'Anapo si divide in due rami, o per dir meglio in esso s'immette un torrente azzurro, il classico Ciane, che sgorga da un limpido stagno circolare, chiamato la Pisma. In questo fiume, secondo la leggenda, si gettò la ninfa Ciane che fuggiva Plutone, allorchè questi portò Proserpina all'inferno, e venne trasformata in fonte azzurra. I Siracusani venivano ogni anno in questo luogo a festeggiare la memoria di Proserpina, sacrificandole un toro ed una vacca, che precipitavano nello stagno. Questo luogo è meraviglioso; riporta con la fantasia ai tempi mitologici e fa comprendere pienamente il significato delle sculture degli antichi sarcofaghi, là dove è rappresentato il ratto di Proserpina.

Cerere ricompensò la sua ninfa delle lacrime versate per Proserpina, facendo crescere sulle sponde di questo torrente la pianta rara che produce il papiro.

È l'unico luogo in cui questa pianta cresce ancora in Europa, dopo la sua scomparsa dalle sponde dell'Oreto presso Palermo.

Questo giunco sorge dalle acque all'altezza di circa cinque metri, graziosamente incurvato, triangolare, liscio e di un bellissimo verde cupo; ha in cima una ricca chioma di filamenti verdi, fini, sottili, che ricadono quasi come una folta capigliatura, a cui il popolo ha dato l'appropriato nome di «parrucca». La vista di questa pianta, vera ninfa dell'erudizione, produce una grata sorpresa in tutti coloro che vengono dalle regioni nordiche; sembra quasi un'apparizione favolosa. Ogni ricordo greco scompare, e la fantasia vola sulle sponde di quel Nilo solenne, enigmatico, alle piramidi, alle sfingi, ai rotoli dei meravigliosi papiri. La rara pianta, sulle rive del Ciane siracusano, in questa terra ellenica, mi sembrò un mito rappresentante la tradizione, secondo la quale ogni civiltà, ogni scienza ha avuto origine dall'Egitto. Guardando alternativamente le piante del papiro e le colonne spezzate del tempio di Giove Olimpico, mi sembrò di avere davanti agli occhi i simboli della civiltà orientale ed occidentale.

Landolina e Politi provarono ad estrarre da queste piante il papiro, e la loro prova riuscì perfettamente; essi ne fecero delle striscie che non differenziavano da quelle egiziane che per maggior freschezza di tinta.

Lasciai la barca nel Ciane per salire sulla vicina collina di Poliene. Le colonne scannellate dell'Olimpio hanno piedistallo, ma mancano di capitelli. Il tempio è molto antico, fu costruito prima della battaglia d'Imera; era piccolo.

Gelone rivestì la statua di Giove di un mantello d'oro, ma Dionigi lo tolse dalle spalle del Dio, dicendo, da libero pensatore, che un mantello d'oro era troppo pesante per l'estate e troppo leggero per l'inverno. Verre s'impadronì poi di questa statua di Giove e la portò a Roma. Nell'Olimpio si conservavano i registri coi nomi di tutti i cittadini di Siracusa, che caddero nelle mani degli Ateniesi, quando questi occuparono l'Olimpio. La veduta di Siracusa da questa altura è molto bella; al disotto si estende tutta la pianura verde, irrigata dalle acque del Ciane. Dopo avere attraversato la pianura arida e sassosa, che si estende da Achradine ad Epipola, l'occhio si riposa sulle verdi sponde dell'Anapo, sui meandri del Ciane, e i nomi di Teocrito e di Pindaro ritornano alla mente. Dove sono andati i bei tempi dell'antica Grecia?

La pioggia mi cacciò da quell'altura e mi costrinse, appena fui sulle rive dell'Anapo, a ricoverarmi sotto un ponte, ove dovetti rimanere a lungo, come un'anima sullo Stige. Ma poichè, come dice Cicerone, non v'è giorno in cui il sole non splenda a Siracusa, dopo una mezz'ora il cielo si rischiarò ed io vidi Iride, nunzia di pace, stendere il suo arco sul mare, mentre un raggio di sole rischiarava Ortigia.

Così, nelle stesse condizioni di luce, per l'ultima volta, potei contemplare il Vesuvio, allorchè nel ritornare a Napoli fui colto dalla pioggia. Auguro a tutti coloro che visiteranno Napoli e Siracusa di poter godere lo stesso spettacolo, veramente superbo.

Gettai un ultimo addio a Siracusa, perchè dovevo partire l'indomani, e volli ancora una volta salire sino al teatro per contemplare la città.

Ed ora, addio, Aretusa! Addio, rive del Timbro, volgenti le vostre acque poetiche senza posa!

NAPOLI E SICILIA
(Dal 1830 al 1852)

Ferdinando II aveva vent'anni, quando l'8 novembre 1830 successe al padre Francesco I sul trono delle Due Sicilie, in mezzo alle agitazioni che le giornate di luglio avevano suscitato in tutta Europa. Nove anni prima, la rivoluzione dei Carbonari del 1820 era stata distrutta per l'intervento austriaco e per lo spergiuro di suo nonno, e solo nel 1827 gli Austriaci avevano lasciato il regno di Napoli, dopo che erano costati al paese 74 milioni di ducati. I partiti si guardavano con diffidenza; i Carbonari preparavano una nuova sollevazione che, con l'aiuto dei cospiratori dell'Italia centrale, doveva assumere un generale carattere nazionale. Mentre l'Italia di mezzo si sollevava, nel regno di Napoli si ebbero solo dei moti fugaci, fino a che la rapida soffocazione dei tentativi rivoluzionari di Modena e delle Legazioni non scoraggiò del tutto i ribelli.

Frattanto Ferdinando II cercava di ingraziarsi il popolo con delle concessioni; ma quantunque alleggerisse alquanto il giogo, allontanasse impiegati odiati, amnistiasse alcuni esiliati e condannati del 1821 e del 1828, pure il governo continuava a trovare una speciale contrarietà in tutti. Quindi ben presto fu nominato ministro dell'interno il marchese Pietracatella, una creatura dell'odiato Canosa; e l'intendente di Cosenza, De Matteis, condannato precedentemente per vergognosi atti di violenza, non solo fu graziato, ma ricevette, con meraviglia di tutti, una pensione dal giovine re.

Era ministro della polizia Intonti, un uomo odiato dal popolo e ritenuto per ambizioso e crudele. Mentre egli osservava con timore il fermento del paese, faceva al giovane re la proposta di modificare in senso liberale il sistema di governo, di creare un Gabinetto nazionale ed un Consiglio di Stato con poteri più estesi di quelli di un Senato e di istituire una guardia nazionale. Intonti supponeva nel re, data la sua giovanile età, inclinazioni liberali che egli sperava di volgere a suo personale profitto; ed infatti Ferdinando II non si mostrò alieno dal seguire i consigli del suo ministro di polizia. Ma appena monsignor Olivieri, che era il precettore ed il consigliere del re, ebbe sentore di ciò, fece causa comune con i ministri e fece credere al re che Intonti non fosse che un intrigante, e che spinto dall'ambizione, si fosse messo d'accordo col governo francese per fare scoppiare una nuova rivoluzione nel reame. Ferdinando dette senz'altro 24 ore di tempo al suo ministro di polizia per lasciare il paese, e con ciò abortì ogni tentativo di riforma.

La caduta d'Intonti fu accolta con giubilo in Napoli, ma ben presto la gioia si mutò in spavento quando si seppe che il suo posto era preso da Del Carretto, il capo della gendarmeria, del quale si diceva che fosse nato per la forca, e che già nel 1828 s'era segnalato per la sua crudeltà, radendo al suolo Bosco, dove i Carbonari avevano tentato una sommossa e mandando a morte o alle galere gran numero di disgraziati. Del Carretto, da questo momento tino al 1848, fu il demonio di Napoli ed il fondatore di un abominevole sistema poliziesco.

Nel 1832 il re Ferdinando sposò Maria Cristina di Savoia, figlia di Vittorio Emanuele I. Questa principessa si fece subito amare per le sue virtù e per la sua pietà, ma le sue idee troppo bigotte ebbero un'influenza dannosa nella Corte. Morì il 31 gennaio 1836, pochi giorni dopo d'aver dato alla luce l'erede al trono, Francesco Maria Leopoldo, duca di Calabria. Un anno dopo, nel 1837, il re sposò in seconde nozze la principessa Maria Teresa, figlia dell'arciduca d'Austria Carlo, rinforzando così in Napoli la politica di Metternich. Fu questo un anno funesto per l'inaudita violenza con cui il colera fece strage in tutto il reame. In pochissimo tempo nella sola Napoli morirono 13.798 persone; nella calda Sicilia la strage fu ancora più terribile: a Palermo morirono 24.000 persone, a Catania 5360 ed in tutta l'isola 69.250. Da quando la morte nera aveva visitato l'Europa, non si erano più vedute simili scene di terrore: si ripetette ciò che Boccaccio e Manzoni avevano raccontato nelle loro descrizioni della peste e ciò che Spadaro aveva illustrato col suo pennello. L'orrore crebbe per il furore del popolo, il quale, credendo che fossero state avvelenate le fontane e le vettovaglie, uccideva, bruciava o seppelliva vivi, impiegati, medici e privati. A Siracusa ci fu una vera sommossa contro il governo locale e l'intendente, e molte altre persone furono uccise. In seguito a questi eccessi il re nominò Commissioni militari con l'incarico di punire i colpevoli e mandò in Calabria l'intendente di Catanzaro, Giuseppe de Liguori, ed in Sicilia Del Carretto, come alter ego. Siracusa, per punizione, fu privata della sede dell'intendenza, così che la patria di Yerone e di Archimede precipitò sempre più in basso.

Sommosse, terremoti e pestilenze riempiono la storia recentissima delle Due Sicilie. Da quando la setta dei Carbonari aveva ceduto il posto alla «Giovane Italia» di Mazzini, i rivoluzionari d'Italia avevano raddoppiato i loro sforzi in tutte le provincie. I moti furono più frequenti nel Sud che altrove, perchè quantunque il Reame disponesse di un esercito numeroso, aumentato negli ultimi tempi anche con qualche reggimento di Svizzeri, pure esso era lontano dall'influenza diretta dell'Austria, ed inoltre i radicali erano sicuri di poter contare sul temperamento infiammabile dei Calabresi e sull'odio dei Siciliani per tutti i loro diritti manomessi. E una sommossa generale era attesa nel 1840. La questione orientale cominciava già allora a conturbare l'Europa, e gravi avvenimenti potevano derivare da una generale sollevazione degli animi. Napoli era minacciata di guerra dall'Inghilterra per la così detta questione dello zolfo, ed il governo, come nel 1830, cominciò a prendere atteggiamenti liberali. La voce che il re volesse concedere la costituzione e la libertà di stampa non era che l'espressione del desiderio di tutti. Frattanto avvenivano qua e là isolate levate di scudi. Nel 1841, in Aquila si proclamò la costituzione ed il popolo uccise l'intendente Tanfano, un tempo creatura del cardinal Ruffo ed aborrito per le sue idee e le sue crudeltà; ma le truppe ebbero rapidamente ragione del movimento. Il generale Casella, inviato ad Aquila come commissario del governo, condannò 56 persone alle galere ed altre alla pena capitale.

Poco dopo si sollevò Cosenza e poi Salerno. Questi moti isolati tenevano desto l'odio, ma mostravano anche l'impotenza di simili esplosioni, dalle quali soltanto menti esaltate potevano aspettarsi la caduta di uno Stato. Di tutte queste imprese avventurose, di carattere così meridionale, nessuna ha l'impronta caratteristica del tempo e nessuna sollevò tanta dolorosa simpatia in tutta l'Europa come quella dei due fratelli Attilio ed Emilio Bandiera, i giovani e generosi figli dell'ammiraglio austriaco, i quali partirono per le Calabrie da Corfù dove erano in esilio, non rattenuti da Mazzini stesso che li sconsigliava, non dalle lagrime della madre loro, nè dalla evidente follia della loro impresa. L'Inghilterra aveva informato il governo di Napoli di tutti i piani degli esiliati, e quindi le Calabrie furono sorvegliate così rigorosamente, che gl'insorti non si poterono neppure riunire, e quei giovani arditi andarono incontro ad una morte inevitabile. Un traditore attirò i due fratelli e quindici loro compagni verso S. Giovanni in Fiore, dove furono fatti prigionieri, ed il 25 giugno 1844 fucilati a Cosenza. Il mondo rimase stupito della debolezza e della crudeltà del governo napoletano, mentre l'esempio dei Bandiera non fece altro che infiammare ancora di più la gioventù italiana. E specialmente in Romagna le cose presero un carattere minaccioso; gli emissari della «Giovane Italia» sollevarono il popolo, le provincie furono inondate di scritti volanti, si formarono comitati e venne raccolto molto denaro. In Bologna sedeva ancora la Commissione militare; si era verso la fine del regno di Gregorio XVI.

Il cardinale legato, Massimo, aveva convocato la Commissione a Ravenna e fatti imprigionare molti cittadini sotto l'accusa d'alto tradimento. Questi ed altri atti di violenza avevano esasperato gli animi, e sembrava che, dopo falliti i tentativi di Napoli, il centro rivoluzionario si fosse portato negli Stati della Chiesa, che a fatica riuscivano a tenere soggette le popolazioni. Ma intanto si faceva strada un nuovo orientamento; per rendere nazionale il movimento e trascinare il popolo era necessaria la cooperazione anche di forze legali e morali. Si prese la via delle riforme e si cercò di dare tale una forza all'opinione pubblica, da obbligare i governi a tenerne conto.

Un tale mutamento di tendenze si rivela già dal notevole manifesto di Rimini (Manifesto delle popolazioni dello Stato Romano ai principi ed ai popoli d'Europa), nel quale i liberali nel 1845 formularono con parole temperate il loro programma. Si chiedeva qui, come in tutti i paesi, la costituzione con grande fermezza. In Italia, allora, l'opinione pubblica non poteva esprimere i suoi desiderî come in Germania avveniva per opera degli Stati provinciali, e quindi solo la stampa, e specialmente dall'estero, esprimeva la volontà del popolo. La stampa aveva allora in Italia una forza trascinante ed universale.

Meritano d'essere ricordati, come esempio di grande efficacia letteraria, Il primato morale e civile degli Italiani di Gioberti, Le speranze d'Italia di Cesare Balbo e gli scritti di Massimo d'Azeglio, di Giacomo Durando e di altri. Mentre il partito delle riforme dal Piemonte allargava i suoi piani politici e faceva una rapida e vittoriosa propaganda per l'unità e per la confederazione, venivano anche prognosticati i due perni intorno a cui si doveva aggirare la rivoluzione generale oramai imminente; il papa (secondo Gioberti) ed il re di Sardegna (secondo Balbo), l'uno come centro morale, l'altro politico; e quindi sembrava che il regno delle Due Sicilie dovesse rimanere in disparte. Perchè nè da questa parte del Faro, nè tanto meno dall'altra, il nazionalismo italiano ha per base il popolo. L'isolamento geografico, il movimento commerciale tendente verso l'Oriente, costumi e linguaggio, la storia quasi non italiana dividevano i Siciliani ed i Napoletani dal resto d'Italia, come anche questi due popoli sono divisi tra loro. E il movimento rivoluzionario assunse nel Sud un carattere particolare e regionale, mentre nella rimanente Italia diventava nazionale e generale.

E come ora in Italia gli scritti di Gioberti e di Cesare Balbo rappresentavano un momento decisivo, così nel regno delle Due Sicilie due scrittori, Colletta ed Amari, avevano dato corpo al movimento riformista. Il primo, il noto generale di Murat, che aveva conchiusa la convenzione di Casa Lanza, era stato esiliato a Firenze, dove morì nel 1831. Ed in esilio aveva scritto la sua Storia di Napoli, libro notevolissimo per forma e per contenuto, che partendo da Carlo III, per giungere fino alla rivoluzione dei Carbonari, pone in evidenza con l'artistica concisione di un Tacito, il cattivo governo dello Stato, la precarietà dell'assolutismo e la necessità di un governo costituzionale e popolare. Questo libro fu una delle vittorie più segnalate del partito delle riforme; esso aprì gli occhi al popolo con argomenti storicamente fondati.

La storia del Colletta esercitò la sua influenza anche nella Sicilia. Senza dubbio il bell'ingegno di Michele Amari si ispirò ad essa nello scrivere la Storia dei Vespri Siciliani, che apparve nel 1842; un libro di forma tacitiana, ma più ricercata che quella di Colletta. Michele Amari rappresenta con drammatica vivacità la mirabile rivoluzione siciliana, fa conoscere ai Siciliani i loro diritti costituzionali e pel contrasto, il miserevole stato del suo tempo.

Amari, che più recentemente si è fatto molto apprezzare per uno splendido libro sulla storia dei Musulmani in Sicilia, con il Vespro Siciliano aveva senz'altro sposato la causa liberale. Egli era spinto da vedute nazionali e siciliane nel dare alla figura ben nota di Giovanni da Procida un rilievo più leggendario che storico, onde apparisse come opera di popolo la liberazione della Sicilia dal giogo di Napoli.

Si può dire che le opere di Colletta e di Amari preannunziassero la rivoluzione che nel 1848 scoppiò tanto a Napoli che a Palermo. Tutte e due le opere furono proteste storiche contro l'assolutismo del governo e contro la dispotica violazione dei diritti del popolo; ma tutte e due, senza volerlo, militando in campi avversari, l'una, la napoletana, rappresenta il programma del costituzionalismo, l'altra, la siciliana, sostiene il separatismo e quindi la repubblica. In tutte e due lo scopo patente si è rifugiato entro l'asilo di un'opera strettamente scientifica.

Mentre questi libri abitavano le menti colte della popolazione, la stampa segreta non rimaneva inoperosa a Napoli, e venivano divulgati a migliaia di copie fogli volanti, proteste, appelli, violenti ed eccentrici nel contenuto, e senza riguardi nel giudicare il re ed i ministri. La stampa pubblica poi subiva una censura delle più feroci. Le parole, popolo, cittadino, nazione, venivano regolarmente soppresse; le paure del governo erano assolutamente ridicole. Al contrario i gesuiti avevano la libertà più completa di stampare ciò che volevano; prima che venisse fondata in Napoli la Civiltà Cattolica, essi pubblicavano la rivista Scienza e Fede, sotto la direzione del padre Curci, un battagliero avversario di Gioberti, con la protezione di monsignor Cocle che era il potentissimo consigliere del re. I preti esercitavano la censura anche su tutti i libri e tutte le riviste che venivano dall'estero e sulle rappresentazioni teatrali e sui balli.

A corte regnava una grande bigotteria ed il re ne dava il primo esempio.

È noto che Ferdinando, fin dall'infanzia sempre affidato alle cure dei preti, mostrava un grande ossequio verso la religione ed i santi. Ascoltava la messa ogni mattina, digiunava rigorosamente il venerdì ed il sabato, recitava l'Angelus tre volte al giorno, non mancava mai alle solenni funzioni della Chiesa. Celestino Cocle, dell'ordine di S. Alfonso, era il suo confessore, ed il suo potere non era meno temuto e meno odiato di quello di Del Carretto. Il re era circondato anche da altri preti; don Claudio, che era un focoso e bigotto predicatore e che in Napoli faceva molto chiasso, specialmente tra le donne, era uno dei suoi beniamini. Dopo gli avvenimenti del febbraio 1848, Ferdinando II ebbe fama di feroce tiranno e fu chiamato un secondo Attila, ma le passioni gli dettero delle qualità che non aveva. Dotato di nessuna intelligenza, nè in bene nè in male, questo principe molto mediocre subì lo stesso destino di molti altri in tempi più antichi e più recenti: le circostanze e gli uomini che lo circondavano lo avevano formato; la paura lo spingeva a qualunque estremo. Era troppo debole per vincere questa paura, e troppo ignorante per avere dello Stato un concetto diverso da quello che egli si era formato, cioè che esso fosse sua esclusiva proprietà. Era avaro ed ammonticchiava milioni spremuti dal suo popolo.

Si dice non senza fondamento che in nessun altro Stato regnasse nel trattamento degli affari tanta diffidenza e tanta paura come a Napoli; il re non solo viveva in continuo timore della rivoluzione nelle provincie, ma diffidava dei suoi stessi ministri. Sembra che avesse per principio di comporre il suo Gabinetto di elementi avversi, di modo che l'uno diventasse controllo dell'altro. Nel 1846 era presidente dei ministri il marchese di Pietracatella, un partigiano accanito dell'assolutismo e delle idee austriache. Ministro dell'Interno era Niccolò Santangelo; ministro della Polizia Francesco Saverio Del Carretto; delle Finanze Ferdinando Ferri, un vecchio liberale del 1799; degli Esteri il principe di Scilla, Falco Ruffo; della Giustizia Niccolò Parisio, uomo molto dotto ma senza energia; ministro della Guerra e della Marina era lo stesso re con il generale Giuseppe Garzia come direttore generale. Vicerè di Sicilia era il duca Luigi di Maio, un uomo spregiato dai Siciliani per la sua nullità.

Di tutti questi ministri erano potenti solo Del Carretto e Santangelo; dietro di loro stava monsignor Cocle per mezzo del quale dominavano l'animo del Re e si potevano permettere tutto, sia pubblicamente nell'indirizzo di governo, sia privatamente vendendo impieghi e favori. Una protesta stampata clandestinamente nel 1846, suonava così: «Tra i ministri non regna nemmeno quell'unione che c'è tra briganti, perchè si conoscono, si odiano e si insidiano; il Re li tiene uniti con la forza e crede che, quanto più si odiino tra loro, tanto più si mantengano fedeli a lui. Se uno di loro propone qualche cosa di buono, gli altri vi si oppongono per malvagità e fanno prevalere il partito peggiore; se uno propone una cosa cattiva, gli altri diventano eroi di virtù e la impediscono, e così non si fa niente, nè di buono nè di cattivo, ma ognuno fa nel suo ministero ciò che vuole. Del Carretto s'atteggia a Nerone, Santangelo ruba, Ferri fa economia, Parisio sogna la giustizia, il Re dice orazioni, monsignore apre le porte del cielo e della terra. Nessuna meraviglia quindi se non c'è un consiglio di Stato e se il governo è stupido, ingiusto, ridicolo, tirannico e vergognoso tanto per gli oppressori come per gli oppressi».

In fatti le condizioni di Napoli prima della rivoluzione del 1848 erano spaventevoli. Ogni giorno avvenivano nuovi imprigionamenti; la polizia riempiva le prigioni, violando continuamente le leggi e la sicurezza personale e facendo regola di ogni sua licenza. I processi si accumulavano perchè al minimo sospetto o al più leggero cenno di spioni, seguivano processi in massa, istruiti dalla stessa polizia; gli avvocati non osavano più difendere gli arrestati, perchè temevano la vendetta del governo, che toglieva loro le cariche. Questa sorte toccò tra gli altri a Giuseppe Macarelli, presidente della Corte criminale di Napoli, per aver difeso strenuamente alcuni giovani accusati di far parte della «Giovane Italia». Nello stesso tempo il governo non si vergognava di mostrare la sua impotenza contro i briganti e di fare con loro dei veri e propri trattati d'alleanza. Così fece per esempio con Talarico, un brigante che per ben dodici anni aveva scorazzato per il Sila. Si capitolò con lui, il ministro Del Carretto gli consegnò personalmente il decreto di grazia a Cosenza, e dopo che il terribile capitano si fu sottomesso, fu inviato insieme con i suoi compagni a Lipari, con una pensione di 18 ducati al mese. Un governo così demoralizzato, che era forte solamente contro gli inermi, non poteva non essere odiato e disprezzato. Il fermento cresceva in ogni provincia; in Calabria, dove l'odio contro Napoli uguagliava quello dei Siciliani, in ogni paese si preparava una rivolta con l'accordo con i capi del partito liberale di Napoli.

Il movimento fu arrestato un momento dalla morte di Gregorio XVI e dalla elezione di Pio IX avvenuta il 16 giugno 1846 e dal meraviglioso cambiamento, che come per incanto, commosse gli animi di tutti. Mentre il rimanente d'Italia s'abbandonava ad un entusiasmo indicibile ed il popolo si ridestava a nuova vita nell'irresistibile impulso verso le riforme e l'indipendenza nazionale, Napoli assumeva un aspetto sempre più doloroso, perchè il governo raddoppiava le misure di rigore. Il re si mostrava senza cuore e senza testa, incapace come era di comprendere i nuovi tempi, e il potere di Del Carretto giunse a limiti che sembrano incredibili. Napoli si riempì di gendarmi e di spie, gli imprigionamenti non si contavano più e nessuna concessione in senso liberale venne fatta fino all'estate del 1847. Nella stupida illusione che un esercito pronto a sparare ed una numerosa gendarmeria fossero sufficienti a comprimere l'odio sempre maggiore del popolo, alimentato per diecine e diecine d'anni con odiosi spargimenti di sangue, il governo lasciò che l'amarezza crescesse senza limiti, incoraggiato anche dalle nuove relazioni di amicizia con la Russia, annodatesi durante la visita che nel 1845 lo czar Nicola aveva fatta alla Corte di Napoli. Oramai si erano abituati da lungo tempo a reprimere i numerosi tentativi di rivolta che venivano considerati come romantiche ed inconcludenti pazzie. Ed ogni nuova impresa di questo genere sarebbe stata impedita con tutte le forze, e frattanto si mandava il generale Statella con numerose truppe in Calabria, che era il focolare di tutte le aspirazioni rivoluzionarie, al di qua dello stretto.

Ma la prima rivolta ebbe luogo in Sicilia, a Messina. Un gruppo di giovani audaci e fanatici aveva deciso di sorprendere e di catturare il comandante e gli ufficiali ad una festa dove si dovevano recare. Il movimento, dopo una breve lotta per le strade, finì con l'arresto o con la fuga di tutti i congiurati. Questo tentativo non era isolato, ma era in rapporto con le altre sollevazioni che nell'estate del 1847 ebbero luogo in Calabria ed in Sicilia, le quali in breve tempo trascinarono tutto il Reame. In Calabria erano stati nominati capi del movimento i fratelli Domenico e Gian Andrea Romeo, di Reggio. Dopo essersi messi d'accordo con i congiurati di Napoli, questi due uomini ardimentosi, alla testa di un gruppo di insorti, s'impadronirono di Reggio e costrinsero la piccola guarnigione a deporre le armi. Questi fatti avvennero verso la fine del mese di agosto. Il moto non era repubblicano; si voleva il re costituzionale e Pio IX, e nella cittadella venne inalberata la bandiera pontificia. Ma il moto rimase locale. Vi prese parte solamente la popolazione di Reggio e dei dintorni; quindi la resistenza non poteva durare a lungo, e tutto doveva finire come qualche tempo prima ad Aquila, Salerno e Cosenza. Difatti apparvero ben presto nel porto di Reggio alcune navi della marina napoletana e dopo una breve resistenza, la città si arrese. I capi degli insorti si rifugiarono nelle montagne per cercare di scuotere le provincie: ma le truppe li inseguirono e dopo che Domenico Romeo, un uomo di grande coraggio e di nobile cuore, cadde con l'arme in mano, suo fratello si consegnò spontaneamente alle autorità. Più fortunato dei suoi predecessori, fu condannato alle galere e qualche tempo dopo potè di nuovo prendere una parte attiva ai casi della sua patria.

Questo moto era stato più importante di quanti altri ne erano avvenuti dal 1820. Pur senza nessuna consistenza, una città era caduta in mano degli insorti, era stato proclamato un governo provvisorio e solamente dopo due mesi di lotta accanita, il governo aveva potuto ottenere vittoria completa.

Al governo questa impresa apparve doppiamente minacciosa, pel fatto che era in relazione con tutto il movimento rivoluzionario italiano e perchè gli insorti avevano inalberato la bandiera di Pio IX. E quindi la repressione fu più crudele che mai, e si arrivò perfino a far subire la tortura agli insorti ed ai liberali arrestati e rinchiusi in prigioni orribili; innumerevoli cittadini, nella capitale e nelle provincie furono strappati alle loro famiglie e la ferocia di Del Carretto e di Campobasso non ebbe più limiti. Ma oramai si era alla fine. L'eccitazione oramai non più frenabile delle popolazioni doveva scoppiare nella capitale. Le convulsioni che finora avevano agitato le provincie, avevano un carattere locale, ma ben diversa era la cosa se la capitale stessa del Reame forzava la mano al governo.

E così accadde. Tanto più numerose si seguivano le riforme che concedeva Pio IX, tanto più ardente se ne accendeva il desiderio a Napoli.

La notizia che il papa aveva concessa una Consulta di Stato cadde su Napoli e su Palermo come una scintilla in mezzo alla polvere. La polizia oramai non arrivava più in tempo negli arresti; ogni giorno per tutte le piazze e per tutte le strade si rinnovavano dimostrazioni di migliaia di persone. Il moto si faceva ogni giorno più intenso; indirizzi, petizioni, manifesti d'ogni genere, deputazioni di Siciliani, di Calabresi, di Napoletani si seguirono ininterrottamente, e per le strade non si udiva più che: «Viva l'Italia! Pio IX! Viva i Siciliani! Costituzione!»

Bisognava battere in ritirata. Già nell'agosto il re aveva abolito la penosa tassa sul macinato e diminuita quella sul sale; da ultimo si decise a cambiare il Ministero. Ne uscirono Niccolò Santangelo e Ferdinando Ferri; vi rimasero Del Carretto e l'austriacante Pietracatella. Ma il popolo continuava a circondare ogni giorno il palazzo reale gridando: «Riforme! Riforme!» Ogni giorno continuavano a giungere deputazioni da tutte le parti del Reame; ogni giorno i rapporti che venivano dalla provincia, parlavano di movimenti sempre più pericolosi. Napoli era in uno stato di agitazione convulsa. Il 14 dicembre il popolo si affollò in piazza della Carità. Schiere innumerevoli di gente di tutte le condizioni, con numerose bandiere dai tre colori nazionali, gridavano: «Viva Pio IX, Leopoldo di Toscana e i Siciliani», e invocavano ad alta voce le riforme. La truppa, rinforzata con le guarnigioni di Salerno e di Nola, era tutta sotto le armi, ed il palazzo era guardato dall'artiglieria con i cannoni carichi. Di nuovo ebbero luogo arresti in massa, e poichè tra gli arrestati vi erano numerosi giovani dell'aristocrazia, quali il principe Caracciolo, il duca di San Donato, il duca di Albaneto ed altri, il popolo poteva convincersi che le idee liberali erano penetrate anche nella più alta nobiltà. Si chiusero l'Università e le scuole superiori e alcune migliaia di studenti appartenenti alla provincia furono costretti ad abbandonare Napoli. E l'agitazione cresceva, da un momento all'altro poteva scoppiare la tempesta. Ma invece di scoppiare in Napoli, scoppiò in Sicilia, e Palermo dette con la sua coraggiosa rivolta il segnale a tutta l'Europa per quella rivoluzione che si diffuse con rapidità elettrica, per poi finire con mettere in evidenza in tutti i paesi la debolezza della razza moderna.

Tra tutte le nazioni che allora si sollevarono in nome del diritto e della libertà, poche erano più degne di simpatia e nessuna più conculcata nei suoi diritti della Sicilia. Nessuna aveva davanti agli occhi una meta così chiara e così reale: l'indipendenza nazionale e la costituzione del 1812. Mentre in tutto il resto d'Europa ed anche in Italia, una quantità di idee di natura politica o sociale prodotte da scuole teoriche o da evoluzioni storiche, confondevano la mente del popolo, sminuzzavano le forze e gli interessi e rendevano impossibile un risultato generale, la Sicilia era rimasta nel suo patriottico isolamento in disparte da ogni indirizzo moderno. Era stato abolito il feudalismo senza che sorgessero tendenze socialistiche; la nobiltà alleata col clero, insigne per cultura, mentre tutto il resto della popolazione rimaneva indietro, e per meriti patriottici nelle scienze, era senza contrasti alla testa nel chiedere il riconoscimento dei diritti nazionali. È noto che la costituzione del 1812 concessa da lord Bentich fu abrogata da Ferdinando I. L'ultimo Parlamento siciliano fu disciolto il 15 maggio 1815. Quando il re nel 1816 si preparava a modificare sostanzialmente quella costituzione di cui l'Inghilterra si era resa garante, lord Castelreagh lo minacciò di un intervento inglese. Ma la minaccia rimase allo stato di nota diplomatica ed il re potè indisturbato conculcare i diritti della Sicilia e riunire l'11 dicembre 1816 l'isola a Napoli. L'esercito nazionale fu disciolto, l'amministrazione tornò napoletana e le imposte furono aumentate arbitrariamente. I Siciliani con la rivoluzione del 20 fecero di nuovo trionfare la loro indipendenza e la loro costituzione; ma dopo che Palermo fu costretta ad aprire le porte al generale Florestano Pepe, ed il generale Colletta ebbe domata l'insurrezione, il governo di Napoli si mise di nuovo nella via che s'era prefissa, quella cioè di rendere la Sicilia una semplice provincia del Reame. L'isola, angariata in modo incredibile dalle imposte, cadde in una profonda miseria; le città perdettero ogni animazione, ed il governo sperò che in questo stato di cose ed incoraggiando premeditatamente l'ignoranza, le forze patriottiche si sarebbero sempre più indebolite.

Nel 1837, dopo l'insurrezione provocata dal colera, Ferdinando II aveva con un decreto del 31 ottobre compiuto un ulteriore atto di violenza contro i Siciliani; venne stabilita la reciprocità degli impieghi fra Napoli e la Sicilia, così che, senza differenza di paese, qua potevano venir assunti i Napoletani, là i Siciliani. Inoltre anche il disagio finanziario contribuì ad inasprire l'animo dei Siciliani, poichè quantunque per legge del Parlamento del 1813 il governo non potesse ricavare dalla Sicilia una somma superiore a 1.847.685 oncie, pure questa cifra era stata di molto superata, specialmente per la tassa sul macinato e l'imposta fondiaria. S'aggiunsero poi altre tasse, tanto che la piccola proprietà era oberata del 32 per cento.

E la miseria divenne sempre più spaventosa. Due flagelli avevano devastata l'isola: il colera e Del Carretto, l'alter ego del re. Questo uomo, che lo stesso Tiberio non avrebbe sdegnato di nominare ministro di polizia, si comportava in una maniera inaudita. I Siciliani soffocavano sotto la triplice compressione delle tasse, degli sbirri e dei soldati. Perfino il governatorato, quest'ultima larva di riconoscimento nazionale, pel quale la Sicilia si distingueva dalle altre provincie di terra ferma, venne dato in mano a dei militari. Il conte di Siracusa, fratello del re, noto pel suo umore bizzarro che ricordava quello del granduca Costantino di Russia, fu l'ultimo governatore di sangue reale. Dopo il suo richiamo, avvenuto nel 1835, non furono nominati che generali. Nel 1839 il re nominò luogotenente dell'isola perfino uno Svizzero, il generale Tschudy; gli successe il generale Vial e nel 1840 il De Maio.

Le relazioni della Sicilia con Napoli e con la dinastia dei Borboni alla fine del 1847, somigliavano a quelle prima dei Vespri Siciliani. A tanta distanza di tempo si trattava ugualmente della stessa oppressione e dello stesso sforzo di Napoli per togliere alla Sicilia ogni carattere nazionale, e tutte e due le volte una costituzione, prima esistente, e poi tolta con la violenza, causava e giustificava la rivoluzione. Vi sono anche altre somiglianze: tutte e due le volte venne proclamata la decadenza della dinastia regnante e nominato un re straniero. Ma i risultati invece furono ben differenti. La rivoluzione del 1848 intrapresa con entusiasmo, fu da principio mirabile per unanime concordia di animi, ebbe favorevoli le circostanze di tempo, e pure in poco tempo finì miseramente con grande meraviglia di tutti. Quasi ventimila uomini in armi potevano combattere per lei e si può dire che due reggimenti svizzeri ne ebbero ragione senza fatica.

Esaminiamo un poco l'andamento delle cose.

Già nell'autunno del 1847 mentre il popolo di Napoli si agitava violentemente, anche quello di Palermo era in grande fermento. Governatore del re era Maio (un nome che ai tempi di Guglielmo il

Normanno aveva avuto un periodo di rinomanza molto sgradita) e comandante delle truppe reali era Vial. La popolazione, con alla testa uomini della più antica nobiltà, il marchese Ruggiero Settimo, il marchese Spedalotto, il principe Serra di Falco, Scordia, Pallagonia, Grammonte, Pantellaria, aveva mandato a Napoli numerose deputazioni chiedenti il riconoscimento degli antichi diritti. In Palermo avevano luogo le stesse dimostrazioni che a Napoli, gli stessi arresti in massa e lo stesso atteggiamento minaccioso delle truppe. Non venendo nessuna concessione da parte del governo, i Siciliani annunziarono la lotta con cavalleresca franchezza ad alta voce; la rivoluzione, infatti, venne proclamata con manifesti, discorsi e deputazioni. Essa non doveva avere nessuno dei caratteri di una cospirazione, nè assumere l'aspetto di una rivolta o di una sedizione; no, era la popolazione che si sollevava tutta intiera. Si stabilì anche una data, il 12 gennaio 1848, giorno natalizio di Ferdinando: se per quel giorno i desiderî del popolo non venissero soddisfatti, si sarebbe dato principio alla lotta. E la mattina di quel giorno il popolo infatti si ribellò. Le campane suonarono a stormo, tutta la popolazione, nobili, frati, preti, borghesi, operai e pescatori, senza distinzione di casta, gli uni bene armati, gli altri impugnando armi d'occasione, spiedi, ramponi e coltelli da caccia, si riversò sulle piazze. Si gridava: Evviva Pio IX! Evviva la Lega Italiana! Evviva Santa Rosalia. Le truppe si ritirano; l'artiglieria circonda il palazzo reale, il quale domina il Cassaro che è la strada principale della città. Alle due dopo mezzogiorno Palermo era piena di barricate, senza che si venisse alle mani. Si stava pronti da una parte e dall'altra; tutta la notte passò in silenzio, interrotto solo da qualche voce di comando, da qualche lumicino nelle strade e dai fuochi accesi sulle piazze. La mattina dopo i cannoni che circondavano il palazzo reale cominciarono a fare fuoco e nel dopo pranzo dal forte di Castellammare si prese a tirar granate. Questo forte era comandato da uno Svizzero risoluto, il colonnello Gros, che aveva ordine di lanciare ogni cinque minuti una bomba sulla città; egli tirò solamente ogni quarto d'ora. Per le strade si combattè con ardore; le campane, che suonavano a stormo, confondevano il loro frastuono con le grida dei combattenti e con il crepitío delle armi. I consoli di tutte le potenze estere ed il comandante della nave inglese ancorata nel porto, formularono una protesta in cui si chiedeva di moderare almeno il bombardamento della città e che si interrompessero le ostilità per ventiquattr'ore, onde dar tempo agli stranieri di rifugiarsi sulle navi. Trascorso questo termine, che fu concesso, la lotta cominciò di nuovo. Il coraggio dei Palermitani fu degno dei loro antenati; si videro gruppi capitanati perfino da frati benedettini e preti, che, in mezzo al grandinar delle palle, tenevano in alto una croce o una bandiera. Meraviglioso l'ordine; non fu commesso nessun eccesso e nessun furto senza che non venisse immediatamente punito dalla stessa giustizia popolare. Nessun atto di crudeltà fu commesso da parte del popolo nei primi giorni della rivolta; gli insorti stessi trasportavano al lazzaretto i soldati feriti. Ma più tardi s'accese la sete di vendetta, e gli odî personali e politici vollero le loro vittime; avvennero scene di terribile furore popolare; anche i soldati, e forse per i primi, divennero feroci, inaspriti dalla situazione insostenibile e dallo sforzo disperato che dovettero sostenere. Essi assaltarono i conventi, uccisero tutti i frati benedettini, e gettarono dalle finestre sul selciato delle strade, morti e viventi.

Mentre il popolo combatteva sulle strade, i capi emanarono un proclama in cui si enumeravano le cause della rivoluzione. Da trent'anni, si diceva in esso, il Parlamento siciliano non viene più convocato; l'assolutismo, che ha violato le leggi e conculcato tutti i diritti, ha prodotto la miseria nelle campagne e nelle industrie. Invano il popolo ha nel 1816 protestato presso l'Inghilterra, che pure nel 1812 aveva garantito l'applicazione dello Statuto di Federico II d'Aragona nella sua nuova forma; invano le sollevazioni del 1831, 1837, 1847! Ma con le riforme di Pio IX è venuta l'ora della liberazione, ed ora i Siciliani si sono armati per riconquistare i loro diritti, per ricondurre di nuovo la loro patria nel numero delle nazioni viventi. Siciliani, non hanno forse i nostri antenati cacciato via il tirannico Carlo d'Anjou? Non hanno sostenuto Ferdinando d'Aragona contro tutta l'Europa? Che cosa possono le armi di Ferdinando II, se tutto un popolo persiste nel suo volere? Il dado è tratto, completiamo noi la santa impresa. Viva Pio IX! Viva la Sicilia! Viva i nostri fratelli d'Italia!

Frattanto la nave Vesuvio aveva portato a Napoli la notizia dello scoppio della rivoluzione. Il governo spaventato fece imbarcare su dieci navi, sei mila uomini agli ordini del generale Desauget. E quando queste truppe giunsero a Palermo il 15 gennaio (ci vogliono sedici ore di navigazione da Napoli a Palermo) tutta la città, meno i forti ed il palazzo reale, era in mano degli insorti. La rivolta era organizzata splendidamente; si era formato un governo provvisorio composto di trenta persone scelte tra le più nobili. Oramai tutti partecipavano alla rivoluzione; che essa fosse una sollevazione vera e propria e non, come si disse poi, un semplice colpo di mano del clero desideroso di potere e della nobiltà gelosa dei suoi diritti, lo dimostra il fatto che vi parteciparono tutte le altre città dell'isola. A Siracusa, Girgenti, Catania, Trapani, Noto, Milazzo e Caltanissetta le truppe napoletane furono sbaragliate; fu nominata una Giunta provvisoria e proclamato di procedere d'accordo con Palermo. Il governo provvisorio di Palermo si suddivise in quattro Giunte, la prima per la difesa, presieduta dal principe di Pantellaria, la seconda per il vettovagliamento, presieduta dal marchese Spedalotto, la terza per le finanze, presieduta dal marchese di Rudinì, e la quarta per gli affari di Stato, presieduta da Ruggiero Settimo, un nobile e degno vecchio, che era stato ministro e che godeva una grandissima popolarità per le sue idee liberali.

Le truppe di Desauget si unirono agli assediati e formarono un corpo di novemila uomini, coi quali fu possibile ricominciare la lotta. Il duca Maio e Spedalotto, pretore della città, vale a dire presidente del Senato di Palermo, si scambiarono delle note: il popolo chiedeva la costituzione del 1812 e l'immediata convocazione del Parlamento. Il conte d'Aquila, fratello del re, che era giunto il 15 insieme con le truppe, ventiquattr'ore dopo ripartì per Napoli con due fregate, per esporre al re lo stato delle cose ed esortarlo a cedere. Il 25 era già di ritorno portando seco il decreto di riforme che il re, spaventato dalla piega degli avvenimenti, si era lasciato strappare. Con questo decreto veniva concessa ai Siciliani un'amministrazione separata oltre che per tutti gli affari anche per la giustizia, veniva abrogato il decreto del 31 ottobre 1837; il conte d'Aquila veniva nominato governatore, e si creava un nuovo Ministero presieduto da Lucchesi, Palli.

Ma il governo provvisorio rifiutò queste concessioni; esso voleva l'allontanamento delle truppe, la consegna di tutti i forti e la convocazione del Parlamento in base alla costituzione del 1812. L'entusiasmo non permetteva più di riflettere, si voleva ottenere tutto e la lotta ricominciò con nuovo ardore da tutte e due le parti. I soldati soffrivano enormemente; mancavano di pane e amareggiati da una lotta ininterrotta, cominciarono a ripiegare. Allorchè il 25 gennaio anche il palazzo reale cadde in mano del popolo, Desauget vide l'impossibilità non solo di domare Palermo, ma di resistere ancora, e domandò un armistizio per imbarcare gli avanzi delle sue truppe e rimandarli a Napoli. Ma il popolo mise come condizione assoluta per l'armistizio, la consegna del forte di Castellammare ed allora le truppe regie nella notte del 29 gennaio si portarono a Solanto passando per Bagaria, dove, stremate di forze, riuscirono ad imbarcarsi. Quando furono giunti a Napoli, laceri scalzi e istupiditi come dopo una lunga campagna, apparve chiaro che i Siciliani erano riusciti vittoriosi e che il governo era incapace di resistere anche adoperando senza riguardo le armi.

Ed infatti la rivoluzione faceva, in Sicilia, passi da gigante. La resistenza delle truppe restate nell'isola era oramai ridotta a nulla; eran rimaste nelle loro mani, solo la cittadella di Palermo e quella di Messina, difesa dal generale Pronio: tutto il resto dell'isola era perfettamente libero ed in condizione di organizzarsi in senso nazionale.

In Napoli questi avvenimenti venivano ingrossati, ed il popolo si abbandonava ad una gioia irrefrenabile; le strade rintronavano continuamente del grido: «Sicilia! Costituzione!» Già in Castel Sant'Elmo sventolava la bandiera rossa ed in tutte le caserme risuonavano segnali d'allarme. Chi poteva più frenare una città come Napoli? Il re, assediato dai suoi consiglieri e dal corpo diplomatico, tentannava, ma alla fine si decise a cedere. Già la sera del 26 gennaio Del Carretto fu allontanato, ed allorchè in compagnia del duca Filangieri scendeva le scale del palazzo reale, venne arrestato e poi silenziosamente e di notte, come si usava un tempo a Venezia, condotto su di una nave già pronta che partì immediatamente per Livorno. Non gli fu concessa nessuna dilazione e non potè salutare nè amici, nè parenti; solamente il re gli mandò 3000 ducati.

Tutti i ministri presentarono le loro dimissioni. A presiedere il nuovo gabinetto fu chiamato il duca Serracapriola che era stato ambasciatore in Francia; gli altri ministri furono scelti tra le persone bene accette al popolo, come Borelli, che aveva partecipato alla rivoluzione del '20 e che aveva sofferto il carcere e l'esilio; Bonanni, Dentice, e Carlo Cianciulli che andò agli Interni. Si disse che costoro avevano accettato il portafogli solo alla condizione che il re concedesse la costituzione; altri dicevano che il re stesso avesse preso l'iniziativa di concedere la costituzione. Ed il decreto venne il 29 gennaio 1848. Si creava una Camera Alta, i di cui componenti venivano scelti dal re, ed una Camera di Deputati eletti dal popolo; si annunziava inoltre la responsabilità dei ministri, la fondazione di una Banca nazionale; e si riconcedeva la libertà di stampa. Così il re assoluto di Napoli era stato condotto dalla forza degli avvenimenti a concedere la costituzione prima ancora che in Toscana ed in Piemonte. In un baleno le cose cambiarono d'aspetto: la polizia scomparve come gli uccelli notturni che la luce del sole spaventa; gli esiliati tornarono in patria; le carceri restituirono le loro vittime; la libertà di stampa fece piovere giornali, fogli volanti, e specialmente satire atroci contro i passati ministri. Il popolo però nei suoi strati più bassi contemplava queste novità con sfiducia; i lazzaroni, questi amici del re assoluto, che si erano abituati alle esortazioni dei frati fanatici ed alle distribuzioni di denaro che faceva loro Del Carretto, cominciarono ad agitarsi ed a riunirsi al Mercato e nel porto per difendere il re; ma la guardia nazionale li costrinse a mantenersi tranquilli. La concessione della costituzione creò per prima cosa la divisione degli animi in vari partiti, e mentre da una parte si schieravano radicali ed avvocati, scrittori e principi e si univano in un lavoro appassionato, si vide dall'altra parte il popolo in grande maggioranza, per quanto commosso dalla novità della cosa, incapace di afferrare un principio politico e di partecipare efficacemente al nuovo stato di cose. I Napolitani sono dei grandi fanciulli, anche la storia universale diventa per loro una cosa decorativa come la natura, e si risolve in una rappresentazione teatrale, mentre la polizia pensa a sgombrare il palcoscenico.

Si fecero dei saturnali d'una incredibile vivacità; partirono emissari per tutte le provincie con la formola di giuramento della costituzione. Una nave salpò in gran fretta per Palermo onde calmare i Siciliani che ancora combattevano e per ordinare al comandante di Castellammare di consegnare il forte nelle mani del popolo. E ciò accadde il 5 febbraio. Tre giorni prima il governo provvisorio aveva assunto una forma più stabile sotto la presidenza di Ruggiero Settimo e mentre tutta l'isola si rafforzava sempre più nel nuovo stato, cresceva anche la fiducia nelle proprie forze e la convinzione della debolezza di Napoli. E pure Messina era ancora nelle mani delle truppe regie; perchè la poderosa fortezza resisteva a tutte le tempeste di popolo e dalle mura di essa Pronio rovesciava sugli insorti una pioggia di bombe. Quello che sorprende è che i Siciliani non sieno stati in grado d'impadronirsi di quella fortezza nel primo impeto della loro rivolta. Costretti ad abbandonare questo posto così importante, essi lasciarono in vita il primo germe di rovina della loro impresa; Messina fu il tallone d'Achille della loro libertà.

Frattanto il governo di Napoli si trovava nella peggiore delle situazioni. Incapace di riprendere la Sicilia con la forza ed ancor meno disposto a riconoscere le pretese del popolo, fu costretto ad accettare la proposta mediazione dell'Inghilterra.

Il Gabinetto di Palmerston profittò con prontezza dell'interna confusione di Napoli per indebolire il Regno, per intromettersi attivamente nei suoi affari e conquistarsi una stabile posizione in Sicilia. Tutti gli occhi erano rivolti sull'Inghilterra. Essa aveva garantito la costituzione di Bentick e quindi era considerata come la naturale alleata dell'insurrezione siciliana; la sua flotta apparve dinanzi a Palermo, altre navi sue incrociavano nelle acque di Messina ed armi e munizioni inglesi erano state distribuite in gran copia a Palermo. La diplomazia inglese spingeva il re a fare le maggiori concessioni e ad accettare la mediazione di lord Munto. Allorchè poi la rivoluzione di febbraio in Francia minacciò di sconvolgere la situazione di tutta l'Europa e dette nuova energia alle richieste dei popoli, il governo di Napoli concesse ai Siciliani tutto quello che era possibile concedere senza arrivare ad una definitiva rinunzia.

Il 6 marzo, il re dette il suo assenso ad un'immediata convocazione del Parlamento siciliano e alla revisione della costituzione del 1812 «adattandola ai nuovi tempi». Contemporaneamente Ruggiero Settimo venne nominato vicerè e venne creato un Ministero siciliano; tuttavia, Siracusa e Messina dovevano, come garanzia, permettere una guarnigione di truppe napolitane.

Se i Siciliani nella calma avessero esaminato la debolezza della loro forza di resistenza e quella ancora maggiore dei loro mezzi di guerra ed avessero accettata la proposta mediazione, paghi di un Parlamento e di una costituzione propria, forse avrebbero potuto sotto la garanzia dell'Inghilterra e della Francia, conservare le fatte conquiste. Ma la facile vittoria del gennaio, la spregevole debolezza della dinastia dei Borboni, a cui il popolo rimproverava sempre i precedenti spergiuri, la passione patriottica, l'odio, l'orgoglio nazionale e finalmente lo stato di convulsione in cui si trovava l'Europa e che sembrava presagire una nuova èra, soffocarono ogni voce di moderazione. Lord Munto venne accolto in Palermo con fredda sostenutezza, si diffidò dell'Inghilterra non meno che dei Napolitani, si reclamò la indipendenza più completa, si accettò solamente un governatore di sangue reale purchè riconosciuto dal Parlamento nazionale e come procuratore di esso. Tutti gli impiegati dovevano essere siciliani e dovevano venir nominati senza la convalidazione del re; la flotta doveva essere siciliana. Si chiedeva inoltre la consegna di Messina e di Siracusa e che la quarta parte della marina da guerra e degli approvviggionamenti militari fossero dichiarati proprietà nazionale della Sicilia. Da ultimo la Sicilia doveva avere una rappresentanza autonoma nella Lega italiana.

Si concedeva al monarca di Napoli di assumere il titolo di re di Sicilia, ma allo stesso modo come ha ancora il titolo di re di Gerusalemme. I Siciliani, dato il trattamento che avevano fino allora subíto, potevano bene assumersi il diritto di fare queste richieste, ma disgraziatamente mancava loro il più efficace dei diritti, quello della forza che è l'unica che possa mutare in fatti la sola volontà.

Il re protestò solennemente contro ogni atto che tendeva a diminuire la situazione creatagli dal Congresso di Vienna, come re delle Due Sicilie. Dietro di lui si agitava il rappresentante dello Czar a Napoli, Chreptowitsch, di fronte a lui stava lord Munto. Ed intanto si andava avanti con le trattative senza concludere nulla, mentre da una parte i Siciliani si governavano da sè stessi e dall'altra a Napoli si rappresentava una nuova opera intitolata: La Costituzione.

La costituzione venne annunziata il 10 febbraio ed il re, il 24 febbraio la giurò nella chiesa di S. Francesco di Paola, sopra il Vangelo, con grande pompa, in mezzo all'entusiasmo del popolo, così come aveva fatto suo nonno Ferdinando I. Ancora una volta Napoli diventava uno Stato costituzionale.

Subito dopo, il 2 marzo, cadeva il ministero Serracapriola, e ne veniva formato un altro sotto la presidenza di Cariati. Che trasformazione avveniva! Carlo Poerio, l'avvocato liberale, appena liberato dalle catene messegli da Del Carretto, diventava ministro della pubblica Istruzione; Gian Andrea Romeo, pochi giorni prima mandato in gran fretta in galera, godeva ora del favore della Corte e veniva nominato Intendente del Principato Citeriore, e come difensore della monarchia costituzionale veniva posto contro il radicalismo che diventava sempre più irrequieto. L'11 marzo i Napoletani godettero uno spettacolo eccezionalissimo: Nella piazza davanti a Castel Nuovo, passavano trenta carrozze con entro i gesuiti mandati in esilio. Monsignor Cocle, il potentissimo confessore del re, era già scappato via e si era rifugiato a Malta. Del resto l'allontanamento dei gesuiti mise in luce lo stato morale del popolo. Appena essi avevano abbandonata la città, i lazzaroni, sobillati da frati e preti, si radunarono in gran numero e cominciarono a chiedere a grandi gridi il richiamo dei seguaci della Compagnia di Gesù. Acclamavano il re e la Madonna del Carmine, ma gridavano morte alla costituzione ed ai liberali che volevan togliere loro, come essi dicevano, i loro santi e la loro religione, e distruggere le loro chiese. La guardia nazionale dovette penare non poco per sedare il tumulto. Questi lazzaroni, povere creature del momento e pure ardenti sostenitori del passato, non avevano la più lontana idea di ciò che fosse costituzione. Essi rimanevano fedeli al re; appena questi si mostrava in pubblico, essi lo circondavano e gli chiedevano le armi per combattere i suoi nemici. «Se non abbiamo armi, dicevano, prenderemo le pietre delle strade e ti difenderemo, come i nostri padri hanno difeso tuo nonno».

Mentre la Sicilia, che il 25 marzo aveva solennemente inaugurato il suo Parlamento, si apparecchiava alla completa indipendenza e alla deposizione del re, così che il governo si trovava in grandi imbarazzi tanto da una parte che dall'altra del faro, sopraggiunse anche il movimento che si era propagato in tutta Italia e che costrinse Napoli ad uscir fuori dei propri confini. Si trattava della Lega d'Italia: si doveva tenere il Congresso italiano a Roma, inviare un esercito a cooperare alla guerra dì Lombardia in favore dell'indipendenza italiana. Si preparò tutto con grande abilità. Già il 28 marzo il principe Schwarzenberg, ambasciatore austriaco a Napoli fu costretto a partire; il 7 aprile salì al potere un nuovo Ministero sotto la presidenza di Carlo Troia ed il re pubblicò un pomposo manifesto in cui invitava il suo popolo a cooperare all'unione d'Italia. Immediatamente partirono i reggimenti per la Lombardia sotto il comando del generale Guglielmo Pepe, il celebre capo dei Carbonari del 1820. Numerosi volontari erano già partiti, accompagnati dall'entusiastica principessa Belgioioso.

Erano appena accaduti questi fatti e gli occhi di tutti erano rivolti verso una patria più grande, quando giunse da Palermo la notizia che il Parlamento siciliano aveva all'unanimità deposto Ferdinando II e l'aveva dichiarato decaduto da tutti i suoi diritti sulla Sicilia. Il 13 aprile fu redatto questo atto straordinario e lo sottoscrissero il marchese Torrearsa, come Presidente della Camera dei Deputati, il duca Serra di Falco, come presidente della Camera Alta, Ruggero Settimo, presidente del Consiglio, e Calvi ministro dell'Interno. La Sicilia si era resa indipendente e nel suo trono doveva esser chiamato un principe italiano, appena la costituzione fosse stata completata in tutte le sue parti.

Questi provvedimenti estremi non ottennero un consenso unanime nel popolo. I radicali esultarono; Palermo s'illuminò a festa per tre sere consecutive; furono spezzate tutte le statue dei re, eccetto quella di Carlo III; ma i moderati ne rimasero spaventati; oramai era inevitabile una maggiore divisione di partiti e quindi un principio di reazione. Odî sconfinati e passioni fanatiche, l'orgoglio dell'alta nobiltà, la speranza nell'Inghilterra e nella Francia ed anche nel Piemonte, al cui re si era spontaneamente offerta la corona, avevano contribuito a far prendere quelle decisioni; si volevano ripetere i giorni gloriosi dei Vespri e si contava, oltre che nelle proprie forze, anche nell'intervento straniero.

Il re di Napoli rispose con una protesta, nella quale dichiarava che quel decreto non aveva nessun valore. Il Parlamento frattanto aveva nominato una Commissione con l'incarico di redigere un manifesto a tutte le Nazioni civili, nel quale si spiegassero i motivi della deposizione del re, e nello stesso tempo di rivedere la costituzione del 1812. Ma non con la stessa energia si procedeva alla creazione di una flotta nazionale. Pronio rimaneva sempre chiuso nella cittadella di Messina, respingendo con successo ogni tentativo del popolo di impadronirsene. Da ultimo Giannandrea Romeo, mandato in Sicilia dal re, ottenne la conclusione di un armistizio fino al 15 maggio.

Le cose stavano a questo punto, quando il 15 maggio avvenne un colpo di scena che ferì a morte la rivoluzione di Napoli. Era il giorno destinato all'apertura del Parlamento; i deputati erano già giunti dalla provincia, ed il re aveva nominato le 50 persone che dovevano far parte della Camera Alta. Il giorno prima nel giornale ufficiale era stato pubblicato anche il cerimoniale da seguirsi per l'inaugurazione. I deputati ed i senatori dovevano riunirsi nella chiesa di S. Lorenzo dove, dopo ascoltata la Messa, il re avrebbe pronunciato il discorso d'apertura, a cui avrebbe seguito il giuramento di fedeltà al trono ed alla costituzione. Appena questo programma fu pubblicato, cominciò un'agitazione violenta. I deputati si rifiutavano di prestare un giuramento che veniva a limitare i poteri della futura Camera; i radicali non volevano sentir parlare di una Camera Alta. Questi ultimi, in numero di 99, tra i quali Ricciardi, Camaldoli e La Cecilia, appartenenti alla nobiltà, si riunirono a Monteoliveto, sedendo in permanenza tutta la notte dal 14 al 15 e mandando una deputazione al presidente dei ministri perchè rinunziasse a quel programma. Il re vi si rifiutò. Ed i radicali allora, forse tra loro vi era qualche agente del governo, eccitarono il popolo: si proruppe in minacce, si disse che giungevano in rinforzo i Calabresi di Romeo, che sarebbero intervenuti i Francesi che già tenevano pronta una flotta nelle acque di Napoli, e si gridò che bisognava deporre il re e proclamare la repubblica. Nelle strade laterali di Toledo, occupate dalla guardia nazionale, si innalzarono numerose barricate, mentre le truppe circondarono in fretta il palazzo reale. Il furore e la confusione crescevano di minuto in minuto. La mattina del 15 i deputati si costituirono nel Parlamento in governo provvisorio e nominarono un Comitato di salute pubblica. E così si rese impossibile una soluzione incruenta. Fu la sfiducia verso la dinastia dei Borboni che spinse le cose a questi estremi; più a questa sfiducia che al partito repubblicano si deve ascrivere la catastrofe del 15 maggio; perchè i repubblicani erano poco numerosi e senza alcun seguito nel popolo. Il re poi la mattina fece ancora delle altre concessioni: la Camera Alta non si sarebbe radunata e la formola del giuramento sarebbe stata mutata, e sembrava da principio che il tumulto si calmasse; alcune barricate furono abbandonate ed i reggimenti svizzeri tornarono nelle loro caserme. Ma i radicali non si fidarono di queste promesse; i tumultuanti nelle piazze che in gran parte erano venuti a Napoli dagli Abbruzzi, dal Principato e dalle Calabrie, attizzavano il fuoco, impedivano la demolizione delle barricate e ne innalzavano delle nuove. Di nuovo i deputati posero al re le seguenti condizioni come garanzia della sua buona intenzione di mantenere la costituzione: abolizione della Camera Alta, consegna di tutti i forti alla guardia nazionale, allontanamento di tutte le truppe dieci miglia dalla città. Il re di rimando si riportò alla costituzione da lui giurata e che la Camera dei Deputati aveva apertamente violata con le sue deliberazioni illegali e che egli invece difendeva. E' fuor di dubbio che a questo momento erano i deputati che avevano violato la costituzione del 10 febbraio, mentre finora il governo aveva agito legalmente. Esso conosceva la debolezza del partito popolare e poteva contare sulla fedeltà delle truppe e perciò non temeva d'ingaggiare la lotta con risolutezza. Il re stesso alla fine si mostrò risoluto di andare fino agli estremi, e mandò un ordine a tutti i comandanti dei forti di bombardare la città al primo inizio delle ostilità.

Alle 11 del mattino si sparò il primo colpo di fucile. Una guardia nazionale uccise un soldato e la lotta cominciò. Le truppe si slanciarono subito contro le barricate e i quattro reggimenti svizzeri si avanzarono con le baionette inastate. Contemporaneamente da Castel Nuovo si cominciò a bombardare a mitraglia la città senza riguardi. Si combattè per lungo tempo con grande accanimento; ma quantunque i radicali avessero trasformato in fortezze molte case e dalle finestre e dai balconi sparassero come da feritoie, pure tutte le barricate caddero davanti all'impeto degli Svizzeri, i quali poi si precipitarono entro i palazzi ed uccisero a colpi di spada chiunque trovarono in armi. Nel pomeriggio la mischia era già finita sotto Toledo, ma si combatteva ancora a S. Brigida in Mercadello. Molti palazzi bruciavano o cadevano in rovina. Dietro gli Svizzeri infuriavano schiere sfrenate di lazzaroni venuti per saccheggiare la città e che si precipitavano in ogni casa rimasta libera per prendere quanto capitava loro nelle mani. La notte del 15 trascorse illuminata dai bagliori degli incendi e l'alba sorse su di un quadro spaventevole; palazzi in rovina, barricate distrutte, morti e feriti confusi insieme, marmaglia vagante con aria sospetta e carica di mobili e di cose di valore; gruppi di prigionieri che venivano spinti a piattonate verso Castel Nuovo. I deputati dispersi o prigionieri, alcuni come Romeo, Pellicano, Scialoia, Saliceti, avevano potuto fuggire; altri tentarono d'imbarcarsi sulle navi francesi ancorate nel porto.

Il trono era stato salvato dagli Svizzeri. Si è rimproverato a questi mercenari del dispotismo la loro crudeltà verso il popolo ed anche di aver partecipato al saccheggio dei palazzi nella giornata del 15 maggio; ed i quattro comandanti a nome dei loro reggimenti pubblicarono una dichiarazione (Napoli, 7 giugno 1848) dove si respingeva questa accusa e si affermava che avevano combattuto non contro il popolo, ma per il popolo e per la costituzione del 10 febbraio che anch'essi avevano giurato di difendere.

Il 16 maggio il re comparve sul balcone del suo palazzo per ringraziare i suoi salvatori ed il 17 fece una passeggiata in carrozza per le strade devastate della sua città. I lazzaroni lo circondarono subito, sventolando bandiere borboniche, con in mezzo la Madonna del Carmine, e gridando: «Santa fede!» Pretendevano anche che il re desse loro il permesso di saccheggiare la città.

Il giorno 16 era stata disciolta la guardia nazionale ed una ragazzaglia cenciosa portò le armi al Comando generale con urli di gioia. Napoli venne posta in stato d'assedio e contemporaneamente apparve un decreto reale che conteneva la formale assicurazione che la costituzione giurata sarebbe stata fedelmente mantenuta e che, mentre scioglieva la Camera, ne convocava un'altra pel primo giugno. Si formò anche un nuovo Ministero nel quale Cariati ebbe la presidenza, Bozzelli l'interno, il principe Ischitella la guerra e la marina, Torella l'agricoltura e il commercio, il generale Carascosa i lavori pubblici, Paolo Ruggiero le finanze e Serracapriola la presidenza del Consiglio di Stato.

Così Ferdinando II uscì vincitore dalla lotta del 15 maggio, più fortunato di suo nonno che potè liberarsi dalla costituzione solo con un aperto spergiuro e con l'aiuto delle armi straniere. I giudizi sulla giornata del 15 maggio sono assai discordi; se si pensa però che l'assolutismo non può mai essere benevolo verso la costituzione, si deve riconoscere che il governo napoletano mostrò carattere e che in principio agì anche con moderazione. I radicali, male organizzati, senza essere sostenuti dal popolo, audaci fino alla pazzia e nella grande maggioranza uomini visionari, come in tutta l'Europa, offrirono essi stessi al governo una splendida occasione. Ed il governo naturalmente l'afferrò con furberia e con prontezza, fece sì che il popolo si sollevasse contro di loro, e si atteggiò a difensore della costituzione. Si paragonino gli avvenimenti del 1848 con quelli del 1820 e si vedrà che la rivoluzione dei Carbonari fu più pronta al principio e più efficace nel seguito. Allora si voleva una cosa sola; nel 1848, a Napoli, come in Germania ed in Francia, si perdette di vista il punto principale per correre dietro a mille questioni. Da ciò quella straordinaria debolezza del partito del popolo e l'esempio di una rivoluzione cominciata così felicemente e così dolorosamente terminata, come mai era avvenuto in precedenza.

La giornata del 15 maggio ebbe conseguenze importantissime per tutta l'Italia; ed il contraccolpo se ne fece sentire subito in Lombardia. Mentre Ferdinando II richiamava il suo corpo di spedizione, la guerra con l'Austria subiva una nuova crisi e le aspirazioni degli Italiani venivano colpite a morte. La flotta napoletana che il 5 maggio era apparsa davanti ad Ancona ed ora, incrociando davanti a Venezia, bloccava Trieste e teneva in iscacco la flotta austriaca, tornò indietro e lasciò Venezia indifesa.

La milizia territoriale, comandata da Pepe, venne anch'essa richiamata. Già nell'andata, ed appena entrata nel territorio pontificio, essa aveva proceduto lentissimamente, secondo ordini segreti ricevuti; infatti molti ufficiali che godevano la fiducia del re, frapponevano una quantità di ostacoli alla marcia, così che si raggiunse Bologna solo dopo moltissimo tempo. A Bologna comparve un ufficiale dello Stato maggiore napoletano, con l'ordine di tornare immediatamente indietro. Pepe vi si rifiutò e con una piccola schiera continuò ad avanzare fin sotto il Po; ma la grande maggioranza delle truppe tornò indietro sotto gli ordini del generale Statella, per andare a domare l'insurrezione in Calabria. Mentre così 14.000 Napoletani, sui quali si faceva calcolo in Lombardia, tornavano indietro, accadde anche che il generale Durando, romano, non potè più mantenere le sue posizioni contro gli Austriaci di Nugent e quindi anche da quest'altro lato i piani dei Piemontesi venivano scompigliati.

I Napoletani marciarono molto più sollecitamente contro le Calabrie che contro la Lombardia. Perchè in Calabria doveva continuare ancora la lotta infelice; la disciolta Camera dei Deputati voleva radunarsi là e stabilire a Cosenza il centro delle operazioni. Quattro deputati, Ricciardi, Eugenio di Riso, Raffaele Valentini e Domenico Mauro, dovevano radunarsi a Cosenza e di là convocare i loro colleghi. Mentre essi si costituivano in Comitato di salute pubblica, accorrevano i radicali da tutti i paesi e si distribuivano armi al popolo. Si radunarono alcune migliaia di Calabresi, da Messina giunse il valoroso Ignazio Ribotti con alcune centinaia di isolani. Ma appena il generale Lanza marciò su Cosenza, i Calabresi si ritrassero ed il comitato di salute pubblica si dileguò. Contemporaneamente Nunziante sbarcava a Pizzo e ottenuti rinforzi a Monteleone, si diresse verso Campo Longo, dove i Calabresi lo respinsero con grande energia. I Napoletani ripiegarono su Pizzo, dove si abbandonarono ad ogni sorta di eccessi. Ma, sfortunatamente, tra i capi del popolo regnava una grande discordia, specialmente tra Ribotti e Mauro. I Calabresi si disciolsero, i Siciliani che tentavano di imbarcarsi furono fatti prigionieri: pure il Comitato riuscì a riparare a Corfù. Gl'insorti si trasformarono in banditi, si gettarono sui monti e resero malsicura tutta la Calabria. Una terribile anarchia fu la conseguenza della guerra calabrese, così che in ogni provincia abbondarono orrori barbarici, furti ed uccisioni.

Nelle altre provincie il movimento non ebbe importanza; la causa del popolo oramai era perduta. Si cullò il popolo con una parvenza di costituzione; ma solo perchè il partito della reazione ebbe paura di osare tutto in una volta. Il 14 giugno fu tolto lo stato d'assedio; venne riorganizzata la guardia nazionale, e le elezioni per la nuova Camera si svolsero tranquillamente e riuscirono una totale sconfitta del governo. Il primo luglio Serracapriola inaugurò la sessione in nome del re con un discorso in cui esprimeva il dolore del sovrano per i sanguinosi avvenimenti del 15 maggio e richiamava l'attenzione e la cura dei deputati sull'amministrazione dei comuni e delle provincie, sulla guardia nazionale e sulla pubblica istruzione.

Il governo, padrone della situazione da questa parte del faro, rivolgeva tutte le sue forze contro la Sicilia. Disinteressatosi interamente degli avvenimenti dell'alta Italia, ora disponeva di tutti i suoi mezzi. Già Nunziante radunava il suo esercito a Reggio, dirimpetto a Messina e la flotta si preparava a trasportare in Sicilia i reggimenti svizzeri. Allora il Parlamento di Sicilia decise l'11 luglio di offrire la corona dell'isola al valoroso Duca di Genova, secondogenito del re di Sardegna, che avrebbe assunto il titolo di Alberto Amedeo re di Sicilia, con una lista civile di 243.030 ducati. Una deputazione si recò in Torino a portare al duca la corona, ma venne accolta con parole incerte. Il principe (che morì sei anni dopo) conosceva troppo bene la precarietà della situazione in Sicilia, e la Sardegna doveva guardarsi allora da un passo troppo ardito.

Si era giunti così alla fine del mese di agosto; le truppe reali, forti di 10.000 uomini si erano imbarcate sotto il comando di Filangieri su tredici vapori e venti cannoniere, e, dopo aver toccato Reggio, apparvero nelle acque di Messina il 2 settembre. Questa città, nella quale funzionava un governo provvisorio, era difesa da 16.000 uomini della guardia nazionale che non erano certo sufficienti a respingere due assalti contemporaneamente, quello del castello e quello di soldati di sbarco. Mentre Pronio la mattina apriva il bombardamento e copriva di proiettili questa città che, come poche in Europa, era da tanti secoli provata da terremoti, pestilenze e guerre, le truppe effettuavano il loro sbarco. I Messinesi sono un popolo assai coraggioso e noncurante di morte, forse i più energici tra i Siciliani, ed anche questa volta si difesero con grande ardore. Ma essi furono costretti a cedere un posto dopo l'altro e, dopo una lotta gloriosa, tutta la città cadde in potere dei nemici.

Il 7 settembre Filangieri si impadronì definitivamente di Messina che ne rimase assai danneggiata, dopo tre giorni di accanita resistenza. Anche qui il pensiero ricorre ai Vespri siciliani. Allora tutte le forze riunite di Carlo d'Anjou, che comandava in persona le sue truppe, non riuscirono a piegare

Messina, e, dall'aprile fino al 2 settembre 1282, il grande eroe Alaimo riuscì vincitore in innumerevoli fatti d'arme, nonostante che la fame travagliasse la città in modo orribile ed i difensori fossero ridotti agli estremi.

La caduta di Messina produsse un'impressione enorme in Palermo. Il Parlamento si rivolse di nuovo all'Inghilterra nella speranza di essere riconosciuti indipendenti da quella nazione. Il Gabinetto di Londra sconsigliò il re di Napoli da una guerra con la Sicilia, e all'Inghilterra si unì anche la Francia per mezzo del suo ambasciatore Rayneval. Le trattative furono condotte innanzi dagli ammiragli Baudin e Parker che con le loro flotte incrociavano nelle acque di Sicilia ed ebbero per risultato la stipulazione di un armistizio.

Mentre le armi tacevano da una parte e dall'altra, in Napoli non accadeva niente notevole all'infuori dell'aggiornamento della Camera e della sua nuova convocazione, specie di commedia che il popolo oramai seguiva senza nessun interesse. Di nove mila elettori iscritti solo mille andarono a votare, e la Camera appena aperta fu immediatamente aggiornata fino al primo febbraio 1849. La città aveva ripreso in tutto la fisonomia di una volta; la polizia riempiva di nuovo le strade; la Commissione militare che doveva giudicare gli arrestati del 15 maggio, si era messa all'opera con grande energia, ed anche monsignor Cocle il 2 settembre era tornato ridendo a Napoli dal suo esilio di Malta.

Ma ben presto uno strano avvenimento doveva di nuovo convergere gli occhi del mondo su Napoli, un avvenimento che non si ripeteva più da secoli e che prometteva ora di avere conseguenze molto durevoli. Il 27 novembre giunse in Napoli il conte Spaur, ambasciatore di Baviera presso la Santa Sede, per consegnare nelle mani del re la seguente lettera:

«Sire! Il momentaneo trionfo dei nemici della Santa Sede e della religione hanno costretto il Capo della Chiesa cattolica di lasciare Roma. Io non so in quale punto della terra la volontà del Signore, al quale io affido umilmente l'anima mia, vorrà dirigere i miei passi; frattanto io mi sono rifugiato con alcune persone fedeli negli Stati di V. M. Io non so quali possano essere le vedute di V. M. a mio riguardo e non sapendolo, reputo mio dovere farle conoscere per mezzo del conte Spaur, ministro di Baviera presso la Santa Sede, che io sono pronto a lasciare il territorio napoletano se la mia presenza negli Stati di V. M. può diventare causa di timore o di difficoltà politiche. Pio IX».

Alle sette del mattino dopo, il re con tutta la sua famiglia s'imbarcò su di una nave per andare a Gaeta. Lo stesso papa che con le sue riforme aveva infiammato il movimento italiano e il di cui nome era stato gridato come un simbolo di rivoluzione in tutte le città in rivolta, veniva ora a chiedere, fuggitivo, l'ospitalità della Corte di Napoli. La Corte l'accolse con entusiasmo, lo fece alloggiare nel palazzo del governo di Gaeta e questa Gibilterra di Napoli divenne la Coblenza d'Italia, il centro della reazione.

Frattanto erano continuate le trattative per risolvere la questione di Sicilia. Ferdinando si piegò talmente alle pressioni della Francia e dell'Inghilterra che offrì il seguente ultimatum: la costituzione sulle basi di quella del 1812; il governatore siciliano o di sangue reale; l'amministrazione interna del tutto separata da quella di Napoli; ma esercito e flotta in comune e tutti i rapporti con l'estero trattati solo da Napoli. Concedeva inoltre un'amnistia, eccetto che per 45 persone, che dovevano abbandonare l'isola.

Gli ammiragli stranieri consegnarono a Palermo questo ultimatum assai benevolo. Ma le cose erano già andate troppo oltre, e per di più i Siciliani non avevano nessuna fiducia in quel re falso che già aveva violato la costituzione di Napoli. In quelle concessioni vi erano parecchi punti che dovevano col tempo rendere illusoria la costituzione. Tra gli altri il fatto che la nobiltà siciliana era minacciata di perdere i suoi diritti, perchè il re si riservava il diritto di nominare i membri della Camera Alta. E il Parlamento rispose all'ultimatum con un invito all'insurrezione generale (20 marzo 1849):

«Siciliani! Per noi il grido di guerra è grido di gioia! Il 29 marzo, giorno in cui cominceranno le ostilità con il despota di Napoli, sarà salutato con la stessa gioia, con cui fu salutato il 12 gennaio, perchè ci sarà possibile conquistare la libertà col prezzo del nostro sangue. La pace che vi si offre è vergognosa. Distrugge in un colpo tutto il bene che ci è venuto dalla rivoluzione. Voi avete meritato l'attenzione di tutta l'Europa; ma che avrebbe detto l'Europa, se vi foste mostrati poco gelosi dei nostri diritti, se vi foste piegati al fraudolento despotismo di un tiranno? Siciliani, quantunque la vittoria sia incerta, pure una Nazione, il di cui onore è un giuoco, ha, come un individuo, il sacrosanto diritto di sacrificarsi. È meglio seppellirsi sotto le rovine della patria, che dare all'Europa lo spettacolo di una inaudita viltà. La morte è da preferirsi alla schiavitù. Ma no, noi vinceremo, noi confidiamo nella santità della nostra causa e nella forza delle nostre armi. Pensate alla disperazione e alle rovine di Messina! La guerra è per noi simbolo di vendetta e di pietà. Un'unica città di Sicilia geme sotto il giogo del nemico della libertà. Alle armi! Alle armi! Vittoria o morte!»

Che cosa dava efficacia a questo manifesto? Quali erano i mezzi di difesa? quali i generali ed i capi del popolo? Quando i Magiari si sollevarono in circostanze simili, l'Europa attonita vide sorgere in un baleno una schiera di talenti organizzati e di generali, che in ogni epoca avrebbero potuto figurare come geni militari. Ma i Siciliani non avevano nessun uomo veramente superiore. Questo popolo appassionato ed intelligente era troppo indebolito dalla lunga schiavitù in cui i Borboni l'avevano tenuto; quella nobiltà feudale, così vigorosa nel medioevo, aveva perduto le qualità guerresche e brillava solo nelle arti della pace e del lusso.

Mieroslawoski, un Polacco di un talento molto dubbio, comandava il così detto esercito nazionale siciliano, 20.000 uomini appena di truppe regolari, tra i quali si trovavano parecchi Francesi e Polacchi. Nessuna meraviglia quindi che la guerra dell'indipendenza finisse così miseramente. Niente altro che scaramuccie e qualche scontro un po' più serio. Le ostilità cominciarono il 4 aprile, ed anche questa volta furono gli Svizzeri che fecero trionfare il partito dell'assolutismo. Filangieri da Messina si portò verso Taormina, la famosa città quasi imprendibile che domina la grande strada, tanto che egli si aspettava di trovarvi una resitenza assai pericolosa. Ma quantunque difesa da 4000 uomini e da nove cannoni, quella importante posizione fu conquistata in poche ore. Filangieri proseguì subito la sua avanzata verso Catania, occupando Aci Reale, accolto con simpatia dalla popolazione. Di qui a Catania, la bella città ai piedi dell'Etna, non vi sono che poche ore di marcia. Poichè a Catania si era riunito il grosso delle truppe siciliane, era da aspettarsi una battaglia campale. Il 5 aprile la città venne circondata per mare e per terra; le navi da guerra si ancorarono davanti al porto, la cui entrata era difesa da tre batterie. Il giorno dopo le truppe e le navi si avanzarono contemporaneamente, e la lotta incominciò. La legione straniera combattè valorosamente, ed anche i Catanesi si comportarono da eroi, ma la resistenza ebbe poca durata. Gli Svizzeri forzarono porta S. Agata, e penetrarono nella città dopo una breve lotta per le strade; si ripetettero le uccisioni, i saccheggi e gli incendi di Napoli e di Messina. La strada Etnea, la più bella di Catania, venne interamente devastata; anche il museo Biscari fu saccheggiato, e molte opere di gran pregio andarono perdute o distrutte.

Caduta Catania, Mieroslawoski fece da Regalbutto ancora un tentativo di sopraffare i Napoletani, ma respinto, dovette con gli avanzi delle sue truppe rifugiarsi nell'interno dell'isola. Siracusa, Augusta e Noto caddero senza colpo ferire. Tutta la costa orientale era stata riconquistata in pochi giorni, e oramai Filangieri poteva marciare tranquillamente su Palermo.

Il Parlamento, alla notizia che quei luoghi così importanti erano caduti in mano del nemico, era piombato in un grande sgomento. Il popolo cominciò ad agitarsi e a lamentarsi, e ben pochi pensarono ad una seria resistenza. Non venne nemmeno presidiato Castrogiovanni, l'antica Enna che i Bizantini ed i Saraceni avevano per tanti anni occupata. L'imprevidenza di tutti non aveva confine; mancava insomma il Garibaldi di quella lotta. E così accadde che il Ministero propose al Parlamento di sottomettersi. La Camera Alta accettò la proposta all'unanimità, la Camera dei Deputati con 60 voti favorevoli contro 30, e subito dopo si tentò di ottenere la mediazione dell'ammiraglio Baudin. Filangieri aveva raggiunto già Caltanissetta insieme con le sue truppe, quando fu raggiunto da una deputazione, della quale facevano parte il conte Lucchesi Galli, il principe di Pallagonia ed il marchese di Rudinì, con la notizia che Palermo si arrendeva senza condizioni. A dire il vero, i radicali, capitanati da Scordati si erano ribellati, avevano formato un governo provvisorio e si preparavano alla difesa, così l'8 ed il 9 maggio avvennero anche combattimenti con le truppe.

In Palermo regnava un'anarchia selvaggia; era scoppiata una contesa tra i Siciliani e la legione straniera; il Parlamento si era disciolto, e più di 3000 persone si erano rifugiate nelle navi francesi ed inglesi. Filangieri rimase alcuni giorni fermo davanti a Palermo, annunziando un'amnistia generale, ad eccezione solo di 45 persone, tra le quali Ruggiero Settimo, Serra di Falco, il marchese Torrearsa, Mariano Stabile, il principe Scordia; ed alla fine, il 15 maggio, un anno giusto dalla controrivoluzione di Napoli, entrò nella città.

Così finì la rivoluzione di Sicilia; in modo veramente lamentevole se si pensa al modo come cominciò. Anche i Siciliani avevano calcolato male; quando le cose presero il 15 maggio un'altra piega, l'Inghilterra li abbandonò a loro stessi, ed il popolo ben presto si stancò della rivoluzione. La nobiltà ed il clero suscitarono viva diffidenza a causa delle loro mire egoistiche; mancavano inoltre i capi e i mezzi, perchè le campagne e le città erano esauste. E l'isola ripiombò più miseramente di prima sotto il giogo dell'odiata Napoli.

Lo stesso giorno in cui cadeva Palermo, re Ferdinando—così stranamente si svolgevano gli avvenimenti—si accampava col suo esercito ad Albano, nel territorio del papa ed in vista di Roma.

Nella primavera il papa aveva da Gaeta ordinato a tutte le potenze cattoliche di concorrere a domare Roma ribelle, e a rimetterlo nel suo trono.

Mentre i Francesi, in contradizione con la loro costituzione repubblicana, si accampavano davanti a Roma, sotto il comando di Oudinot, e gli Austriaci occupavano Bologna, e gli Spagnuoli sbarcavano a Porto d'Anzio, il re di Napoli si era avanzato con 16,000 uomini e 72 cannoni.

Questa campagna cominciò e finì tuttavia senza gloria; mancò poco che il valore di Garibaldi non annientasse del tutto l'esercito napolitano nei due scontri di Palestrina e di Velletri, il 9 ed il 19 maggio. Dopo la giornata di Velletri, il re si affrettò a ritirarsi nei suoi Stati, inseguito dai repubblicani romani che, più arditi e perseveranti dei Siciliani, furono costretti a tornare indietro per prepararsi ad una più seria difesa contro i Francesi.

Con la caduta della Sicilia il 15 maggio e quella di Roma il 3 luglio 1849, ebbe fine la rivoluzione nell'Italia meridionale, ed ora a noi non resta altro che accennare alle dolorose conseguenze che ne seguirono, come giudizi marziali, processi e misure di reazione.

Per quel che riguarda la Sicilia, non venne mantenuta nessuna delle promesse fatte da Filangieri ai Palermitani. Il re non volle sentir parlare di un principe reale come governatore di Sicilia; ma nominò invece il Filangieri stesso vicerè, conferendogli il titolo di duca di Taormina in premio delle sue benemerenze militari. Nunziante, il vincitore in Calabria e Statella, che aveva ricondotto indietro dal Po le truppe, rimase agli ordini del vicerè. Tuttavia un Siciliano, don Giovanni Carrisi, venne nominato ministro per gli affari dell'isola, con residenza presso il re, e per di più, conforme alla decisione presa il 27 settembre 1849, venne creata una Consulta siciliana che tenne la sua prima seduta il 28 febbraio 1850. Una terribile oppressione pesava ora sul popolo; non solo vennero ripristinate le antiche tasse, ma ne vennero imposte anche delle nuove, come una tassa generale di bollo, e perfino una sulle finestre. Tutti i commerci cadevano in rovina, le strade erano rese malsicure da numerosi briganti; l'agricoltura mancava di braccia, perchè quei che la guerra non aveva uccisi, dovevano fuggire o andare in carcere. Gran parte dei capi del movimento si era rifugiata nelle navi inglesi o francesi; Ruggieri Settimo era riuscito a fuggire a Malta, altri a Parigi, a Londra o a Corfù; ma molti furono raggiunti dalla polizia, che rovistava tutte le case e le campagne e perseguitava i deputati per costringerli ad emettere una dichiarazione in cui revocavano la deliberazione con la quale i Borboni erano stati dichiarati decaduti dal trono di Sicilia. Anche tutte le armi furono sequestrate senza misericordia. Le misere condizioni dell'isola durante il 1837 erano un nulla in confronto di quelle sotto cui gemeva ora, dopo l'ultima rivoluzione. Dopo che furono violate tutte le promesse, compresa quella dell'amnistia, la Sicilia divenne una semplice provincia del Regno di Napoli.

Anche a Napoli la costituzione finì miseramente; dopo che la Camera fu sciolta il 14 marzo 1849, essa non venne più riconvocata. La costituzione figurava oramai solo nel titolo del giornale ufficiale Giornale costituzionale delle Due Sicilie; ma il 21 maggio 1850, anche quella parola costituzionale disparve. Nonostante il solenne giuramento del 14 febbraio 1848, le cose tornarono allo stato di prima. Ci furono qua e là, in Abruzzo ed in Calabria, strascichi rivoluzionari, ma la polizia teneva gli occhi aperti e li soffocò.

Il governo assoluto riprese silenziosamente il suo sopravvento. Il re non dimorò più a Napoli ma a Gaeta, dove anche Pio IX rimase fino al 4 settembre 1849; giorno in cui si imbarcò per Portici. Le cose notevoli della permanenza del papa a Gaeta e a Napoli sono state già registrate negli annali ecclesiastici; noi accenneremo solo alla fondazione di un istituto che avvenne sotto gli occhi del papa. Già a Gaeta si era venuti nella decisione di fondare un organo universale della Chiesa che servisse di baluardo contro la stampa democratica e contro ogni tendenza sovversiva. E così nel 1850 sorse in Napoli la Civiltà Cattolica sotto la direzione del gesuita Curci, che già prima della rivoluzione pubblicava la rivista Scienza e Fede e dei gesuiti Bresciani e Trapello. Questo giornale, che l'anno dopo fu trasportato a Roma, vive ancora e combatte con tutte le armi contro la rivoluzione. È redatto con abilità e contiene corrispondenze da tutte le parti del mondo e si pubblica il primo ed il terzo sabato di ogni mese, ed ogni fascicolo contiene svariati argomenti, considerazioni di politica generale, una cronaca contemporanea degli affari del mondo ed anche romanzi, come L'Ebreo di Verona (il primo che vi apparve) del padre Bresciani, che ha per soggetto la rivoluzione del 1848. Sui primi del 1855 questa rivista dispiacque al re di Napoli, si dice, per un certo articolo, che fu stampato solo in poche copie, e di cui si ignora il contenuto. Il padre Curci dovette dare le dimissioni e per un momento parve che i gesuiti stessero per essere espulsi da Napoli; ma poi la cosa venne accomodata.

Dopo che Pio IX ebbe battezzato e cresimato alcuni principi e principesse della Corte napoletana ed ebbe conferito la rosa d'oro alla regina, il 4 aprile lasciò Portici per Caserta. Visitò di nuovo Gaeta innalzandone il Duomo a chiesa metropolitana e quindi, accompagnato dal re e dal duca delle Calabrie, raggiunse il confine a Fondi dove, con lagrime ed abbracci, prese congedo dai suoi ospiti che l'avevano assistito nei giorni tristi. Poi proseguì il suo viaggio ed il 12 aprile rientrò in Roma da quella stessa porta S. Giovanni da cui era fuggito il 24 novembre 1848.

Il re tornò a Caserta dove aveva fissato la sua dimora, mentre nella capitale si svolgevano avvenimenti che riempivano di dolore tutto il paese. Perchè ora erano cominciate le persecuzioni in massa contro deputati e liberali, e tutta quella serie di processi colossali che si prolungarono fino all'anno 1853. Nove ministri dei precedenti Gabinetti e cinquantaquattro deputati erano in carcere o in esilio; si diceva che il numero dei carcerati salisse a molte migliaia; secondo alcuni rapporti autentici, nel 1851 nelle prigioni di Stato vi erano 2024 liberali.

Tra tutti questi processi ce ne fu uno che sollevò l'indignazione di tutta l'Europa, quello contro la setta detta dell'Unità Italiana. L'accusa era connessa con un fatto avvenuto a Portici, dove il 16 settembre 1849, davanti al palazzo reale, mentre il papa dava la benedizione, lo scoppio di un petardo aveva causato un grande scompiglio. Questa sciocchezza venne considerata come una dimostrazione da parte di una setta segreta, che si organizzava sotto il titolo accennato per diffondere le idee di Mazzini e per attentare alla vita dei principi. Anonime delazioni di agenti di polizia dettero i seguenti dettagli: la setta è suddivisa in cinque gradi, ed ha un gran Consiglio, alla testa del quale si trova il conte Mamiani, un Comitato generale, e poi Comitati provinciali, distrettuali e comunali, corrispondenti ai corpi amministrativi del reame. Esisteva in realtà una associazione che aveva per scopo di promuovere l'unità d'Italia, che un tempo era stata appoggiata anche dal governo napoletano; ma gli agenti di polizia denunziarono molte personalità spiccate come appartenenti ad una setta segreta, che si prefiggeva di sopprimere i sovrani; tra cui inclusero anche Carlo Poerio, quell'avvocato che nel 1848 era stato nominato prima direttore della polizia e poi ministro dell'istruzione, un uomo dalle idee assai temperate e che non aveva preso parte nemmeno al moto repubblicano del 15 maggio. In quella lista furono compresi anche Dragonetti ed il duca Caraffa d'Andria; gli accusati furono in tutto quaranta. La polizia era l'accusatrice, una speciale corte criminale, sotto la presidenza di Navarro, istruì il processo e giudicò. Il dibattimento cominciò il 1o giugno 1850, e la sentenza fu emanata il 5 dicembre: furono assolte solo quattro persone; tre, Francittano, Settembrini ed Agresti furono condannati a morte, tutti gli altri alle galere. I tre condannati a morte solo poche ore prima della esecuzione ebbero commutata la pena nelle galere. E' vero sì che il governo napoletano non mandava mai a morte i rei politici, ma bisogna anche dire che le prigioni napoletane erano assai peggiori di una morte rapida. Quei disgraziati, fra i quali Poerio che era stato condannato a 24 anni, legati coi ferri a due a due come volgari delinquenti, furono condotti al porto e trasportati su di una nave al carcere di Nisida. Da tutto il mondo si sollevò un grido d'indignazione per la barbarie con cui venivano trattati quei disgraziati. Il Risorgimento di Torino descrisse con grande esattezza di particolari le orribili prigioni sotterranee di Nisida, Ventotene e Tremiti, dove i condannati politici, uomini di grande mente e cultura, un tempo ministri, duchi e conti, furono rinchiusi in locali infetti e confusi con i malfattori comuni. Le note lettere di Gladstone a lord Aberdeen che confermavano le notizie del Risorgimento, sollevarono una vera tempesta. Il governo napoletano tentò, è vero, di giustificare con pubbliche dichiarazioni, ma anche se si tiene conto dell'esagerazione di quei rapporti, rimane pur sempre che la sorte di quei condannati politici era terribile. Legati due a due ad una catena lunga sei piedi, oltre le sofferenze fisiche, essi sopportavano entro quelle mura fetide, una ancor più insopportabile pena morale. Un giorno il mondo avrà da questa o quella vittima della rivoluzione napoletana del 1848 un libro di memorie dal carcere, che non rimarranno indietro per l'orrore che desteranno a quelle che Silvio Pellico scrisse sullo Spielberg.

Ed intanto i processi continuavano. Quelli che si facevano in provincia, più numerosi in Calabria che altrove, passavano inosservati agli occhi del mondo; solo quelli che avevano luogo a Napoli, facevano parlare di sè, come quello di cui abbiamo già parlato e l'altro contro la Setta carbonara militare. Ai condannati alle galere bisogna poi aggiungere altre migliaia di cittadini che, o venivano posti sotto la diretta sorveglianza della polizia, o venivano strappati dalle loro famiglie e esiliati in qualche isola lontanissima. Bastava per provocare queste misure, qualche parola sospetta o poco cauta, e perfino portare un cappello alla calabrese, o la barba a pizzo. Nel 1852 per le strade di Napoli venivano fermati perfino gli stranieri e si imponeva loro di farsi radere la barba se la portavano à la Napoléon.

Nuovo motivo di paura per il governo napoletano furono, nel 1852, il giuseppinismo e il murattismo. Dopo il successo del colpo di Stato a Parigi, e dopo la proclamazione dell'impero, che Napoli si affrettò a riconoscere prima delle altre Potenze, ogni manifestazione in questo senso creava nuovi timori. La situazione del Regno di Napoli è in vero terribile; esso si trova in continue apprensioni di sbarchi di mazziniani, di pretese murattiane e di permanenti agitazioni in Calabria ed in Sicilia, dove ora qua ora là, a Caserta, a Messina, a Palermo, a Girgenti sorgono società segrete, si tentano sollevazioni, e non è nemmeno il caso di pensare ad una pacificazione degli animi. Nel febbraio 1852 il governo tentò di calmare almeno Messina con la concessione di un porto franco; il re stesso facendo un viaggio in Sicilia, promise l'apertura di nuove strade, poi concesse un'amnistia per la quale furono liberate duecento persone e si cominciava di nuovo a vociferare che egli avesse in animo di concedere di nuovo la costituzione. Ma l'odio dei Siciliani è implacabile ed i partiti radicali di tutto il Reame sono indomabili. La situazione di Napoli è oggi la stessa se non peggiore di quella dopo il 1837. Il governo trascurando di soddisfare i bisogni di quella città ed accendendo sempre più le passioni politiche con la violenza della reazione, va incontro ad una nuova e più terribile rivoluzione che non può tardare.

Milton Keynes UK
Ingram Content Group UK Ltd.
UKHW050622021023
429777UK00009B/509